세계철학사 5

世界哲学史 5
SEKAI TETSUGAKUSHI 5: CHUSEI III BAROQUE NO TETSUGAKU

Edited by Kunitake Ito, Shiro Yamauchi, Takahiro Nakajima, Noburu Notomi

Original Japanese edition published by Chikumashobo Ltd., Tokyo.
This Korean edition is published by arrangement with Chikumashobo Ltd., Tokyo
in care of Tuttle–Mori Agency, Inc., Tokyo through Bestun Korea Agency, Seoul.

세계철학사 5

중세 Ⅲ
— 바로크의 철학

책임편집 이토 구니타케伊藤邦武
야마우치 시로山內志朗
나카지마 다카히로中島隆博
노토미 노부루納富信留

옮긴이 이신철

도서출판 b

| 차례 |

머리말

야마우치 시로山內志朗

제5권은 14세기부터 17세기까지의 철학의 전개를 다룬다. 이 시대는 인류의 역사에서 하나의 격동의 시대였다. 대항해 시대, 활판 인쇄술의 발명, 종교 개혁, 르네상스 등, 커다란 역사적 사건들이 생겨난 것이다. 덧붙이자면, 이 권에서는 16세기부터 18세기 중반까지를 가리키는 말로서 원칙적으로 '근세'를 사용하여 그 후의 '근대'와 구별한다.

서양에서 철학이 신학에 대한 종속적 위치를 벗어나 세속적 학문으로 된 것은 17세기 이후라고 생각할 수 있을 것이다. 아리스토텔레스의 저작을 연구하는 것이 주된 교육 연구 내용이었던 학예학부에서 철학은 신학으로부터 독립적인 지위를 지니고 있었다. 두 학부의 대립이 실재론과 유명론이라는 보편 논쟁의 입장과 교차하며 철학사의 구도가 형성되어왔다. 지금까지도 실재론과 유명론이라는 대비가 철학사를 일그러뜨리고 있다. 종교 개혁 이후 대학 교육의 대중화라는 것과도 서로 어울려 철학의 세속화, 종교에 대한 종속 상태로부터의 탈각이라는 것이 생겨났다. 철학과 종교를 연속하는 것으로 파악하는 풍조 속에서 신학과 철학의 관계는 지금도 문제가 되어야만 하는 것인지도 모른다.

세계사 전체를 내다보는 경우, 중세와 근세라는 시대 구분은 타당한 것일까? 이는 방치할 수 없는 문제이다. 서양에서도 중세라는 명칭은 근세에서의 문화의 재생이라는 전제를 지니며, 고대와 근세에 빛이 있고 중세는 암흑의 시대라는 선입견에 지배되고 있었다.

중세에 황금기를 설정하는 사람의 견지에서 보면, 근세 이후는 쇠퇴와 몰락의 과정이며, 근세를 준비한 사상이란 중세 질서의 파괴자이자 증오받아야 할 것이었다. 그들은 그 전형을 유명론자인 윌리엄 오컴에게서 찾았다.

중세에 이단 사상은 그 다수가 묵시록적인 종말론의 측면을 지니고 있었다. 다가오는 종말은 현재 질서의 전도·혁명이며, 사회 대부분을 차지하는 곤궁한 민중이 행복한 상황을 맞이하게 된다는 기대에 뒷받침되고 있었다. 중세는 언제나 새로운 시대를 구하고 있었다.

중세와 근세라는 구분이 종교적 지배로부터 세속 권력으로의 이행이라 본다고 하더라도, 근본적인 변화를 설정하지 않으면 중세와 근세라는 구분도 성립하지 않는다.

철학사적으로 보면, 이슬람에서는 아비센나, 아베로에스 이후 서양 철학에 커다란 영향을 미치는 철학자는 나타나지 않으며, 전성기가 지나간 것처럼 묘사해왔다. 중국에서는 주희, 왕양명 이후 큰 별로 보아야 할 사상가는 나타나지 않고, 일본에서도 무로마치 시대부터 에도 시대 초기까지 대 사상가는 없는 시대가 이어진 것으로도 보인다. 같은 사정을 서양 철학에 대해서도 말할 수 있다. 13세기에 토마스 아퀴나스가 사라진 후, 둔스 스코투스와 오컴이 나타나 중세 스콜라 철학의 종언을 선언하고부터 르네상스에 이르기까지 암흑의 시대가 이어진 것으로 그려져 왔다. 근세는 빛을 가져왔다고 말할 수 있을까? 두 차례에 걸친 세계대전과 후쿠시마 이후 우리는 강력하게 그렇게 묻지 않을 수 없다.

본래 '중세'와 '근세'라는 명칭·구분이 타당한 것인지가 세계철학사의 관점에서 검토되어야만 한다. 그렇지만 세계 각지에서 개별적으로 전개되는 사상 무리를 똑같은 모양으로 조망하는 것은 가능하지 않다.

세계철학사는 절대정신의 현현을 보여주고자 하는 시도가 아니다. 21세기의 이 현 상황을 절대정신의 현현이라고 주장하는 철학자가 있을 리도 없다. 세계철학사는 지역적인 국부성이 자기의 특이성을 발휘하는 것 안에 보편성을 간직하고 있다는 것을 보여주는 시도이다. 그런 의미에서는 세계철학사 역시 개체인 모나드가 무한히 많은 모나드로 이루어진 우주를 표현함으로써 개체성을 실현하는 모나드론의 시도라고 할 수 있을 것이다.

제1장

서양 중세로부터 근세로

야마우치 시로山內志朗

1. 서양 중세와 근세

서양 중세로부터 근세로 철학의 이행

과학사가 알렉상드르 코이레Alexandre Koyré(1892~1964)는 『닫힌 세계에서 무한 우주로』에서 근대 과학 성립기의 사상 드라마를 그려냈는데, 그것이야말로 닫힌 유한한 세계로부터 열린 무한한 우주로의 이행을 그리는 것이었다. 중세로부터 근세로의 이행이란 그것과 호응하기라도 하듯이 인간의 활동에서도 철학 사상에서도 열린 것으로 되어가는 것이었다. 세계 각지에서 발을 맞추어 근세적인 개방이 생겨난 것은 아니다. 그 선두에 선 것이 서양이었다.

데카르트(1596~1650)의 '나는 생각한다, 고로 존재한다'에서 근세 철학의 여명을 보는 통념이 있다. 세계철학사는 그 통념에 무엇을 말하고자 하는 것일까? 데카르트의 담론이 국지적이었다고 말하려는 것은 아니다. 의식의 심급이 과연 철학의 주된 무대인지, 그 점을 생각하고 싶은 것이다. 대항해 시대에 들어서서 세계 전체를 무대로 하기 시작할 때, 철학자들은 의식 속에 틀어박혔던 것일까? 라이프니츠(1646~1716)의 예정조화설을 보더라도, 스피노자(1632~1677)의 '신 즉 자연'의 선언을 보더라도 세계에서 분리되어 의식이라는 고치 속에서 계속해서 사유하는 것이 기본자세였을 리는 없다.

그러면 17세기라는 근세는 어떠한 시대였을까? 17세기란 어둠인 중세로부터 빠져나온 합리주의의 시대가 아니라 빛과 어둠이 엇비슷한 바로크 시대였다. 가톨릭 측의 대항 종교 개혁 흐름 속에서 종교 재판이 강화되고 이단이라는 죄로 화형에 처하는 피해자가 가장 많은 시대이자 마녀사냥이 가장 왕성한 시대였다. 프로테스탄트 세계에서도 이 마녀사냥은 격렬한 것이었다. 인간의 역사는 어둠으로부터 빛으로라는 식으로 직선적으로 움직이는 것이 아니다. 세계사는 언제나, 그리고 현대에도 이루 다할 수 없는 어둠으로 가득 차 있다.

중세와 근세를 나누는 것은 무엇인가? 부르크하르트Jacob Christoph Burckhardt(1818~1897)가 말했듯이 세계와 인간의 발견이야말로 르네상스(근세)의 시작이라고 간주할 수도 있다. 요컨대 '(중세)에

(세계와 인간)을 더한 것이 근세'라는 공식이다. 다른 한편, 질송 Étienne Gilson(1884~1978)은 세계도 인간도 중세에 발견되어 있었다고 파악하고, 근세는 신을 잃었다고 간주하여 '(중세)로부터 (신)을 제거한 것이 근세이다'라는 도식을 제출했다. 중세와 근세의 우열이 문제인 것은 아니다. 근세가 자신의 존재 의의를 보이기 위해 '중세'를 날조한 것이 아닐까, 그것이 문제이다.

서양 중세의 가을

조금 거슬러 올라가자. 14세기는 흑사병의 시대이자 혼미한 시대였다. 가톨릭의 관점에서 보면, 중세 말기는 로마 교황청이 퇴조하는 어둠의 시대였다.

그 후의 흐름을 17세기까지 대충 더듬으면, 14세기(흑사병, 교황의 아비뇽 유수, 교회 대분열, 영국과 프랑스의 백 년 전쟁), 15세기(이탈리아 르네상스 전성기, 피렌체의 영화), 16세기(종교 개혁, 대항해 시대), 17세기(바로크 시대, 합리주의)라는 식으로 배치할 수 있다. 이렇게 정리하면, 서서히 빛으로 가득 찬 시대로의 진전이라는 식으로 볼 수 있다.

14세기부터 17세기까지를 통일적 관점에서 바라보는 것, 그에 더하여 세계철학의 관점에서 보려고 하는 것은 그야말로 보통이 아닌 과제이다. 세계사적으로 보면, 활판 인쇄술의 발견으로 대표되는 미디어 혁명, 대항해 시대, 종교 개혁의 시대이다. 철학에서 보면 어떠할까? 철학은 미네르바의 부엉이처럼 시대의 대사건에 뒤늦게 등장하는 경향이 있는 것일까?

근세에 들어서면 데카르트, 라이프니츠 등의 유명한 철학자가 끊이지 않고 계속해서 등장하지만, 14, 15세기라는 시대에는 대사상가로서 다루어지는 사람들이 그 정도로 많이 나오지 않았다. 따라서 모호한 시대로 여겨지고, 호칭에서도 중세 말기, 르네상스 등으로 정리되는 경향이다. 그러나 여기서는 17세기를 바로크 시대로서 파악하자. 그리고 그 활동의 중심에 몰리나Luis de Molina (1535~1600), 수아레스Francisco Suárez(1548~1617)와 같은 제2스콜라 철학자도 포함하자. 제2스콜라 철학이란 16, 17세기의 스콜라 철학을 말한다. 그렇게 하면, 중세와 근세 사이에 연속성이 나타나게 된다. 중세와 함께 스콜라 철학이 쇠퇴한 것이 아니다.

데카르트 이후의 유명한 철학자들은 세속적 바로크 철학으로서 정리할 수 있을 것이다. 14세기와 15세기는 후기 스콜라 철학으로 좋다. 그와 같은 정리 위에서 14세기부터 17세기에 걸쳐 어떠한 사상가가 있었던 것인지 개관해보고자 한다.

철학사적 개략도

중세부터 근세에 걸쳐, 특히 14, 15세기는 모호한 시대로 정리된다. 전망을 확보하기 위해 잠정적인 개략적 도식을 제시해둔다. 번거로워 보이지만, 실은 전혀 그 반대로 지나치게 대략적인 인물 소개이다. 르네상스 사상가 무리와 근세 철학자는 이 제5권의 다양한 장에서 다루어지기 때문에, 여기서는 거론하지 않는다.

ⓐ 《유명론의 흐름》 윌리엄 오컴(1285년경~1347년경), 장 뷔리당(1300년경~1358 이후), 리미니의 그레고리우스(1300년경~1358), 니콜 오렘(1320년경~1382), 가브리엘 빌Gabriel Biel(1420년경~1495)

ⓑ 《독일 신비주의》 조이제Seuse(1295년경~1366), 요한네스 타울러Johannes Tauler(1300년경~1361)

ⓒ 《옥스퍼드 리얼리즘》 존 위클리프(1331년경~1384), 베네치아의 파울루스(1369/72~1429)

ⓓ 《정통적 가톨릭 신학》 아이의 페트루스(1350~1420), 장 제르송Jean Charlier de Gerson(1363~1429), 요한네스 카프레올루스Johannes Capreolus(1380~1444), 쿠자누스(1401~1464)

ⓔ 《예수회와 스페인 바로크 철학》 몰리나, 수아레스

지금까지의 사상사는 르네상스를 지나치게 강조했다. 이탈리아의 지역적 현상이었던 '르네상스'를 과도하게 평가하고, 유럽 전체를 규정하는 현상으로 생각해버렸다. 철학적으로 보면, 르네상스를 14, 15세기의 서유럽 전체에 미치게 할 수 없다.

15세기, 16세기의 파리대학의 철학 상황을 쇠퇴로 보는 것은 문제가 많다. 에라스뮈스(1466~1536)는 알베르투스주의자와 가브리엘주의자를 다루어 양의 장보다 더 휘어지고 구부러진 철학 유파들의 분류라고 하여 조롱하지만, 타당한 기술인지 의문의 여지는 남는다.

커다란 명성을 얻은 학자는 나오지 않았다고 할지라도, 대학자이기에는 부족함이 없는 학자들이 있는 것이다. 적은 숫자로 좁힐 수 없을 정도로 학자의 수는 늘어났다. 15세기 이후, 유럽 각지의 도시에 대학이 성립하고, 파리에서 공부한 학자가 출신지로 돌아가 각자의 대학에서 특색 있는 교육과 연구를 진행해나갔던바, 지적 산출력은 쇠퇴하지 않았다.

활판 인쇄술의 영향을 볼 수도 있고, 학문과 지식의 대중화를 볼 필요도 있다. 학문의 상황을 후대 사람이 정리하기 쉬운지 아닌지를 생각하며 파리대학의 학문이 영위되고 있었던 것은 아니다.

근세 철학의 모체로서의 중세 철학

데카르트는 스콜라 철학의 방법론 전체에 대한 이의 제기와 단순한 철학의 출발점을 정립하고, 게다가 대중성도 갖추고 있었다. 데카르트는 혁신적인 출발점을 정립하고, 중세 스콜라 철학에 대한 결별을 선언할 수 있는 대철학자였다. 그러나 중요한 것은 데카르트 역시 스콜라 철학 유산의 그 대부분이 뛰어났던 개념

장치를 대량으로 보유하고, 그 개념들을 계승하고 있었다는 점이다. 라이프니츠는 스콜라 철학의 의의를 강조했다. 스피노자의 『에티카』의 경우에도 그 스콜라 철학에 대한 용어 면에서의 전면적 의존성(내실에서는 철저한 반역이긴 하지만)을 볼 수 있으며, 스콜라 철학의 효력은 칸트(1724~1804)에 이르기까지 뚜렷이 드러난다. 따라서 칸트야말로 최후의 스콜라 철학자였다고 하는 견해가 성립하는 것이다.

14세기로 돌아가자. 14세기는 철학과 신학의 중심이 파리대학 일극성을 벗어나 유럽 각지로 퍼져 나간 시대이다. 프랑스, 스페인, 잉글랜드, 이탈리아에서는 13세기에 대학이 발전하고 있었지만, 중유럽과 동유럽 그리고 북유럽에서는 14세기 이후에 대학이 성립하고 발전했다.

파리와 옥스퍼드의 영광이 유럽 전역으로 분산됨에 따라 근세로 이행해간다. 아래의 각 지역에 대학이 설립되어간다 — 크라쿠프(1364년), 하이델베르크(1385년), 잉골슈타트(1472년), 튀빙겐(1477년), 바젤(1459년), 프라하(1348년), 코펜하겐(1479년), 웁살라(1477년).

앎의 중심이 분산되면, 알기 쉬운 철학사라는 모습에서 벗어나게 되지만, 실제로는 그러한 모습에서야말로 철학이 풍요롭게 숨 쉬고 있다는 징후를 찾아볼 수 있는 시대도 있다.

2. 서양의 사상적 지도

유명론의 계보

중세 철학에서 근세 철학으로의 이행을 말하는 경우, 유명론을 자리매김하지 않으면 안 된다(상세한 것은 이 시리즈 제4권, 제7장 「서양 중세 철학의 총괄로서의 유명론」에서 논의된다). 유명론이란 실체주의적인 사유를 벗어나 사물의 실재성을 함수적으로 다루는 과정으로 전진해 가는 과정의 한 계기이다. 유명론은 철학의 흐름으로서는 서양의 14세기 이후에 전개되고 근세에서 주류를 형성한 사유 방법이다. 그것은 동시에 자연 과학의 발전과 궤를 같이하여 근대적 합리주의로 침투해갔다고 말할 수 있다. 유명론이란 보편의 실재성만을 둘러싼 것이 아니었다. 인간의 사유가 실체를 중심으로 한 것으로부터 수량과 함수를 기초로 한 것으로 이행할 때, 그 무대 전환의 역할을 한 것이 유명론이기도 한 것이다.

서양 중세 말기의 유명론은 오컴과 뷔리당으로 대표된다는 것이 통상적인 철학사 정리이며, 그 계보의 후계자로서 마르틴 루터(1483~1546)가 놓여왔다. 이 흐름이야말로 중세 말기부터 제2 스콜라 철학에 이르는 주류의 하나가 되는 것이지만, 주의할 필요가 있다.

하나는 유명론의 이해와 관련된다. 유명론은 보편을 오로지 이름뿐이라고 하는 입장으로 생각되어왔지만, 명제의 진리 근거를 어디에 놓을 것인지를 둘러싼 것으로 파악하는 것이 좋을 것이다. 실재론은 아리스토텔레스 실체론의 구조를 갖춘 사물을 전제하고, 그 속에서의 존재론적 계층 구조를 상정한 다음, 거기서 진리성의 근거를 생각했다. 계층 각각에 대응한 술어가 성립하고, 따라서 사물 측에서 근거를 지닌다고 생각되고 있었다. 유명론은 실체 측에 그러한 논리적인 계층 구조를 전제하는 것은 논점 선취라고 하여 부정하고 내적 구조를 전제하지 않으며, 개물로서의 사물과 개념만을 전제하여 외연주의적으로 명제의 진리를 설명하고자 하는 것이었다. 사물 측의 실체론적 구조를 전제하지 않고서 개체주의적, 외연주의적인 틀을 취한 것이 유명론이었다.

이렇게 보면, 둔스 스코투스(1265/6~1308)가 실체 내부에 설정한 형상적 구별은 붕괴한다기보다 쓸모없어진다. 유명론에 의해 형상적 구별과 실재론은 부정된다기보다 무용한 것으로서 폐기되는 것이다.

그러나 루터로 연결되는 유명론의 계보는 이쪽이 아니다. 다른 유명론 계보가 존재하고 있었다. 그것이 리미니의 그레고리우스의 입장이다. 이쪽은 윤리 신학에 관계되며, 의인론의 문제를 중심 논제로 삼았다. 요컨대 의롭다고 인정받는 것을 나타내는 '은총을 받았다', '의롭다', '공적이 있다'와 같은 술어는 신의 은총을 기원으로 하고 있고, 피조물인 인간 측에 그 술어를 뒷받침하는 근거는 없으며, 따라서 '의로운 사람'이라고 하는 경우, 그것은 '보인 책상'과 마찬가지로 '의로운'이라는 명명의 근거가 외부에 있다고 생각되었다. 그것은 '외적 명명'이라고 하는 것으로 이름뿐인 것·유명적인 것이라고 여겨지고, 그레고리우스 유명론의 근간이 되었다. 이것을 뒷받침하는 논의로서 신의 절대적 능력 등의 생각이 제출되었다. 그레고리우스야말로 '유명론의 기수'라고 불리며 루터의 신앙 의인론으로 직결되는 것이다.

의인론을 둘러싼 윤리 신학적인 장면에서도 14세기에 새로운 흐름이 정착한다. 인간 공적의 기원은 인간의 자유 속에 있는 것이 아니라 신의 은총에 기원을 지니는 것으로 생각되었다. 그 명명의 '유명적'인 성격 때문에, 그와 같은 파악 방식을 제시한 리미니의 그레고리우스는 '유명론의 기수'라고 불리게 되었다.

스콜라 철학의 파괴자 오컴의 이미지

유명론은 복수의 층으로 이루어진 역사적 현상이어서 정리가 어려운 것이다. 17세기에 학설사가 축적되는 가운데, 오컴에게서 연원하는 흐름이 유명론으로 불리고 그 호칭의 까닭으로서 보편을 명칭으로서 파악했다고 하는 정리가 성립하지만, 그것은 어디까지나 17세기의 사건이다. 그것을 중세에 투영하면 혼란이 생겨난다.

오컴이 1324년 아비뇽으로 소환되어 이단 심문이 이루어지는 가운데, 프란체스코회의 청빈을 둘러싼 논쟁에도 휘말린 오컴은 반-교황의 입장에 선다. 그 후 얼마 지나지 않아 오컴 사상에 대한 탄핵이 파리대학에서 나오게 된다. 하지만 그러한 오컴주의와 유명론의 흐름이 겹쳐지기까지는 몇 가지 논점이 복합적으로 관여하게 된다.

학예학부와 신학부의 대립이 있고, 학예학부의 주로 논리학을 가르치는 교사들이 문장의 글자 뜻 그대로의 의미를 토대로 하여 신학적인 사항에 대해 논의하는 경향이 강해졌다. 신학의 사항은 신학부의 전결 사항임에도 불구하고 그것을 침해하는 것에 대한 고발이 있었다. '오랜 길'(신학부)과 '새로운 길'(학예학부)이라는 구분이 15세기 이후 정착하지만, 이것 역시 성서와 『명제집』이라는 전통적인 전거를 토대로 하며, 오랜 방법으로 신학적 문제를 다루는가 아니면 논리학을 사용하여 분석하는가 하는 차이와 겹쳐져 있었다.

오컴에게서 보이는 반-교황주의적인 자세, 신학부에 대한 학예학부의 주장, 텍스트의 해석을 둘러싼 방법, 윤리 신학적인 장면에서의 호칭의 문제, 거기에 보편 논쟁에서의 보편의 유명적 파악이 겹쳐져 '유명론'이라는 아말감이 등장했다고 생각할 수 있는 것이다.

역사가 조르주 드 라가르드Georges de Lagarde(1898~1967)는 대저 『탈종교적 정신의 기원』(1956~1963)에서 파도바의 마르실리우스 Marsilius of Padua(1275/80~1342/43)와 윌리엄 오컴을 중심으로 하여 종교적 권위에 대항하여 세속적 권위가 우위를 차지하는 근대성의 역사적 기원을 밝히고자 했다. 그러한 가운데 그 저작은 오컴이 자신의 존재론과 인식론 사상에 기반하여 반-교황론이라는 정치

사상을 구축하고, 루터에 앞서 교황권을 파괴하는 최초의 인물이 되었다는 것을 논증하고자 했다.

드 라가르드의 정리에 따르면, 오컴은 중세적 종교 권위를 종언시키고 근세 세계를 열어젖힌 인물이 된다. 드 라가르드는 종교적 권위와 세속적인 탈종교적 권위의 대립을 설정하고, 종교적 권위에 대한 반항이 세속적 권위의 근대적인 성장에 공헌했다고 파악한다. 그 틀이 영향을 미쳐 유명론의 논리학이 반-교황적인 정치 문서와 신학에서도 기초를 제공했다고 하는 생각이 퍼지게 되었다. 유명론이 근대의 세속적·비종교적인 정치체제, 종교 개혁, 가톨릭 교회의 쇠퇴를 초래했다는 것이다.

중세 말기의 교황에 대한 다양한 반항은 근세의 정교분리에 기초한 세속 권위의 확립에 이바지하며, 그 선두에 선 것이 오컴이라는 도식이 세워졌다. 유명론은 근대적인 정치 이론의 원류에 자리하게 된다. 오컴은 청빈에 관해 교황과 대립했지만, 그것은 새로운 교회 조직을 지향해서이지 중세 세계를 끝내려고 했기 때문이 아니다.

오컴은 어디까지나 중세의 사람이며, 유명론은 중세의 종언과 관계하는 것이 아니다. 프란체스코회에는 묵시록적 종말론을 주창하고 성령 교회의 도래를 기대하는 흐름이 있었고, 그것이 반-교황의 입장과 결부되어 있었다. 성과 속의 대립이 있었던 것이 아니라 영적인 순수화의 흐름으로 보아야 한다. 드 라가르드의 견해는 다양하게 비판되었지만, 근세적 정치 이론의 원류, 중세를 끝낸 인물로서 오컴을 치켜세우는 틀을 만드는 데 공헌한 것이다.

유명론적 신비주의

종교사가 헤이코 오버만Heiko A. Oberman(1930~2001)은 『중세 신학의 성과』에서 루터의 종교 개혁 정신의 기원을 밝히고자 했다. 루터는 가브리엘 빌의 『명제집 주해 제2권』을 정독하고 그로부터 오컴에 연결되는 유명론의 정신을 흡수했다. 커다란 흐름에서 말하면, 루터는 분명히 유명론의 계보에 속하지만, 오컴의 사상을 정면에서 격렬하게 비판도 하고 있다.

그 경위를 보이기 위해서는 15세기의 철학 사상의 흐름을 정성껏 연구하지 않을 수 없었다. 15세기는 아직 발길이 닿지 않은 영역이며, 현재도 거의 해명되어 있지 않다고 할 수 있다. 오버만이 보여준 것은 15세기의 유명론적 신비주의의 흐름이었다.

유명론이라는 논리학적 사상과 신비주의가 어떻게 결부되는 것인지 의아해하는 사람도 많을 것이다. 유명론이란 보편이 이름뿐인 것으로 생각하는 사상이 아니라는 것은 서양 철학사의 대전제로서 생각해야 한다. 지금도 너무나 그것과 비슷한 오해가 많다. 아마도 그 이유만으로 서양 철학사가 다시 쓰여도 좋을 정도이다. 유명론의 조상이라고 하는 오컴 자신이 보편이란 개념이라고 생각하는 개념론을 주장하고 있었다. 그것이 '유명론'으로 16세기 이후에 불리게 되어 큰 혼란이 생겨나고 말았다.

오컴 이후 옥스퍼드 리얼리즘이라는 실재론의 계보가 나타나고, 그것이 존 위클리프의 실재론으로 연결되어 간다. 아마도 스코투스, 오컴, 위클리프는 하나의 흐름으로서 생각할 수 있을 것이다. 거기에 종래의 '실재론·유명론'의 정리는 극복하기 어려운 균열을 집어넣는다. 유명론이 근세를 준비했다는 정리는 위험을 지닌다.

3. 바로크 철학으로의 길

위클리프의 실재론

바로크란 스페인이 대항해 시대에 세계로 판도를 넓히는 시대에 서양에서 융성한 문화 양식이었다. 바로크의 정의는 다양하지만, 그 시대 정신을 나타내는 라이프니츠에게서 들뢰즈는 '주름'이라는 것에 주목하여 바로크적인 성격을 발견했는데, 그 나타남을 모나드론에서 발견할 수도 있다. 요컨대 개체인 모나드가 무한히 많은 모나드로 이루어진 우주를 표현함으로써 개체성을 실현하는 것은 무한성과 유한성이 동적으로 교차하는 것인바, 거기서 바로크의 나타남을 볼 수도 있는 것이다. 그리고 그 전 지구적인 전개가 세계사 속에서 생겨나고 있었다. 17세기라는 바로크적 세계는 세계철학사의 큰 무대이기도 했다. 그런 의미에서 바로크에 이르는 길을 더듬어가는 것은 번거롭고 구부러진

길이라고 하더라도 철학의 세계적 전개에 이르는 길을 보여주는 것이기도 하다.

서양 중세 말기로 되돌아가자. 실재론이 근세와의 결합을 지닌다는 것은 위클리프를 보면 알 수 있다. 위클리프라는 실재론으로부터 교황 비판의 논점이 나왔다는 것은 드 라가르드가 설정한 유명론과 교황 비판과 세속주의를 겹쳐서 생각하는 도식에 대해서는 괴로운 것이었다. 12, 13세기는 상업 혁명의 시대이자 동시에 도시가 대폭 증가한 시대였다. 시민의 경제력은 급속히 강해지고 문화의 중심은 도시와 시민에게로 장소를 옮겨가게 되었다.

로마 교황도 아비뇽 유수, 교회 분열(1378년)을 거쳐 정신 면에서 권위로서의 지위를 내려놓고, 세속적인 문화가 진전되는 가운데 14세기 이후 문화적 배치는 크게 변화하게 되었다.

지금까지의 중세 철학사에서는 토마스 아퀴나스로 대표되는 실재론은 교황 절대주의에 가깝고, 유명론적인 오컴은 세속주의 또는 성과 속을 분리하는 이원론으로서 정리되어왔다. 위클리프는 실재론적이며, 그럼에도 불구하고 반-교황주의 입장을 취했다. 유명론과 세속주의 그리고 근대의 시작이 서로 결합해 있다는 세계사의 전통적 틀은 위클리프를 생각하면 흔들리지 않을 수 없다. 위클리프의 정치적 입장은 그의 교황 권위론(교황의 절대적 무오류성의 옳고 그름), 성찬론과의 관련도 덧붙여 고찰할 수밖에 없지만, 존재론 측면에 한정하는 한, 둔스 스코투스의 실재론에 가까우며, 오컴이 스코투스의 사상에서 배격한 형상적 구별을 유지하고 있는 점은 역시 오컴과는 상당히 다르다. 그러나 스코투스도 오컴도 위클리프도 개체주의자라는 점에서는 하나의 같은 계보에 속한다고 정리할 수 있다.

위클리프의 교회 비판은 교황권과 세속 지배권을 분리하고, 로마 교황은 세속 지배권을 지니지 않는다고 한 점에 놓여 있다. 성체론에서도 실체 변화설을 정면에서 비판한 것은 중요하다. 그 논점은 우유성이 기체 없이는 남지 않는다는 것인데, 요컨대 빵의 우유성은 빵이라는 실체 없이 남는 것은 아닌바; 빵의 실체가 변화하여 그리스도의 살로 변화하는 것은 아니며, 또한 하늘에 있는 그리스도의 육체가 동시에 지상에 존재할 리도 없다고 하는 것이었다.

성찬 이해에서 교회의 오류를 지적하는 것은 미사에서 일반 서민의 성찬이 빵만으로 이루어지고 포도주가 주어지지 않는 차별적 의식에 대한 비판을 지원하는 것이 되었다.

위클리프의 실재론은 그의 형상적 술어화라는 사고방식에서 전형적으로 발견된다. 술어에 대응하는 형상이 주어에 대응하는 실체의 형상에 내속한다는 것을 보여주는 것이 형상적 술어화인데, 거기에 진리의 근거가 놓여 있고, 그것은 실체 내부에서의 형상 상호 간의 내속 관계에 근거가 있다고 하는 것인바; 둔스 스코투스의 형상적 술어화로부터의 직접적 영향 관계는 생각하기 어렵지만, 용어 그 자체에서도 내실에서도 결부되는 것이다.

스콜라 철학의 방법과 미디어 혁명

근세 스콜라 철학을 중세의 스콜라 철학과 구별하여 '제2스콜라 철학'이라고 부른다든지 한다. 너무나 복잡하게 얽혀 있어 손이 닿지 않았지만, 사실 철학을 담당하는 인간이 늘어나고, 게다가 고차적인 연구를 인쇄술을 사용하여 대량으로 생산한 성과인바, 에라스뮈스가 조롱하는 것과 같은 불모이자 대량의 문헌으로 이루어진 산의 세계인 것은 아니다.

토마스주의자의 제1인자로 불린 사람이 요한네스 카프레올루스로 그의 저작 『성 토마스 신학 옹호론』 전 4권은 15세기, 16세기에 널리 읽혔다.

거기서는 둔스 스코투스, 오컴, 페트루스 아우레올리Petrus Aureoli(1280년경~1322), 두란두스Durandus(1270/75~1334), 리미니의 그레고리우스 등의 견해가 소개되고, 토마스의 입장에서 논박하고 있다. 대립하는 입장의 사상가가 학설사적으로 소개되고 있는 것이 15세기의 텍스트에서는 많아진다.

연구가 진행되어 있지 않은 철학자의 학설이 나열되고, 그에 대한 반박이 이루어지는 저작은 손을 대지 않은 채로 남아 있지 않을 수 없다. 15세기의 철학책은 14세기 철학자의 학설사이지만, 14세기의 스콜라 철학 연구가 진행되어 있지 않은 상황에서는 방치될 수밖에 없었다. 그러한 가운데 예수회 수사는 초등교육에 힘을 기울여 이해하기 쉬운 교과서를 만들려고 하며, 학설사에 대해서는 길게 소개하지 않았다.

15세기까지 학설들이 망라되어 대립하는 견해들이 병렬되고 각각에 대해 소개와 논박이 덧붙여지는 한, 텍스트는 길어지지 않을 수 없었다. 예수회의 철학 교육 개혁에서 학설은 기본적 내용의 면학을 위한 해설이라는 측면이 강하며, 몰두하기 쉬운 것으로 되었다. 그것이 『교과서』라는 형태로 수많이 간행되었다. 『명제집 주해』라는 형식은 다른 이론의 소개와 다른 이론에 대한 논박이 방대한 것이 됨으로써 독해 가능성을 벗어나는 텍스트 형식이 되었다.

15세기는 『명제집 주해』의 최후의 세기였다. 학설이 방대하게 축적되어가면서 이미 인간의 두뇌라는 기억 매체로는 처리할 수 없는 것으로 되고, 인쇄술이 등장하며, 차례, 색인 등 검색의 수단이 완비되어가는 가운데, 『명제집 주해』라는 신학자가 되기 위한 필수적인 사다리는 해체되고, 토마스의 『신학대전』을 교과서로 하거나 커리큘럼을 고려하여 쓰인 다양한 교과서 종류가 간행되어간다.

16세기의 철학

15세기에는 독일 등 중유럽뿐만 아니라 동유럽·북유럽에까지 대학이 속속 문을 열어갔다. 16세기는 종교 개혁의 시대였다. 철학적으로는 야콥 뵈메Jakob Böhme(1575~1624), 에라스뮈스, 조르다노 브루노Giordano Bruno(1548~1600) 등이 눈에 띌 뿐, 철학적으로는 결핍된 시대였던 것으로 보인다. 그러나 이탈리아의 인문학자 율리우스 카이사르 스칼리게르Julius Caesar Scaliger(1484~1558)와 파도바에서 활약한 야코포 자바렐라Jacopo Zabarella(1533~1589)의 두 사람만으로도 17세기의 독일에 대해서는 빛나는 시대로 보일 정도의 대사상가가 등장하고 있었다. 페트루스 라무스Petrus Ramus(1515~1572), 폰세카Petrus Fonseca(1528~1599), 몰리나 등의 유명한 사상가가 부족하지 않음에도 불구하고 공백의 시대로 여겨지는 경향도 있다.

이 시대의 철학이 지니는 중요한 특징은 15세기에 대학이 유럽 각지로 확대되어 감에 따라 대학이 대중화하고, 그에 수반하여 커리큘럼 개혁이 이루어지며, 동시에 학문의 방법론이 근본적으로 다시 검토된 시대였다는 점이다.

아리스토텔레스의 『분석론 후서』는 과학 방법론에 관한 저작인데, 그것이 연구된 것이나, 라무스가 아리스토텔레스의 학문론을 비판하고, 방법(메토두스) 개념을 부흥하며, 쉬운 것으로부터 어려운 것으로 차례차례 학습해가는 방법을 제창하고, 게다가 이항 분류를 기본으로 하여 도식화함으로써 학습하기 쉽게 한다는 독자적인 면학법을 제창한 것은 획기적이었다. 이러한 라무스의 방법은 라무스주의로서 널리 퍼지고, 잉글랜드뿐만 아니라 북아메리카 대륙 동해안의 뉴잉글랜드에까지 보급될 정도의 영향력을 지니고 있었다.

제2스콜라 철학

제2스콜라 철학은 예수회를 중심으로 전개되었다. 예수회는 세계 각지에 선교하고, 포교하는 각지에서 학교를 설립하여 신학자를 양성하고자 했다.

예를 들어 안토니우스 루비우스Antonius Rubius(1548~1615)는 예수회 수사로 젊어서 멕시코로 파견되어 그곳에서 철학과 논리학을 가르치며, 그 땅에서 아리스토텔레스 논리학의 교과서가 『멕시코 논리학』이라는 제목으로 쓰여 유럽에서도 널리 사용되었다. 예수회의 아시아 선교의 기지로서 고아와 마카오가 있었던 것, 그리고 나가사키에도 신학교가 설립되었던 것은 그 확대의 일단을 보여준다.

페드로 고메스Pedro Gómez(1535~1600)는 일본에서도 신학 강의를 위해 『강의 요강』을 1593년에 저술하는데, 그 책은 2년 후에 일본어 번역이 작성되었다.

예수회의 활약은 대항해 시대의 인간 활동 범위의 확대와 겹쳐지며, 명령받은 장소라면 세계의 어디에서도 선교하려고 하는 자세에서 유래했다. 지역적인 확대뿐만 아니라 경제 활동에서도 이자를 용인하는 등, 세속적인 활동에 대해서도 관용적이었다. 예수회는 세계철학과의 결속이 강한 것이다.

수아레스와 몰리나 신학의 특징을 추출하는 것은 탐구 도상에 있으며, 전체상은 알지 못한다. 알기 쉬운 개설서도 아직 존재하지 않는다.

인간이 공적 있는 행위를 이루는 경우, 신의 협력이 발견되며, 신과 인간 사이의 협동이 성립한다. 그 경우 신에게 우선권을 주면 칼뱅주의가 되고 예정설 내지 결정론이 되며, 인간 측에 우선권을 주면 펠라기우스주의가 된다. 몰리나는 신의 은총의 효과에 대해 궁극적인 근거 짓기는 은총이라는 신의 선물의 실체에 있는 것이 아니라 신의 은총과 인간의 자유로운 협력에 대해 신이 예지하는 것에 있다고 했다. 게다가 이 예지는 필연적인 것이 아니라 우연성을 훼손하지 않는 예지라고 하여 17세기 이후 격렬하게 논의되었다. 요컨대 인간의 자유로운 행위는 신에게 예지되면서도 자유를 빼앗기는 것이 아니라고 한 것이다. 몰리나는 신의 예지가 미래의 우연적인 일에 관한 가정적인 예지이며, '중간지'라고 불리는 신에게 고유한 특수한 앎의 형식이라고 하며 논진을 펼쳤다.

몰리나의 학설이 이단인지 아닌지는 교황조차도 매듭을 지을 수 없었고, 반대하는 논진(도미니코회)과의 사이에서 논의를 멈출 것을 명령하여 미해결인 채로 현대에 보내졌다. 행위가 귀속하는 곳이 하나의 실체라고 하여 인간의 의인이 인간의 자유로운 행위로써 성립한다고 하면, 신의 은총과 인간의 행위에서 신에게 절대적 우선권이 주어져서는 안 되고, 게다가 동시에 인간에게 우선권을 주면 이단에 빠진다는 것은 피할 수 없는 딜레마이다. 칸트가 거기서 이율배반을 발견한 것은 당연하다. 그렇게 논의를 세우는 한 해결 가능성은 단념할 수밖에 없다.

만약 조금만 더 군더더기 말을 허락받을 수 있다면, 근세에 들어서서 극도로 융성한 제2스콜라 철학은 세계적 규모에서 전개되고 있던 대변동에 마음을 닫아걸고 현실에서 떠난 신학 이론이 아니었다는 점을 덧붙여 말해두고자 한다. 그 이론들은 교역과 선교를 위해서라면 타협에 타협을 거듭하는 타산적인 이론도 아니며, 바로 현실의 문제와 대항하여 싸우는 이론이었다는 점은 세계철학사를 생각할 때 잊어서는 안 된다고 생각한다. 그 후의 철학사에 눈부신 이름을 남기는지 아닌지는 정치적 영향력의 성쇠에 영향받는 일이 많다. 이론 그 자체의 시대를 넘어선 빛에 애써 마음을 쓸 수 없게 된다면 철학은 죽는다.

14세기부터 17세기로의 서양 철학의 전개는 중세가 끝나고 근세가 새롭게 시작한 것이 아니라 중세를 계승한 것이며, 그리스도교 신학과 관련해서도 가톨릭과 프로테스탄트의 대립 도식을 파악하는 것으로 끝나는 것이 아니다. 무대는 세계로 넓어졌다. 서양이 세계를 석권하는 시대가 되었지만, 다양성 속에서 파악되어야 할 시대라는 점은 확실하다. 세계철학사는 넓고도 넓게 끝없이 펼쳐진, 아직 발길이 닿지 않은 대지를 지금도 갖추고 있다.

☞ 좀 더 자세히 알기 위한 참고 문헌

— 하인리히 롬바흐Heinrich Rombach, 『실체·체계·구조實体·体系·構造』, 사카이 기요시酒井潔 옮김, ミネルヴァ書房, 1999년. 실체론으로부터 함수와 체계로의 기본 개념의 이행을 역사적으로 그리고 있으며, 그 이행에서의 유명론의 의의에 대해 상세하게 기술한다.

— 쇼기멘 다카시將基面貴巳, 『유럽 정치사상의 탄생ヨーロッパ政治思想の誕生』, 名古屋大学出版会, 2013년. 오컴과 위클리프 등, 중세 말기 정치 철학의 흐름이 그려지고 있다.

— 헤이코 A. 오버만Heiko A. Oberman, 『두 개의 종교 개혁 — 루터와 칼뱅二つの宗教改革 — ルターとカルヴァン』, 일본루터학회·일본칼뱅연구회 옮김, 教文館, 2017년. 15세기의 유명론적 신비주의의 흐름이 선명하게 제시된다.

— 알리스터 E. 맥그라스Alister Edgar McGrath, 『루터의 십자가 신학ルターの十字架の神学』, 스즈키 히로시鈴木 浩 옮김, 教文館, 2015년. 루터의 젊은 시절의 종교적 회심의 배경과 중세 말기의 유명론과의 관계가 기술되고 있다. 리미니의 그레고리우스와의 관련은 중요하다.

칼럼 1

루터와 스콜라학

마쓰우라 쥰松浦 純

기초학으로서의 '자유 학예'와 전문 학문으로서의 신학·법학·의학의 2단 구조로 이루어져 있던 서양 중세의 대학에서는 그 전 영역이 문자 그대로 '스콜라학'('학교의 학문')이었다. 그리고 중세 말기, 학예 학부의 교육은 '오랜 길'(주로 '토마스의 길' 및 '스코투스의 길')과 '새로운 길'(오컴을 비롯한 유명론의 길)로 나누어져 있었는데, 루터가 받은 교육은 '새로운 길'이며, 오컴의 제자를 자인하는 발언도 적지 않다. 그것은 논리학과 보편 문제의 맥락에서 이루어지고 있다. 그러나 신학도 오컴의 학통, 특히 가브리엘 빌Gabriel Biel(1420년경~1495)의 저작에서 배우고 있으며, 신학 교사 최초 시기에 페트루스 롬바르두스Petrus Lombardus 『명제집*Libri Quattuor Sententiarum*』 강독을 담당했을 때도 이 교과서 바깥에 써넣어 참조가 확인될 수 있는 스콜라학자는 이 학통이 대부분이다(『명제집』 외에 안셀무스, 보나벤투라, 오컴에 관해서는 직접 소유한 서적도 전해지는데, '양量'과 '성체'에 관한 오컴의 철학적·신학적 저작 일부에는 상세한 본문 교정을 시도하고 있어 밀도가 높은 몰두의 기록이라고 할 수 있다). 이에 반해 스코투스에게는 엄격한 비판을 가하며, 토마스에 대한 언급은 한 군데에 머문다.

한편 성서와 아우구스티누스에게 친밀하고, 교수가 되어 『구약성서』 시편과 『신약성서』 바울 서신을 강의하는 가운데 성서의 인간 이해·존재

이해와 스콜라 신학의 그것 사이의 괴리에 대한 인식을 심화시킨 루터는 대사大赦 제도(면죄부 문제) 비판에 앞서 1516년 가을 이후 스콜라 신학을 공개적으로 비판하고, 성서와 아우구스티누스로 돌아가는 신학 개혁 운동을 주도한다. 비판의 표적은 우선 오컴의 학통이 주장하는, 자연적 능력에 의해 은총의 획득을 준비할 수 있다는 이론이었다. 그러나 그것을 넘어서서 비판은 아리스토텔레스 철학을 원용하는 스콜라 신학의 방법 자체로 향하고 있었다. 토마스에 대해서는 특히 그 창시자로서 비판하며, '토마스주의(자)'를 아리스토텔레스(주의)라고 바꿔 말하는 경우도 많다.

그때 비판 대상은 아리스토텔레스 철학 자체가 아니라 그것이 신학을 규정한다는 점이었다. 기예의 획득이 학습에 기초하듯이 '사람은 올바른 것을 행함으로써 올바른 자가 된다'라는 철학적 윤리학을 신학에 원용하면, '선한 행위'에 의해 '의로운 자'가 된다는 것이 되며, 그것은 '행위에 의해서가 아니라 그리스도에 의해 신으로부터 의롭게 여겨진다'라고 하는 신앙과 정면으로 충돌한다. 거기에는 존재와 행위의 관계에 대한 파악의 다름이 놓여 있으며, 나아가서는 인간을 '유와 종'이나 '실체와 질'과 같은 틀로 파악할 것인가 아니면 '신 앞, 사람들 앞, 자기 앞에 있다'라는 인격적 관계성에서 파악할 것인가 하는 근본적인 차이가 놓여 있었다. 오컴이 실재를 실체와 질로 한정하고 관계도 그 틀에서 생각한 것을 배경으로 하여 보면, '그리스도야말로 나의 질이다'라는 루터의 황당무계로도 보이는 발언이 그 차이를 단적으로 표현하고 있다.

칼럼 2

루터와 칼뱅

가네코 하루오金子晴勇

시대에 구속되지 않는 사람은 아무도 없듯이 종교 개혁자였던 루터와 그의 다음 세대인 칼뱅(1509~1564)도 당시의 지배적인 철학에서 영향을 받았다. 16세기를 지배하고 있던 철학은 후기 스콜라 철학인데, 거기서는 오컴주의의 '새로운 방법'과 토마스 아퀴나스의 '오랜 방법'이 대결하고 있었다. 루터는 오컴주의자로 자칭할 정도로 자신의 수학 시대에 오컴의 영향을 받았으며, 칼뱅은 파리대학에서 스코투스의 영향을 받았다. 14세기 후반 유럽은 흑사병(페스트)이 덮쳐 2,500만 명을 넘는 사망자를 낼 정도로 맹위를 떨치는 가운데 토마스 아퀴나스의 지성적인 세계관이 아니라 오컴의 '신의 절대적인 권능'이라는 신관에 의해 비참한 현실을 직시하도록 강요받고 있었다. 이로부터 신학에서 자연 과학에 이르는 분야까지 '새로운 방법'에 의한 새로운 창조적 독해가 이루어지게 되었다.

루터의 종교 개혁은 당시의 교황 정치가 초래한 폐해를 비판하는 시도였지만, 잘 관찰하면 정치의 영역보다 훨씬 심원한 신앙의 영역으로부터, 요컨대 신과의 관계에서 인격적으로 자기를 이해하는 '영'과 '영성'으로부터 일어났다. 이 영역은 철학적인 이성보다 오히려 신비적인 마음이나 영과 관계하고 있었다. 루터는 그리스도교 교의의 개혁자로 지금까지 생각되어 왔지만, 실은 그의 스승 슈타우피츠Johann von

Staupitz(1468/69~1524)의 영향 아래 중세의 신비주의로부터 커다란 영향을 받았으며, 이 점은 루터보다 지성적이었던 칼뱅에게서도 마찬가지여서 그는 젊은 시절부터 이 마음과 영의 문제에 주목하고 있었다. 이러한 신비적인 영성의 관점에서 그들은 신학 사상을 새롭게 창조해갔다. 이 관점은 그 후 계몽사상과 대결하는 경건주의로 계승되었고, 칸트와 독일 관념론도 그 영향을 받게 되었다. 또한 그들의 신앙은 새로운 직업관을 통해 근대 사회를 형성하는 힘의 원천이 되기도 했지만, 그 힘은 역사와 함께 쇠미해지고 신앙의 세속화에 따라 망령처럼 되어갔다.

이러한 근대의 발걸음을 동시대 플랑드르의 화가 브뢰헬의 환상화 〈바벨탑〉이 멋지게 그리고 있다. 이 탑은 윗부분이 이지러진 원추 형태로 그려져 있는데, 실은 이지러진 곳이 '영'에 해당하고 그 아랫부분이 '혼과 신체'라고 할 수 있을 것이다. 영 부분의 손상은 격심하며, 그 흔적이 조금밖에 남아 있지 않다. 영은 있더라도 그 잔재뿐이다. 이 사태가 지니는 의의를 현대의 철학사가 프랭클린 바우머Franklin L. Baumer가 파악하여 세계 대전 후의 유럽의 사상을 Truncated Europe이라는 말로 표현했다. 그것은 '정점이 잘린 유럽'이라는 의미인데, 20세기의 세계상인 '신의 존재에 대한 신앙의 상실'을 보여주며, 세속화된 근현대 유럽 사상의 전체상을 멋지게 파악하고 있다.

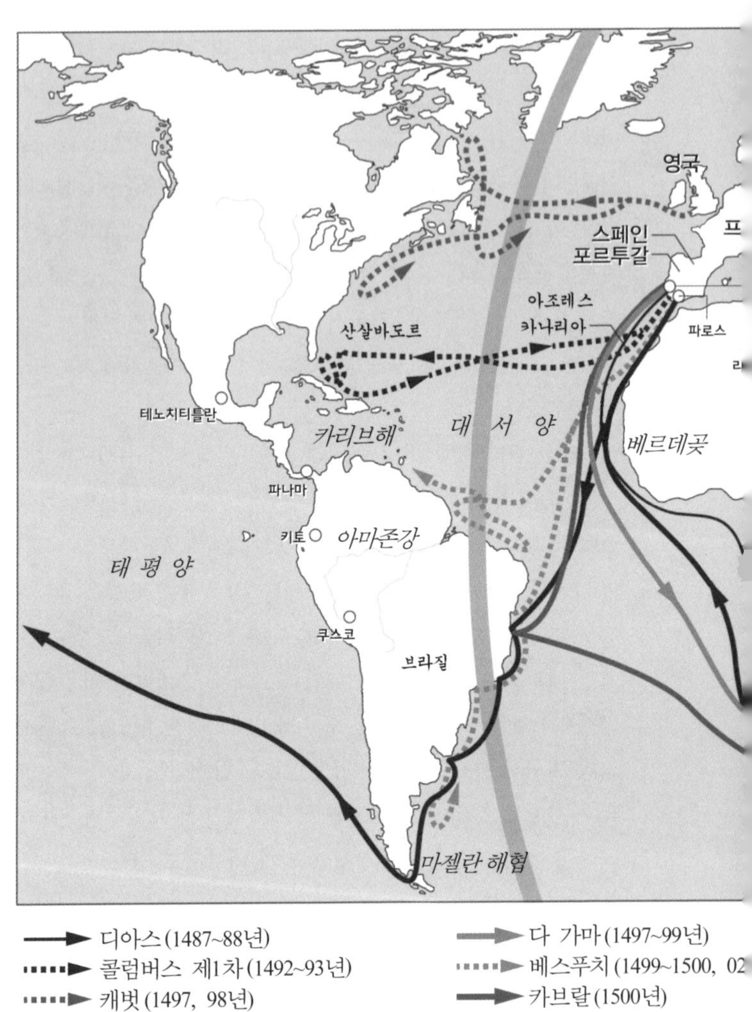
영국
스페인
포르투갈
아조레스
카나리아
파로스
산살바도르
테노치티틀란
카리브해
대 서 양
베르데곶
파나마
키토
아마존강
태 평 양
쿠스코
브라질
마젤란 해협
디아스(1487~88년)
콜럼버스 제1차(1492~93년)
캐벗(1497, 98년)
마젤란(1519~22년)
* 마젤란 사후 부하의 항로를 포함한다.
토르데시야스 조약 분계선(1494년)
다 가마(1497~99년)
베스푸치(1499~1500, 02
카브랄(1500년)

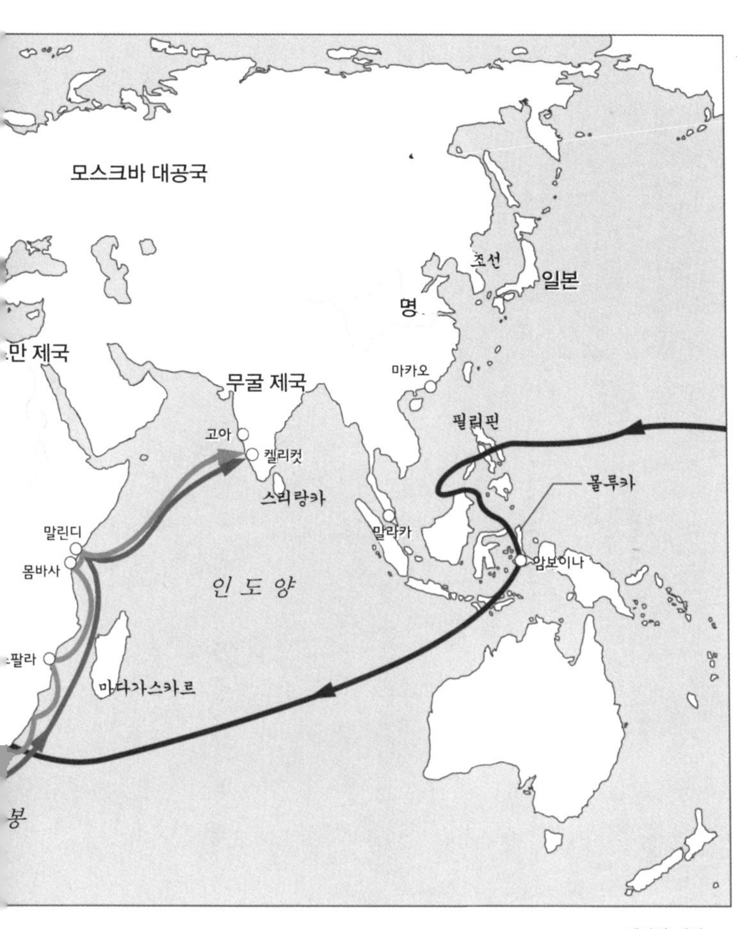
모스크바 대공국
조선
일본
명
만 제국
무굴 제국
마카오
필리핀
고아
켈리컷
몰루카
스리랑카
말라카
말린디
몸바사
암보이나
인 도 양
팔라
마다가스카르
봉

15, 16세기의 세계

제2장

서양 근세의 신비주의

와타나베 유渡辺 優

1. 신비주의와 앎의 사랑

철학적 앎의 저편과 신비주의

본래 신비주의라는 것을 세계철학의 물음으로서 생각하는 것은 가능한 것일까? 만약 철학의 조건이 '보편성과 합리성'(『세계철학사』 제1권, 서장을 참조)을 갖추고 있는 것이라고 한다면, 이것은 피해 갈 수 없는 물음일 것이다. 각종 사전과 렉시콘을 펼쳐 보면, '신비주의'는 대체로 신적 존재와의 직접 무매개의 합일 체험을 지향하는 사상 및 실천으로 정의되어 있다. 이 경우의 '합일 체험'은 개인의 내면에서 생기하는 것이자 개별적이고 언어화할 수 없는 것, 그런 까닭에 공약 불가능한 비합리성을 특징으로 하는 것으로 여겨진다. 그렇다면 이른바 '신비 체험'을 핵심으로 하는 신비주의는 철학과는 상용할 수 없는 것이 아닐까?

그러나 근간의 연구는 체험 중심주의적인 신비주의 이해가 서양 근대에 만들어진 것이었다는 점을 분명히 하고 있다. '신비주의'라는 말의 성립을 둘러싼 골치 아픈 문제에 깊이 파고들어 논의할 여유는 없지만, 다음의 것은 강조해두고자 한다. 즉, '신비주의란 무엇인가'라는 물음은 '신비주의'라는 말이 어떻게 사용되어 왔는가 하는 역사적 검토 없이는 물을 수 없다는 점과 19세기 서양에서 출현하여 유통된 '신비주의mysticism'라는 새로운 말은 합리주의, 세속주의, 식민지주의에 휩쓸려 발전한 근대 서양의 학문적 앎이 서양의 안과 밖에서 발견된 타자들의 종교적 앎의 존재 방식을 말하기 위해 사용한 술어였다는 점이다.

근대에 나타난 신비주의라는 개념은 근대 서양의 학문적 앎에 대한 '타자성'을 띠고 있다. 예를 들어 쇼펜하우어(1788~1860)는 인도의 종교 전통에 깊이 매료되며, 플라톤도 칸트도 넘어서는 '신비적' 예지를 거기서 인정했다. 오늘날 이와 같은 눈길에 숨어 있는 오리엔탈리즘적인 편견이 문제가 되어야 한다는 것은 말할 필요도 없다. 그러나 인도의 그것이든 중국의 그것이든 또는 서구 그리스도교의 그것이든 '신비주의'에 대한 시선이 서양의 철학적 앎의 저편에 대한 시선과 겹쳐지면서 생성했다는 점은 종래 철학의 존재 방식을 근본에서부터 다시 묻고자 하는 시도에 대해 대단히 흥미로운 사상사에서의 사실이 아닐까? 근간에 세계적으로 재평가 움직임이 두드러진 철학자, 앙리 베르그송(1859~1941) 최후의 대저 『도덕과 종교의 두 원천』(1932년)에서의 신비주의의 색다른 존재감을 상기할 수 있을 것이다.

숨겨진 앎에 대한 사랑

신비주의가 철학의 존재 방식을 다시 묻는 근본적인 논점을 제기한다면, 그것은 구체적으로 어떠한 논점일 수 있을까? 하나의 가능성을 '숨겨진 앎에 대한 사랑'이라는 동태에서 찾아보고자 한다.

아빌라의 테레사Teresa de Avila(1515~1852, 이하, 테레사)와 십자가의 요한네스(1542~1591, 이하, 요한네스)—『두 원천』의 베르그송을 깊이 매료시킨 두 사람—를 정점으로 하는 스페인 신비주의에서 우선 볼 수 있는 특징은 신을 말하는 언어를 구동하고 바로 그 언어 그 자체에서 드러나는 정열(패션)의 격렬함에 있다. 테레사와 요한네스에게 있어 신은 '신비적 예지' 그 자체이지만, 결코 형이상학적 사변의 대상은 아니었다. 신은 문자 그대로 '연인'인바, 그들은 아는 자이기 이전에 '사랑하는 자'였다.

그들이 자아내는 사랑의 언어는 그리스도교 영성사에서 아가 해석 계보에 속한다. 구약성서의 한 편인 「아가」는 원래는 민간의 연가 내지 축혼가였다고 생각되지만, 그리스도교 세계에서 신랑이 예수 그리스도, 신부가 신도의 혼으로서 해석됨으로써 이른바

'혼인 신비주의'(신과 혼의 결혼을 지향하는 이야기)의 단서가 열렸다. 서구 그리스도교 세계에서 결정적인 아가 해석을 제시한 것은 12세기에 활약한 클레르보의 베르나르두스Bernardus Claraevallensis(1090~1153)이다. 그는 신과 혼의 '영원한 결혼의 신비'를 노래하는 텍스트로서 아가의 사랑의 세계를 감미로운 언어로 설명했다. 그는 또한 아가를 '경험의 책'으로서 읽고자 했다. 당시 대두하고 있던 스콜라 신학의 논증 중시와는 대조적인 그 경험 중시의 자세도 후세의 신비주의에 크고 많은 영향을 주었다. 아가 해석의 전통 속에서도 테레사와 요한네스의 존재는 걸출하다. 그들의 신 이야기는 사변적인 학문적 앎의 언어에 의한 것이 아니라 때때로 에로틱한 사랑의 언어에 의한 것이다.

이 점에서 스페인 신비주의는 이른바 독일 신비주의 계보와도 대조적이다. 후자에 대해서는 일본에서도 교토학파 이래로 이루어진 철학적 연구의 축적이 있는데, 그 사변적 성격에서 철학과의 궁합이 잘 맞는다. 다른 한편 전자에 대해서는 베르그송과 같은 예가 있긴 하지만, 철학적 연구의 대상으로서 적극적으로 다루어져 왔다고는 말하기 어렵다. 대체로 그것은 철학보다 신학의 대상, 그렇지 않으면 문학과 시학의 대상으로 여겨져 왔다고 말할 수 있을 것이다.

그러나 여기서 상기하고 싶은 것은 애초에 철학(필로소피아)이란 원래 그리스어에서 '지혜'(소피아)를 '사랑한다'(필레인)라는 어의를 지닌다는 점이다. 메이지 초기에 철학이라는 번역어를 만든 니시 아마네西周(1829~1897)는 필로소피를 처음에 '희철학希哲学'으로 번역했다. 나중의 번역에서는 떨어져 나간 '희'(간절히 바라다)라는 동태에 주목할 때, 신비주의와 철학 사이의 접점이 떠오르는 것으로 보인다. 왜냐하면 필자의 생각으로는 기성의 앎의 저편인 근원적인 앎(신비적 예지)을 바라는 무궁한 운동 그 자체에서 근세 신비주의의 본령이 발견될 수 있기 때문이다. 이러한 희구는 사변에 의한 앎이라기보다 바로 '사랑한다'라는 동태 그 자체로서 있는 앎, 사랑으로 애태우는 앎으로서 파악하는 쪽이 어울린다.

이 시리즈 제1권 제6장에서 마쓰우라 가즈야松浦和也는 '앎에 관해 완전한 상태와 우리 인간의 현 상태 사이의 거리를 자각하고, 그럼에도 여전히 완전한 상태로 다가가고자 하는 가운데 나타나는 겸허함과 선망'에서 고대 그리스에서의 '철학'의 본질적 요소를 보고 있다(강조는 인용자). 이 '그럼에도 여전히'는 신비주의의 사랑의 언어가 지닌 징표이기도 하다. 근세 신비주의는 신적 존재로 귀일하여 융합하는 것을 궁극의 목적으로 하는 사상이 아니며, 바로 언어를 넘어선 비합리적 체험에 대해 자기 폐쇄하는 것도 아니다. '말할 수 없는 것에 대해서는 침묵해야만 한다'라는 비트겐슈타인(1889~1951)의 철학적 명제는 언어를 끊은 신비 체험이라는 것을 논의할 때도 간간이 제출되지만 말이다. 그러나 예를 들어 오르테가 이 가세트José Ortega y Gasset(1883~1955)는 '말하기'를 으뜸으로 하는 철학으로부터 언어화되지 않는 엑스터시에 호소하는 신비주의를 구별하는 한편, 신비주의자를 '가장 경탄할 만한 언어의 마술사, 가장 정교하고 치밀한 문장가'라고 평했다. 신비주의란 어떤 탁월한 언어의 활동이며, 그런 한에서 철학은 신비주의자들에게서 많은 것을 배울 수 있다고 주장한 것이다.

체험이 아니라 언어에 초점을 맞추게 되면, 신비주의자란 아마도 말할 수 없는 것을 그럼에도 여전히 말하지 않을 수 없는 자를 가리킨다. 신이라는 다 보지 못한 타자에 대한 사랑에 애태우는 그들의 언어는 무언가 근원적인 사랑에 추동되고 있다. 이 장에서 다루는 스페인 신비주의의 두 개의 별인 테레사와 요한네스는 세계 (희)철학사에서 각각 '숨겨진 앎에 대한 사랑'의 비할 바 없는 증언자라고도 생각되는 것이다.

2. 스페인 황금 세기와 신비주의

두 개의 벡터 — 외향과 내향

1492년, 이베리아반도에서의 이슬람과의 전투(국토회복운동 Reconquista)에서 결정적 승리를 거두고 신대륙 정복에 나서기 시작한 가톨릭 국가 스페인(카스티야)은 16세기에 '황금 세기 Siglo de Oro'를 구가한다. 이 시대의 스페인은 서유럽에서 정치적 패권을 장악했을 뿐만 아니라 문학과 미술사에서도 수많은 걸작을 낳았다. 중세 이래의 가톨릭주의를 기조로 삼으면서 근대적 정신이 개화해간다는 점에 프로테스탄트 권역과는 다른 근세 스페인이라는 시공간의 특징이 놓여 있다.

근세 스페인 가톨릭 종교사의 드라마는 언뜻 보면 정반대의 두 개의 벡터를 가지고 있었다. 무대의 한편에서는 대항해 시대의 선봉에 서서 아득히 먼 나라들로 몰려나가는 자들의 모습을 볼 수 있다. 서유럽에 의한 신세계의 '발견'과 정복의 역사, 그 중요한 한 날개를 담당한 것은 그리스도교 선교사들이었다. 뒤에서 이야기하겠지만 세계 선교에서 결정적 역할을 한 것은 1534년에 바스크 출신의 이그나티우스 데 로욜라Ignatius de Loyola(1491~1556)에 의해 결성된 예수회이다. 로욜라의 동지 헤로니모 나달Jerónimo Nadal(1507~1580)의 선언 '전 세계가 우리의 집이다'는 유례없는 규모로 서양 세계의 끝이 확대되어가는 시대에 발견한 선교 활동의 정열을 잘 전하고 있다.

무대의 또 한편에는 혼 안에 깊이 침잠하여 자기의 신 경험을 대담한 동시에 정치하게 이야기해냄으로써 새로운 영성의 지평을 개척한 신비주의자들이 있다. 맨 먼저 거론해야 하는 것은 근세 초의 스페인어권에서 발생한 조명파Alumbrados라고 불리는 운동이다. 일반적으로 조명파는 반성직자주의적인 경향을 지니며, 개개인의 내면에서의 조명 체험을 통한 신과의 직접적 합일을 설파했다.

영적 생활의 심리적 측면을 강조하고 내면에의 침잠을 중시한 대표적 신비주의자의 한 사람으로 프란시스코 데 오수나Francisco de Osuna(1497년경~1542)가 있다. 이 프란체스코회 수사의 저서 『영적 아베세다리오 제3』(1527년)은 5개 국어로 번역되는 등 널리 읽히며, 아빌라의 테레사의 사상 형성에도 영향을 주었다. 그 주제는 '잠심潛心, recogimiento'의 기도이다. 이것은 모든 피조물로부터 떠나 혼 안으로부터 모든 관념을 비워내고 신에게만 주의를 집중하는 것에 주안점을 두는 기도의 기법인데, 그 최고 단계에서 혼은 참된 신화神化에 도달한다고 한다.

스페인 신비주의의 선구자이자 광범위한 영향력을 지닌 인물로서 또 한 사람의 프란체스코회 수사 베르나르디노 데 라레도 Bernardino de Laredo(1482~1540)도 중요하다. 1556년에 라레도의 주저 『시온산의 등정』(1535년)을 읽은 테레사는 '무엇 하나 생각하지 않는 것'이라는 표현에서 자신의 기도를 설명하는 모든 것을 발견했다(『자서전』, 23:12). 라레도는 다음과 같이 말한다. '이 "무엇 하나 생각하지 않는 것" 속에는 광대한 세계가 포함된 까닭에, 완전한 관상은 그 자체 속에 바랄 만한 모든 것을 내포하며 보존하고 있다.' 외부 세계에서의 활동으로 향한 동시대의 에너지는 다른 한편으로 혼의 속 깊은 곳으로 향하여 거기서 새로운 내면성의 세계를 개척해 나가는 영성의 운동으로서 발로되었는지도 모른다.

이그나티우스 데 로욜라와 예수회

오히려 역으로 내면으로 향하는 영적 에너지야말로 근세 스페인을 대항해 시대의 패자로 밀어 올리는 대외적 추진력을 추동했다 — 적어도 종교 개혁 이후의 가톨릭교회의 영성 쇄신의 주된 날개를 담당하고 세계 선교를 선도한 예수회에 대해서는 그렇게 보아야 할 것이다. 창설 회원의 한 사람, 프란시스코 사비에르 Francisco Xavier(1506~1552)가 일본에 처음으로 그리스도교를 가져왔다는 것은 잘 알려져 있다(이 책 제5장을 참조). 예수회의 특징은 그 기동력, 행동력에 있다. 수도원의 고요하고 평온한 공간에서 신에게 기도를 바치는 것에 무게를 두는 '관상 수도회'에 반해 수도원 밖으로 나가 사교와 선교에 종사하는 '활동 수도회'의 전형으로 여겨지는 경우도 많다. 그러나 20세기 중반 이후의 연구는 초기 예수회의 신비주의적 경향에 주목하고, '더 큰 신의 영광을 위해'를 구호로 내거는 그들의 외적 활동이 내면적 영성의 탐구와 분리되어서는 생각될 수 없다는 것을 분명히 해왔다.

예수회 수사들의 활동력의 근원에 놓여 있던 것은 창립자 로욜라가 정리한 『영적 수련』이라는 기도 안내서이다. 이 책의 실천자는 영적 지도자의 가르침을 받는 가운데 예수 생애의 다양한 장면을 구체적으로 상상하면서 명상을 하고, 혼 안에 생겨나는 변화를 지켜보며 이 세상에 나아가 취해야 할 삶의 방식의 — 신으로부터 주어진 — 지침으로 삼는다. 현실에 대한 이러한 처방적인 관상 프로그램의 바탕이 된 것은 1522년, 스페인 북동부 만레사의 동굴에서 수행 생활을 하는 가운데 로욜라가 겪은 일련의 신비적 체험이자 그때 그가 얻은 통찰이다. 그것은 '모든 것이 그에게 전적으로 새로운 것이 되어 나타날 정도로 위대한 조명 체험이었다.'(『자서전』) 그리하여 '혼들을 돕는' 활동에 매진해가는 로욜라이지만, 그는 『영적 수련』을 통해 자기의 경험을 다른 예수회 수사들도 다시 체험할 수 있게 하고자 했다.

로욜라의 신비주의는 '활동 속의 관상'을 도달점으로 한다. 만년의 그는 '많은 영적인 환시와 많은 위로의 은혜를 받았지만, 그 위로는 대부분 보통의 사건과 같았다'(『자서전』)라고 말하는 경지에서 살았다. 1551년 6월의 편지에서 로욜라는 학문을 본분으로 하는 시기의 학생들은 필요 이상의 시간을 명상에 보내서는 안 된다고 이야기하고, 다음과 같이 쓰고 있다.

> 공부하는 학생들은 모든 일에서 우리의 주님을 찾기 위해 노력할 수 있습니다. 그것은 예를 들어 누군가와의 대화 속에서 저이도 나도 보는 것, 맛보는 것, 듣는 것, 생각하는 것, 요컨대 우리 활동의 모든 것에서 구할 수 있는 것입니다. (*Écrits*, DDB, 1991, p. 786.)

바로크 시기 예수회 최대의 신비주의자 장-조제프 쉬렝Jean-Joseph Surin(1600~1665)은 '참된 내면에 대해' 말하는 가운데 로욜라가 '시장 한 가운데 있으면서도 예배실에 있을 때와 마찬가지로 쉽게 기도한' 일에 대해 언급한다(『영의 인도』, 2:8). 로욜라에게 있어 관상과 활동은 구별되어야 하는 것이 아니며 또는 서양 근대 사회의 전제조건인 종교적 영역과 세속적 영역의 구별도 자명한 것이 아니었다. 인간의 모든 경험은 신의 현전의 장일 수 있다. 이것은 로욜라나 예수회에 한정되지 않고 근세 스페인 신비주의자들의 활동 전반을 이해하는 데서 기본적으로 중요한 점이다. 언뜻 보아 대립하는 것으로 보이는 두 개의 벡터는 그들의 삶에서 복잡하게 뒤얽히며, 그 점이 그들의 언어에 일종의 독특한 긴장감을 부여하고 있다.

3. 아빌라의 테레사

경험의 앎

스페인 신비주의, 특히 테레사의 그것은 근대 이후 현대에 이르기까지 '신비주의' 이해를 깊이 규정해왔다. 신비주의의 본질을 신비 체험에서 보는 근대적 이해는 상당한 부분에서 그녀에게 빚지고 있다는 것은 지나친 말일까? 그러나 특히 엑스터시(탈혼)를 둘러싼 그녀의 상세한 체험담이 후세에 가져다준 충격의 크기는 부정할 수 없다. 그중에서도 특히 1560년경 그녀의 몸에 일어났다고 하는 다음의 체험이 유명하다.

나는 금으로 된 긴 화살을 손에 쥔 천사를 보았습니다. 그 화살

베르니니, 〈성 테레사의 엑스터시〉(1647~52년). 로마, 산타 마리아 델라 비토리아 성당.

끝에 작은 불이 붙은 것처럼 보였습니다. 그는 때때로 그것을 내 심장을 통해 오장육부에까지 찔러 넣었습니다. 그리고 화살을 뺄 때, 마치 나의 오장육부도 함께 가져가 버린 것처럼 나를 신의 위대한 사랑에 완전히 불타오르게 했습니다. (『자서전』, 29:13)

천사가 손에 쥔 불화살에 심장을 찔려 꿰뚫린다는 이러한 관능적인 환시 체험의 장대한 성격은 신도들의 시각에 호소하는 이미지의 힘을 동원한 대항 종교 개혁을 배경으로 17세기의 바로크 예술을 통해 한층 더 선명해졌다. 특히 베르니니의 손으로 이루어진 조각상에 의해 테레사의 엑스터시는 그리스도교 역사에서도 가장 유명한 신비 체험의 지위를 차지하게 된다. 바타이유 『에로티시즘』(1957년)과 라캉 『앙코르』(1975년) 등, 무언가 신비주의를 다룬 사상서나 잡지의 표지를 장식하는 일도 드물지 않다.

그러나 앞에서 이야기했듯이 이와 같은 신비 체험은 적어도 만년의 테레사에게는 중요한 의미를 지니지 않게 된다. 그것은 또한 현대의 심리학에서 정의되는 것과 같은 변성 의식 상태로 환원될 수 있는 것이 전혀 아니다. 그녀가 형이상학적 사변의 사람이 아니라 정열적인 경험의 사람이었다는 것은 확실하지만, 문제는 이 경험의 내실일 것이다.

가장 오래된 저작 『자서전』(초고 1562년)으로부터 가장 성숙한 저작 『영혼의 성』(1577년)에 이르기까지 테레사의 신비주의는 일관되게 '경험'을 요청한다. '나는 경험으로 그것을 알고 있는 까닭에 말하는 것입니다'(『자서전』, 11:13), '나는 많은 경험으로부터 그것을 알고 있습니다.'(같은 책, 30:9) 그녀의 신비주의는 경험에 기초한 앎이지만, 그것은 찰나적인 체험에 의한 초현실적인 것의 지각이 아니라 일정한 시간을 들여 실천 속에서 몸에 익히고 성숙해가는 지혜라고 말해야 한다. 이러한 의미에서의 경험을 그녀는 자기가 지도하는 수녀들에게도 요구했다. '내가 당신에게 전하고 싶은 것은 경험이 없으면 이해하기 어려운 것입니다.'(『영혼의 성』, 1:1)

테레사에게서의 경험의 강조는 '여성'으로서의 자기의식·자기 확인과도 분리될 수 없다. 때때로 그녀는 자기가 한 사람의 '여성'이라는 것, 그런 까닭에 어리석고 무지하다는 것을 자학적으로, 그러나 다분히 유머를 섞어 강조한다. 그녀는 자기의 영적인 지도자인 신부들—'남성'들—앞에서 자기의 학식 없음을 고백하고 스스로를 낮추면서 사실은 자기의 언어가 남성들의 사변적인 학문적 앎과는 무언가 이질적인 앎인 경험에 기초하는 것이라는 점 또는 그와 같은 경험을 요청하는 것이라는 점을 대담하게 호소하고 있다. 신의 사랑은 오직 그러한 경험—여성의 경험—에 의해서만 알려진다는 것이다. '이러한 사랑의 위대한 열정을 경험한 적이 없는 사람은 그것이 어떠한 것인지 이해할 수 없을 것이다.'(『자서전』, 29:9)

관상과 활동

신은 신을 사랑하는 혼과 함께 있다. 테레사는 수많은 신비체험의 베풂을 받으면서 내면적이고 수동적인 관상 생활을 통해 얻은 이 통찰을 카르멜회의 개혁과 새로운 수도원의 창립 사업에서 구체적이고도 활동적으로 실천했다. 베르니니에 의한 조각상의 요염한 황홀의 표정에 눈을 빼앗긴 자에게는 간과되는 경향이 있는 사실이지만, 그녀 역시 '활동 속의 관상'의 사람이었다. 1567년 8월의 메디나 델 캄포 수도원 창립을 시작으로 1582년에 세상을 떠나기까지 스페인 각지에 수녀원 18곳, 남자 수도원 14곳—후자와 관련해 테레사에게 협력한 한 사람이 요한네스이다—

을 헤아리기에 이른 운동의 경위와 고투가 그녀의 저작 『창립사』에 생생하게 묘사되어 있다.

최대의 걸작 『영혼의 성』에서 분명히 말하고 있듯이, 테레사에게 신에 대한 사랑과 이웃에 대한 사랑은 궁극적인 두 개의 계명이다(1 · 2:17). 그런데 이러한 두 가지 사랑의 관계는 적어도 2세기 이래로 그리스도교의 역사에서 그리스 철학과 복잡한 관계를 지녔다. '관상적 삶bios theoretikos'과 '활동적 삶bios praktikos'이라는 아리스토텔레스적인 구분에서는 그리스인들에게 있어 전자는 사회적 일상으로부터 벗어난 곳에서 궁극적 진리의 관상을 지향하는 철학자의 삶이며, 후자는 폴리스에서 일상생활을 영위하는 그 밖의 사람들의 삶인바, 전자가 후자보다 우월하다고 생각되고 있었다. 다른 한편, 그리스도교 교의의 기반을 구축한 고대 교부들은 신에 대한 사랑과 이웃 사랑은 나누어질 수 없다고 생각했지만, 관상적 삶이 활동적 삶보다 우월하다는 그리스 철학에서 신에 대한 사랑이 좀 더 영적이고 탁월한 사랑이라는 교설의 논거를 찾았다.

중세를 통해 신에 대한 사랑에 비하여 이웃 사랑이, 관상에 비해 활동의 열위라는 이해가 대세가 되었다. 그것의 성서적 근거가 된 것이 「루가의 복음서」에서 '마르타와 마리아'로서 알려진 부분이다(10:38~42). 예수에 대한 시중에 경황없이 움직이는 언니 마르타의 모습이 활동적 삶에 겹쳐지는 한편, 예수의 발치에 앉아 말씀에 귀를 기울이는 동생 마리아의 모습이 관상적 삶에 겹쳐졌다.

그리고 마리아에게도 거들어 주라고 일러달라는 마르타의 말에 대한 예수의 대답 '마리아는 참 좋은 몫을 택했다'가 관상적 삶의 우위를 보여주는 신의 말로서 해석되어왔다.

이러한 이해를 근본적으로 다시 묻는 사람이 중세 후기 최대의 신비주의자라고도 불리는 에크하르트Meister Eckehart(1260년경~1328년경)이다. 그에 따르면, 오히려 신을 위해 활동하는 마르타야말로 이상의 경지를 살아가고 있다. 바로 그런 까닭에 마르타는 마리아가 오로지 법열을 맛보기 위해 꿈속에서, 영적 향상을 잊어버리고 자기의 욕구에 사로잡혀 있다고 염려한 것이다. 에크하르트는 예수의 대답 '마리아는 참 좋은 몫을 택했다'를 다음과 같이 곡예적으로 해석해 보인다.

> 마르타여, 염려하지 말라. 마리아는 최상의 몫을 선택했다. 지금의 상태도 이윽고 그치고, 피조물이 참여할 수 있는 최고의 것에 그녀는 참여할 것이다. 그녀도 너처럼 축복받게 될 것이다. (『독일 신비주의 총서 2ドイツ神秘主義叢書 2』, 우에다 시즈테루上田閑照 옮김, 創文社, 2006년, 143쪽)

활동자 마르타와 관상자 마리아의 관계에 대해 테레사의 해석은 바로 에크하르트의 연장선상에 자리한다. 『영혼의 성』의 '일곱 번째 거처' — 테레사는 인간의 영혼을 신이 거주하는 수정의 성 이미지로 묘사한다. 성에는 일곱 개의 거처가 있으며, 그 가장 깊은 곳인 일곱 번째 거처에서 혼은 신과 영적 혼인을 한다—의 끝 가까이에서 테레사는 그녀가 지도하는 수녀들에게 다음과 같이 호소하고 있다.

> 주님을 묵게 하고 항상 함께하시게 하며 드시는 것을 드리지 않는 것 같은 마음 없는 대접을 하지 않기 위해서는 마리아와 마르타가 언제나 협력해야만 합니다. 대저 마리아는 끊임없이 주님의 발치에 앉아 있는 까닭에, 만약 마르타가 협력하지 않는다면 어떻게 주님을 대접할 수 있겠습니까? 주님의 식사, 그것은 우리가 할 수 있는 모든 힘을 다하여 사람들의 영혼을 주님에게로 데려오는 것입니다. (『영혼의 성』, 7·4:12)

혼과 신의 영적 혼인이 성취하는 '일곱 번째 거처'에서는 『자서전』 등에서 집요하게 묘사되고 있던 선명하고 강렬한 신비 체험 종류는 사라지고, 혼은 모종의 고요함과 평온함을 내보인다. 이 단계에 있는 혼에 대한 신의 현전은 등불 없는 어두운 방 안에 있는 까닭에 그 모습을 볼 수 없지만, 확실히 거기에 있는 벗의 모습에 비유될 수 있다. 신비 체험을 통한 판명한 현전과 대비되는 이 어두운 현전에 대해 테레사의 다음과 같은 말에 주목하고자 한다.

> 이러한 신의 현전은 그것이 처음으로 제시되었을 때나 무언가의

경우에 신이 이 위로를 주실 때처럼 완전하지 않다는, 요컨대 명확하지 않다는 점에 당신은 주의해주십시오. 왜냐하면 만약 완전하고 명확하다면, 혼은 또 다른 것을 생각할 수도, 사람들 속에서 살아갈 수도 없게 되기 때문입니다. (『영혼의 성』, 7·1:9)

선명한 체험을 떠나 '사람들 속에서 살아가는' 혼, 요컨대 직접적인 체험보다 이웃에 대한 사랑에 이끌려 활동하는 혼에 영속하는 신의 '현전' — 모습은 보이지 않더라도 곁에 있는 신 — 을 말하는 테레사의 언어는 그대로 그녀 자신의 만년의 혼의 경지를 말하는 것일 터이다.

여성들의 언어

'결국 나는 여성이며, 그것도 좋은 여성이 아니라 나쁜 여성입니다.'(『자서전』, 28:4)

테레사는 그녀의 저작 중에서 되풀이하여 자기를 포함한 '여성들의 약함'에 대해 언급한다. 약함이란 첫째는 학문이 없다는 것이다. 학문은 남성들의 것이다. 하지만 앞에서 이야기했듯이 언뜻 자학적으로도 보이는 여성의 열위에 대한 강조는 때때로 학문을 넘어선 신에 대한 앎에 다가가는 여성의 우위를 대담하게 주장하는 언어로 반전한다. 신에 대한 앎은 신학보다 경험, 학식보다 사랑에 의해 받아들여야 할 것이라고 한다면, 전자로부터 구조적으로 배제되어버리는 여성들이야말로 신에 대한 앎에 가깝다고 말할 수 있기 때문이다.

이 점과 관련하여 또 하나 주목해두고자 하는 것은 신의 언어를 읽는 여성들 언어의 존재 방식이다. '주님의 언어는 단 한 구절 속에도 천 개의 비의를 간직하고 있으며, 그 최초의 것조차도 우리의 이해력을 넘어서 있습니다.'(『아가 명상』, 1:2) 이 '우리'는 첫째로는 테레사와 그녀의 지도를 받는 수녀들을 가리킨다. 학문에 의해 진리를 궁구하는 남성들과는 달리 '여성에게는 자신에게 이해될 수 있는 것만으로 충분'하다고 그녀는 단언한다.

그러나 이 언어는 결코 단순한 겸허함의 표명이 아니다. 이 언어는 '주님이 그 이상의 것을 깨닫게 하고자 하실 때 우리 쪽에서 아무것도 생각하지 않고 아무것도 하지 않더라도 저절로 알게 하십니다'라는 확신에 뒷받침되어 있기 때문이다. 신에 대한 앎은 남녀를 불문하며, 대체로 인간의 앎을 초월해 있다. 그것은 발견하는 것이 아니라 주어져야 하며, 구명하는 것이 아니라 기다려야 한다.

설명이나 뜻풀이가 목적이 아니라고 한다면, 테레사는 신의 언어를 어떻게 읽고자 하는 것일까? 그녀는 말한다. 내가 인간의 앎을 넘어선 신의 언어를 굳이 읽고자 하는 것은 그것을 읽는 것이 나 자신에게 커다란 위로이자 기쁨이며, 당신에게 있어서도 그러할 것이기 때문이라고 말이다. 다음에 인용하는 것은 텍스트의 마지막에 기록된 말이다.

> 내가 말한 것 가운데 무언가 좋은 것이 있다면, 그것은 내게서 나온 것이 아니라는 것이 당신에게 아주 분명해지겠지요. (…) 아무쪼록 여기에 쓴 것을 경험에 의해 아는 은혜를 우리를 위해 주님께 기도해주십시오. 이러한 은혜 가운데 무언가를 받고 있다고 생각하시는 분은 주님을 찬미하고 그로부터 받는 이익이 자기 한 사람의 것이 되지 않도록 우리를 위해서도 같은 은혜를 간구해 주십시오. (『아가 명상』, 7:10)

숨겨진 신에 대한 앎에 애태우는 여성들의 언어 — 그것 자체가 기도의 양상을 띤다 — 가 말하는 것은 인간의 앎과 동떨어진 신의 진리가 아닐 뿐만 아니라 개개인에게 폐쇄된 경험도 아니며, 신의 언어를 읽고 말하는 기쁨 그 자체이다. 그것은 또한 나와 당신(들)과의 사이에서 서로 나누어 가지고 함께 함으로써 더욱더 깊어지는 기쁨이다.

4. 십자가의 요한네스

시와 산문

테레사처럼 자신의 내적 체험을 솔직하게 말하는 일이 없다는 점 때문에도 요한네스의 생애에서의 내면적인 변천을 남아 있는 사료로부터 엿보기는 어렵다. 그러나 카르멜회 내부의 개혁 반대파의 표적이 된 일로 인해 1577년 12월부터 다음 해 8월까지 아홉 달 동안에 걸쳐 톨레도의 수도원에 유폐된 경험은 중요하다. 어둡고 좁은 옥중에서 요한네스는 현재 알려진 저작 가운데 최초의 것인 몇 개의 시 작품을 지었다. 오늘날 그의 저작은 스페인 문학사에서의 주옥과 같은 것으로 평가되지만, 시인의 창조성을 해방한 것은 가혹한 감금 생활이었다.

톨레도에서 쓴 시가를 계기로 요한네스는 신의 사랑(신에 대한 사랑이기도 하고 신으로부터의 사랑이기도 하다)으로부터 흘러넘치는 언어를 엮어나간다. 테레사에게서와 마찬가지로 요한네스의 신 이야기에서도 신과 혼의 영적 혼인 이야기로서 읽힌 「아가」가 근본적인 모티프가 되었다. 『영의 찬가』 서두에서 요한네스는 본래 인간의 언어로는 말할 수 없는 신의 사랑을 노래하는 자신의 시가 「아가」와 마찬가지로 다양한 상징과 비유를 사용하는 것의 필연성을 이야기하면서 다음과 같이 말하고 있다.

> 풍부한 신비적인 앎으로 가득 찬 사랑의 움직임에 의해 지어진 이 시들을 정확히 설명하는 것은 불가능합니다. 내가 의도하는 바도 그것이 아닙니다. 다만 일반적인 몇 가지 빛을 비출 뿐입니다. (…) 사랑 때문에 있는 신비적 예지는—이 시 속에서 다루어지고 있는 것은 바로 이 예지입니다만—영혼에 사랑과 애정의 효과가

생겨날 수 있도록 하기 위해 판명하게 이해될 필요가 없기 때문입니다. 그것은 신앙의 경우와 마찬가지여서, 우리는 이해하는 것 없이 신을 사랑하는 것입니다. (『영의 찬가』, 서언)

요한네스의 주저로 여겨지는 것은 『카르멜 산길』, 『어두운 밤』, 『영의 찬가』, 『사랑의 살아 있는 불꽃』, 네 가지 작품이다. 그런데 이것들 가운데 어느 것이든 자기가 지은 서정시에 스스로 주해를 붙이는 독특한 스타일로 쓰여 있다. 말할 수 없는 것을 말하고자 하는 신비주의자에게 있어 무엇을 말할 것인가 하는 것 이전에 어떻게 해서 말할 것인가(언어를 가동할 것인가) 하는 것이 사활적인 과제가 된다면, 시와 산문의 뒤섞임이라는 이 스타일의 의미를 생각하는 것이 요한네스의 신비주의 이해를 위해서는 불가결하다.

이 점과 관련하여 신비주의 연구에 현대적 경지를 개척한 미셸 드 세르토Michel de Certeau(1925~1986)의 통찰을 참조하고자 한다. '이들 두 가지 표현법[시와 산문]은 플라톤의 『향연』에 그려져 있는 양성 구유자(안드로귀노스)의 두 개의 반쪽 몸뚱어리처럼 한쪽이 다른 쪽을 그리워하고 있다. 서로가 서로를 찾고 서로 부르며 서로 변용시키고 서로 뒤얽힌다. 분화하고 구별됨으로써 둘 사이에 불가사의한 결합이 생겨난다. 어느 쪽도 어느 쪽을 배제하지 않으며, 어느 쪽인가가 작품의 '진리'인 것도 아니다. 양자의 분화, 두 가지 표현법 사이에서 열리는 틈은 '어느 쪽이든 일방 없이 다른 쪽도 없다'라고 정식화할 수 있는 동태의 계기가 된다.'(*La fable mystique*, t. 2, Gallimard, 2013, pp. 123~124) 시와 산문이라는 두 개의 다른 문체가 서로 다른 것이면서 서로 갈구함으로써 그 사이에서 새로운 언어를 낳는 것이다.

어두운 밤

어두운 밤에
불꽃처럼 타오르는 사랑의 마음 견디기 어려워
아, 은혜의 그때여
알아채지도 못한 채 나오네
이미 우리 집은 고요해졌으면 (오쿠무라 이치로奧村一郎 옮김)

'어두운 밤'은 이미지로 가득 찬 요한네스의 사랑의 언어가 그로부터 솟아 나오는 원천이며, 그의 언어가 그 속에서 전개되어 가는 무대이고, 또는 새로운 언어의 지평을 여는 동인이다. 말하자면 요한네스 신비주의의 근원어이지만, 무슨 까닭에 어두운 밤이라고 말하는 것일까?

신과의 합일로 향하는 혼의 도정을 어두운 밤이라고 부르는 이유를 요한네스는 최초의 저서 『카르멜 산길』에서 세 가지를 들고 있다(1·2:1). 첫째로, 혼은 신으로 향함에 있어 우선은 모든 피조물에 대한 욕망을 끊어야만 하지만, 출발점에서 요청되는 이러한 박탈과 결여는 인간의 감각에 대해 어두운 밤과 같은 것이기 때문이다. 둘째로, 신으로 향하는 도상에 있는 혼의 길은 신앙이지만, 이 신앙은 지성에 대해 밤과 같이 어두운 것이기 때문이다. 셋째로, 다다라야 할 종국점인 신은 이 세상에 있는 자에 대해 인식을 넘어선 어두운 밤이기 때문이다. 이러한 세 개의 어두운 밤은 각각 초저녁, 한밤중, 여명에 해당한다.

이 가운데 가장 어두운 밤이 한밤중, 요컨대 신앙의 어두운 밤이다. 이것은 지성의 어두운 밤이라고도 불린다. 그리스도교에서 신앙이라는 인식이 지성에 의한 파악을 넘어선 신적인 것에 관계하는 까닭에 '어둡다'라고 하는 해석은 뉘사의 그레고리오스(335년경~394년 이후)와 위-디오뉘시오스(500년경)를 비롯하여 그리스 교부 이래의 전통을 지닌다. 하지만 그 가운데서도 눈에 띄는 요한네스의 특징은 물질적인 것뿐만 아니라 영적인 것도 포함하여 어떠한 인식이나 체험도 신에게로 향하는 길을 방해하는 것이며, 그런 까닭에 거부해야만 한다고 주장하는 점에 있다. 환시나 계시 등 '초자연적인 선물'마저 물리치고 신앙의 어둠 속에 머물러야 한다는 것은 빛나는 체험에 호의적인 테레사의 언어와는 좋은 대조를 이루는, 요한네스의 '무의 길'의 요청이다. 모든 '판명하고 개별적인' 것은 신과의 합일로부터 멀리 떨어져 있는 것으로서 거부되는 데 반해, 단 하나 '어둡고 모호하며 막연한' 관념인 바의 신앙만이 긍정된다(『카르멜 산길』, 2·10:4). 요한네스의 신앙은 데카르트적인 근대 철학의 진리 기준인 '명석판명'과는 대체로 대극적인 기준을 지닌다고도 할 수 있다.

모든 신적이지 않은 인식과 체험에 대한 집착을 엄격히 경계하는 요한네스의 어두운 밤은 그 속에서 혼이 영적인 거칠고 메마르며 가혹한 고통을 겪는 '차가운 밤'으로서의 일면을 확실히 지닌다. 요한네스는 어두운 밤을 가는 혼이 때때로 신에게 버림받았다는 절망감에 사로잡힌다고 한다. 이러한 밤의 부정적 측면은 『카르멜 산길』에 이어지는 『어두운 밤』에서 한층 더 명확해진다(2 · 6:2 등).

확실히 신앙의 어두운 밤은 언젠가 여명을 맞이한다. 요한네스가 그 저작 속에서 위-디오뉘시오스의 『신비 신학』에서 보이는 '어둠의 광선'이라는 표현을 네 번 인용하고 있는 점도 간과할 수 없다. 그러나 위-디오뉘시오스나 그에게서 이어지는 신비 신학자들이 말한 형이상학적인 '신의 어둠'과는 달리, 요한네스의 어두운 밤은 신을 희구하면서 신의 부재에 괴로워하는 혼의 내적 경험을 도려낸다. 그것은 또한 지적 인식의 저편에 펼쳐지는 알지 못함의 어둠이라기보다 신앙의 길 그 자체이다. 더 나아가 그것은 뒤에서 이야기하듯이 여명에 이르러서도 여전히 어떤 어두움을 남기는 것이다.

사랑의 불꽃

그러나 요한네스의 어두운 밤은 결코 부정적 측면으로 환원될 수 없다. '어두운 밤에 불꽃처럼 타오르는' 사랑의 초조함이야말로 그의 신비주의의 진면목이다. 다 보지 못한 신을 연모하며 어두운 밤에 방황하는 신앙자의 혼에서 '사랑의 불꽃'은 타오른다고 요한네스는 말한다. '이 어두운 궁지의 한 가운데서 혼은 신에 대한 모종의 감각과 예감과 같은 것을 지니며, 강렬한 신의 사랑에 의해 격렬하고 날카롭게 상처 입었다는 것을 느낀다. …… 이때 영은 강한 사랑에 불타오르는 것을 느낀다. 왜냐하면 이 영의 연소는 사랑의 열정을 생겨나게 하기 때문이다.'(『어두운 밤』, 2·11:1~2) 이때 신을 구하는 신앙은 '어둡고 모호하며 막연하면서 사랑으로 가득 찬' 관념이 된다. 가혹한 밤의 차가움으로부터 완전히 변하여 혼을 태우는 '열'을 머금은 요한네스의 암야는 신앙론임과 동시에 또는 그 이상으로 '사랑'의 가르침이다.

신의 사랑을 말하는 요한네스의 언어는 완성되지 못하고 끝난 『카르멜 산길』과 『어두운 밤』(본래 이 두 저작은 같은 시를 주해하는 하나의 책을 구성해야 하는 것이었다)에서보다 집필 연대로서도 뒤늦은 두 개의 텍스트, 즉 『영의 찬가』 및 『사랑의 살아 있는 불꽃』에서 대담함을 늘린다. '어디에 숨겨진 것일까? / 사랑하는 임이여, 나를 잡아두시고, 한탄하게 하소서'라고 말하기 시작하는 40절의 시 및 그 주해로 이루어진 『영의 찬가』는 좀 더 직접적으로 「아가」를 모티프로 한 신과 혼의 연애 이야기, 혼인 이야기이다. '아, 사랑의 살아 있는 불꽃! / 부드럽게 상처 입히네 / 내 혼의 가장 깊은 중심에서!'로부터 시작되는 4절의 시와 주해로 구성되는 『사랑의 살아 있는 불꽃』에서는 『영의 찬가』에서 성취한 영적 혼인에서 한층 더 불타오르는 사랑의 불꽃이 말해진다.

앞에서 언급한 '어두운 밤'의 삼분법에 따르면, 『영의 찬가』와 『사랑의 살아 있는 불꽃』 두 저서의 주제는 가장 어두운 밤을 벗어나 여명을 맞이하는 혼 안에서 불타는 신의 사랑이다. '밤'이라는 이미지에 더하여 다양한 의미를 지니는 '불꽃'의 이미지가 전경으로 나서는 것이다.

그러나 여명의 빛은 아직 낮의 빛이 아니다. 이 점에 대해서는 『영의 찬가』에서 읊어진 시의 한 구절 '[저분은] 새벽이 밝아올 즈음의 / 고요한 밤 / 침묵의 음악 / 울려 퍼지는 고독 / 사랑에 취하는 즐거운 저녁 식사'(열다섯 번째 노래)에 요한네스가 덧붙인 주해를 확인해두고자 한다.

> 여기서 이 신적 빛을 '새벽이 밝아올 즈음의' 빛, 즉 아침이라고 부르는 것은 지극히 적절하다. 왜냐하면 아침이 밝기 시작하면 밤의 어둠이 흩어지고 낮의 빛이 나타나듯이 신에게서 조용히 안식하는 이 영은 자연적 인식의 어둠에서 신의 초자연적 인식의 아침 빛으로 올라갈 수 있기 때문이다. 이 인식은 밝은 것이 아니며, 이미 말했듯이 '새벽이 밝아올 즈음의' 밤처럼 어둡다. '새벽이 밝아올 즈음의' 밤은 완전히 밤이라고 할 것도 아니라면, 완전히 낮이라고 할 것도 아니다. 그것은 이를테면 둘의 중간에 있다. (『영의 찬가』, 14~15:23)

요한네스가 말하는 어두운 밤의 '어둠'은 다의적이라는 점에 주의가 필요하다. 신과의 합일로 향하는 혼의 도정은 '자연적 인식'의 어두움을 몰아내지만, 그리하여 맞이하는 여명의 '초자연적인 빛'은 변함없이 어두운 것이다. 이 빛은 사랑의 불꽃이 발하는 빛이며, 시각적인 빛이라기보다 형체 없는 신을 희구하는 신앙자의 혼을 태우는 뜨거움이다. 요한네스는 말한다. '사랑으로 가득 찬 초자연적 관념'은 '사물을 뜨겁게 하는 뜨거운 빛과 같은 것'이다. 왜냐하면 '이 빛은 동시에 뜨겁게 사랑하는 빛이기 때문이다.'(『사랑의 살아 있는 불꽃』, 3:49) 요한네스가 '빛의 신비주의자'가 아니라 '뜨거움의 신비주의자'라고 불리는 까닭이다. 신과의 사랑의 사귐을 말하는 데서 시각(보는 것)보다 촉각(만지는 것)이 중시되고 있다는 점도 덧붙여 두고자 한다.

『영의 찬가』와 『사랑의 살아 있는 불꽃』에서는 『카르멜 산길』 및 『어두운 밤』에서 여전히 남아 있던 스콜라 신학적인 말투—용어 선택이나 개념 구분의 모습 등에서 보인다—는 두드러지지 않게 되고 좀 더 다양한, 좀 더 수수께끼 같은 비유와 상징을 짜 넣어 좀 더 편안한 이야기가 전개되어간다. 앞에서 테레사의 체험과 요한네스의 '무의 길'의 대조적 성격에 대해 언급했지만, 어두운 밤에 불타오르는 사랑의 불꽃을 말하는 요한네스의 언어는 테레사의 '여성'의 이야기의 대담함을 떠올리게 한다. 요한네스에 대한 테레사의 영향(또는 그 역)은 사료상의 제약도 있어 분명한 것은 알 수 없다. 하지만 요한네스에 의한 자작시에 대한 주해가 많은 경우 수녀들의 요구에 따라 수녀들을 위해 행해졌다는 사실은 강조해도 좋은 것으로 보인다. 요한네스의 사랑의 언어도 단지 나와 신 사이에서뿐만 아니라 함께 신을 희구하는 우리 사이에서 숨 쉬고 있었다.

5. 신비주의의 행방

16세기 스페인, 그리고 17세기 프랑스에서 꽃피운 근세의 신비주의la mystique는 계몽의 세기의 도래와 함께 황혼을 맞이한다. 그것이 근대적인 신비주의mysticism 개념의 형성과 함께 '재발견'되는 것은 19세기 중엽 이후의 일이다.

이것은 이미 17세기부터 보이는 경향이지만, 근대부터 현대에 걸쳐 테레사와 요한네스의 신비주의는 때때로 일면적이거나 양극단의 평가를 받아왔다. 테레사에 대해서는 이미 말했듯이 대체로 그녀의 정동적인 체험이 강조되어왔다. 특히 19세기 후반에 탄생한 신경병리학과 정신분석학은 테레사의 신비 체험을 여성 특유의 히스테리의 전형적인 증례로서 다루었다. 다른 한편으로 요한네스에 대해서는 '무의 길'과 '차가운 밤'의 측면이 우선 주목받으며, 테레사와는 대조적으로 신비 체험을 철저하게 비판하는 준엄한 신비주의로 여겨지는 일이 많았다(위스망스Joris-Karl Huysmans(1848~1907) 등).

하지만 그러한 이해는 테레사와 요한네스[※] 신비주의의 동태를 잘못 파악하고 있다. 간과되거나 왜소화된 문제는 '언어'이자 '사랑'이었다. 신비주의자들의 언어는 숨겨진 예지에 대한 사랑에 애태우는—그러나 자기 폐쇄와는 인연이 없는—언어이다. 이리하여 근세 신비주의자들의 언어를 다시 읽는 것은 '앎에 대한 사랑'으로서의 철학을 다시 묻고자 하는 시도와 그 근본에서 결부된 것으로 생각된다.

[※] 아빌라의 테레사, 십자가의 요한네스 저작으로부터의 인용은 이하의 일본어 번역을 참조했다(일부 번역을 고친 부분도 있다).

아빌라의 테레사: 『예수의 성 테레지아 자서전』, 도쿄여자카르멜회 옮김, 돈 보스코사, 1960년. 『영혼의 성』, 스즈키 노부아키(鈴木宣明) 감수, 다카하시 테레사(高橋テレサ) 옮김, 聖母の騎士社, 1992년. 『예수의 성 테레지아 소품집』, 도쿄·후쿠오카여자카르멜회 옮김, 돈 보스코사, 1971년.

십자가의 요한네스: 『카르멜 산길』, 오쿠무라 이치로(奥村一郎) 옮김, 돈 보스코사, 2012년. 『어두운 밤』, 야마구치여자카르멜회 옮김, 돈 보스코사, 1987년. 『영의 찬가』, 도쿄여자맨발카르멜회 옮김, 돈 보스코사, 1963년. 『사랑의 살아 있는 불꽃』, 페드로 아루페, 이노우에 이쿠지(井上郁二) 옮김, 돈 보스코사, 1985년.

☞ 좀 더 자세히 알기 위한 참고 문헌

—루이 코네Louis Cognet, 『그리스도교 신비 사상사 3. 근대의 영성キリスト教神秘思想史 3. 近代の靈性』, 조치대학 중세사상연구소 옮김·감수, 平凡社, 1998년. 제1부에서 16세기 스페인, 제2부에서 17세기 프랑스를 다룬다. 방대한 인명과 서명을 망라하며, 근세 가톨릭 신비주의에 대해 기본적인 지식과 포괄적인 전망을 가져다준다. 권말의 일본어 문헌 목록도 편리하다.

—쓰루오카 요시오鶴岡賀雄, 『십자가의 요한네스 연구十字架のヨハネ研究』, 創文社, 2000년. 이른바 현대 사상, 특히 그 언어를 둘러싼 식견을 구사하여 요한네스라는 '뜨거움의 신비주의자'의 텍스트에 숨어 있는 이미지의 논리를 정치한 동시에 시적으로 독해한다. 예부터의 신비주의 이해를 확충하고 현대적인 신비주의 연구 가능성을 일본에서 일찍부터 보여준 저작이다.

—우에다 시즈테루上田閑照, 『비신비주의—선과 에크하르트非神秘主義—禪とエックハルト』, 岩波現代文庫, 2008년. 신비주의의 극치를 합일의 경험에서 보면서 오히려 거기서 벗어나는 '비신비주의'야말로 '참된 신비주의'라고 하는 독자적인 사유를 전개. 이 장에서도 논의한 '마르타와 마리아'에 대한 에크하르트의 설교가 중요한 사유의 열쇠가 된다.

—미야모토 히사오宮本久雄, 『바울의 신비론—타자와의 상생 지평을 열다パウロの神秘論—他者との相生の地平をひらく』, 東京大学出版会, 2019년. 예수에서 개시된 신의 사랑을 '신비'라고 부른 바울에게서 현대 세계의 위기를 극복하는 '상생'의 가능성을 찾는다. 그리스도교에서의 신비의 이해를 깊이 그리고 새롭게 해줌과 동시에 근현대의 앎에 대해 근본적으로 다시 묻는 장에서 '신비'라는 언어가 나타나는 의미를 생각하게 해준다.

제3장

서양 중세의 경제와 윤리

야마우치 시로山內志朗

1. 중세의 경제사상

상업 혁명

중세 말기부터 근세에 걸친 세계철학을 전망하는 경우, 경제 활동의 급격한 발전을 무시할 수 없다. 인류가 대항해 시대에 돌입하고, 세계가 체계로서의 긴밀한 결합을 지니기 시작하게 되었을 때, 철학도 세계 체계의 동인이 된 경제 활동을 둘러싼 사유에 발을 들여놓지 않을 수 없었다.

중세 스콜라 철학에 경제학이 있었다는 것은 의외라는 느낌을 준다. 경제학의 역사는 애덤 스미스Adam Smith(1723~1790)에서 시작한다고 생각되고 있기 때문이다. 하지만 일본에서도 우에다 다쓰노스케上田辰之助(1892~1956)가 제2차 대전 이전에 이미 토마스 아퀴나스(1225년경~1274)의 경제학을 연구하고, 중세에서의 경제학의 존재를 증명하고 있었다. 그뿐 아니라 최근에는 자본주의의 맹아가 중세에서 발견된다는 주장까지 있다.

중세의 경제학이라는 것은 현대인에게는 생각하기 어렵다. 하지만 고대부터 인간은 경제 활동에서는 대단히 합리적으로 체계를 생각해왔다. 경제는 언제나 경제학을 넘어서는 것이지만, 중세에 경제학이 있더라도 불가사의한 것은 아무것도 없다. 중세도 침묵하고 있었던 것은 아니다. 격동의 시대에 있었던 것이다. 12, 13세기는 원격지 사이의 대규모 상거래 발전의 시기이자 '상업 혁명'이라고 불릴 수 있는 시대였다.

상업에 의한 이익은 예부터 비난받아왔지만, 중세 중반에 정당화되며, 이자도 공공연하게 인정되었다. 요컨대 상업 활동에서 생기는 수익에 지연이나 손실이 생기는 경우, 교회는 상인이 보상금을 받는 것을 인정했다. 시장의 기능이 윤리와 심성 속에 우발성, 위험, 불확정성과 같은 개념을 가져왔다.

경제 활동을 활성화하고 시장의 폐쇄성을 타파하는 것은 바이킹과 기마 민족 등, 대규모로 이동하는 사람들이었다. 중세에는 그러한 사람들이 늘어났다. 몽골 제국에 의한 유라시아 대륙 동서 관통의 영향으로 인해 원격지의 물자가 교역되었다. 그 결과 원격지의 것은 희소성을 지니는 것으로서 진기하고 귀중하게 여겨지고, 운반 비용이 겹쳐져 비싼 값의 상품으로서 거래되었다. 교통의 발달이 새로운 가치를 크게 만들어냈다.

현실의 경제 활동은 활발했다고 하더라도, 경제학적 사유가 전면적으로 전개되었던 것은 아니다. 중세 경제학의 틀을 생각할 때, 주제로서 논의되어온 것이 '공정 가격론'과 '징리론徵利論'이다. 중세에는 상업 혁명이 있었을 뿐만 아니라 이론적 틀에서 패러다임 교체가 있었다. 그 초점 가운데 하나가 '징리'인 것이다. '징리'란 '고리' 등으로 번역되는 것으로 '이자'의 존재 방식이지만, 독자적인 사정과 심리적 배척이 담겨 있으며, 다음 절에서 설명한다.

그리스 이래로 모든 경제 행위는 등가성을 규정으로 하고, 대차貸借에서 되돌려 주는 것이 시간을 거친 후라고 하더라도 이자 없이 원금과 같은 액수의 금전을 되돌려 주는 것을 기본으로 생각하고 있었다. 이것은 로마법(시민법)에서도 교회법에서도 마찬가지였다.

이와 같은 등가성을 기본으로 하는 이론적 틀은 현실로부터 괴리된 것이었다. 이자는 표면적으로는 아니라 하더라도 인정하지 않을 수 없었고, 실제로도 언제나 이자에 해당하는 것은 인정되고 있었다. 그것이 '발생손해發生損害'와 '일실이익逸失利益' 등의 명목으로 청구되고 있었다. 특히 중요했던 것은 '해상보험'이었다. 이자로서가 아니라 손해배상으로서 원금보다 많은 금액을 되돌려 주는 것이 관습적으로 행해진 것이다.

그런데 13세기까지 위와 같은 틀은 계속되고 있었지만, 13세기 말에 이자 긍정론이 등장한다. 이것은 단순한 경제사의 문제가 아니라 법학, 철학, 신학 등의 기본적 틀의 변경을 둘러싼 근본적 변혁이었다.

징리와 이자

교회법에서는 원금 이상으로 갚을 것을 요구하는 것은 '징리徵利, usura'로 여겨지고 격렬하게 증오하게 되었다. '징리'란 화폐의 사용에 대한 사용료를 의미하고 있었다. 원시 그리스도 교단은 가난한 사람, 병자 등 사회적 약자의 구제를 지향하는 종교운동이며, 부와 화폐를 증오하고 상업금융 활동을 멀리했으며, 그 경향이 중세에서도 계승되었다.

징리와 이자는 사실상 같은 것인데, 이자는 현실적으로 제도로서는 다양한 이름으로 운용되고 있었지만, 그것이 윤리 신학의 장면에서는 큰 죄로서 격렬하게 규탄되고 있었다. 윤리 신학적으로 시인되지 않는 한 세속적인 장면에서 활개를 치는 운용은 생기기 어렵다. 징리가 전면적으로 사회 통념에서 시인되는 것은 18세기를 기다려야만 하지만, 징리를 인정하고 상업과 금융에 종사하는 것이 윤리 신학적으로 인정된다는 사상이 나타나기 시작한 것이 13세기인 것이다.

징리는 중세의 사회적 해악들 가운데서 가장 나쁜 것이라고 스콜라 학자들은 생각하고 있었다. 징리를 수취하는 자(고리대금업자)는 살아 있는 동안에는 '게헤나의 불'에 불타면서 격렬한 고통 속에서 계속 괴로워하며, 죽을 때는 임종 고해를 하려고 하더라도 입에서 불이 나와 고해를 할 수 없든가 아니면 고해할 수 없는 가운데 급사할 운명이 주어져 있을 정도로 큰 죄를 범하고 있다고 생각되었다. 그들은 필요 불가결한 존재이면서도 그와 같은 저주에서 볼 수 있듯이 철저히 미움을 받고 증오를 받았다.

그러나 이 징리란 '소비대차消費貸借'와 관련해서만 생기는 것인바, 그 이외의 계약 형태에서는 생기지 않았다. 이 '소비대차'라는 로마법에서 기본이 되는 교환 관계는 '매매'와 거의 같아 보여도 내실이 다르다. 소비대차란 대체 가능한 상품인바, 사용이 실체로부터 분리되지 않는 것에 적용되는 대차였다. 요컨대 사용해 버리면 소비되지 않게 되는 것에 적용된 것이다. 소비됨에도 불구하고 대차로 분류되었다. 여기서 대체 가능한 것이란 곡물과 포도주와 금전이었다. 대조적으로 대체 가능하지 않은 상품이란 가옥과 토지와 말과 같은 것이다. 그것들의 대차는 '사용대차使用貸借'라고 불렸다.

대체 가능한 상품이란 사용됨으로써 소멸해버리는 상품이다. 그리고 화폐의 개념을 생각할 때 결정적으로 중요한 것이지만, 중세에는 화폐 역시 대체 가능한 상품으로 생각되었다. 그 논거가 금전은 불임·불모라는 것이었다. 이 소비대차의 규칙은 이미 로마법에서 발견되어 있었지만, 교회법에서도 확고한 상식이 되어 있었다.

소비대차와 이자

소비대차에는 이자가 붙지 않는다는 것이 기본적인 대원칙이었다. '원금 이상으로 요구되는 것은 징리이다.' 그라티아누스 교령에는 그렇게 되어 있다. 징리는 정의에 대한 죄, 대죄이다. 특히 징리는 시간의 절도이며, 시간은 신의 것인 이상 성물 매매의 죄로 여겨졌다.

징리는 이웃 사랑에 반하는 행위이며, 반드시 지옥으로 가는 것이 정해진 대죄였다. 1년에 한 번 규정된 고해에서는 신고할 필요가 있는 사례이며, 따라서 중세의 『청죄 규정서』에는 반드시 징리에 관한 장이 존재하고 있었다.

그러나 12세기 말 이후 상황이 변해간다. 원격지와의 교역이 활발해짐에 따라 대형 선박이 제작됨으로써 교역의 수익도 뛰어올랐지만, 동시에 조난의 피해, 위험도 두드러지게 되어갔다. 일실이익과 손해 발생이 손해배상inter-esse으로서 가격에 끼워 넣어질 수밖에 없었다. 인테르-에세란 '사이에 존재한다, 관계가 있다'라는 것을 의미하지만, 경제 가치에서 부족분이든 증가분이든 본래 있어야 할 것이 다른 곳에 떨어져 있고, 그러한 존재하는 것과 부재하는 것의 관계를 나타내는 개념이었다. 존재의 관계 속에 윤리가 모습을 드러낸다.

2. 청빈과 경제사상

화폐의 종자적 성격=자본

화폐란 불임·불모라는 것이 로마법 이래의 상식이었다. 이 '불임·불모'라는 성질은 넓은 범위에 미치는 대규모 교역이 없는 시대에는 화폐의 안정성에 연결되는 것으로 바람직했을 것이다. 토마스 아퀴나스는 화폐의 기능으로서 두 가지를 들고 있다. 하나는 교환의 매체라는 것이다. 교환의 매체인 이상, 교환에서 유용되는 것이 아니라 소비되게 된다. 또 하나는 화폐가 스스로 유용성의 척도를 얻을 수 없는바, 화폐에 의해 가치가 평가되는 상품에 기초하여, 그리고 화폐와 상품을 교환하고자 하는 사람의 견적에 의해 척도가 주어진다는 것이다.

이와 같은 화폐관에서는 이자도 징리도 불법행위이다. 징리가 불법이라는 것은 토마스에 따르면 세 가지 논거에서 제시될 수 있다. ① 징리는 시간을 매매하는 것인데, 시간은 신으로부터 모든 사람에게 주어져 있는 것이고, 모든 사람에게 주어져 있는 것을 매매할 수 없으며, 신으로부터 주어진 것을 매매하는 것은 성직 매매·성물 매매이자 대죄이다. ② 징리에서 원금과 반환금은 같은 양인바, 그 이상으로 이자를 취하는 것은 같은 것을 두 번 파는 것이다. ③ 징리에서 원금과 반환금 사이에서 교환은 끝나는 이상, 이자를 취하는 것은 무nihil를 파는 것이다. 이러한 세 가지 논점은 성서에 기록된 전거, 교회법에 의한 전거, 로마법에 기초한 것 이외에, 이성적으로 생각하더라도 불법이라는 것을 제시하고자 한 것으로 생각된다.

현대의 견지에서 보면, 여기에서의 사고법은 이해하기 어렵다. 토마스에게서 징리도 이자도 구별되어 있지 않다. 원금 이상으로 요구하는 것은 모두 무조건 악인 것이다. 소비에서는 사물의 사용과 사물 그 자체가 겹쳐져 있으며, 소비에 의해 사물은 존재하지 않게 된다. 소비에 의해 존재하지 않게 되는 것에서 대금을 취하는 것은 존재하지 않는 것을 파는 것이자 불가능한 것이다. 화폐를 빌려주는 경우도 그것은 소비대차로 간주되며, 원금을 갚는 것만으로 소비대차는 완료되고, 이자를 취하는 것은 비존재자를 파는 것, 또는 같은 것을 두 번 파는 것이라고 생각되었다. 존재와 비존재의 관계는 경제 행위에서 굴곡된 존재 방식을 지니고 있었다.

내구 소비재의 경우는 대차에 의해서도 사물은 계속해서 존재하며, 사용을 매매할 수 있다. 그러나 소비대차에서는 소비로써 사물은 존재하지 않게 되기 때문에, 사용을 매개할 수 없다고 생각되었다. 화폐는 사용으로써 '소비'된다고 생각되었다. 화폐의 사용을 매매하는 것은 인정되지 않은 것이다. 허용되는 것은 화폐와 관련해서는 손실의 회피뿐이다. 현대의 견지에서 보아 대단히 불가사의한 이러한 사고방식은 중세의 경제적 사유를 결정적으로 구속하고 있었다. 이러한 속박으로부터의 해방을 이룬 것이 청빈의 사상을 구체화한 '가난한 사용usus pauperus'이라는 개념이었다.

다만 토마스는 전면적으로 이자를 부정한 것이 아니라 이자를 지불하는 것을 조건으로 금전을 빌리는 것이라면 이자의 죄를 선을 위해 활용하고 있는 까닭에 허용된다고 간주하고 있다.

아시시의 프란체스코

중세는 상업 혁명의 시대이며, 그 한가운데서 유복한 상인의 아들로서 태어난 사람이 아시시의 성 프란체스코(1181년경~1226)이다. 그는 친아버지를 부정하고 하늘의 아버지를 섬기며 청빈을 관철했다. 중세 신학의 착종과 변화를 실존에서 체현한 인물이었다.

프란체스코는 화폐를 거부했다. 그는 상인인 아버지를 부인하고 예수처럼 무일푼으로 가난하게 지내며 빈곤 속에서 설교했다. 그러나 당시에도 프란체스코는 상인의 장長이자 그 비호자라고 여겨지고 있었다. 이탈리아의 역사가 토데스키니Giacomo Todeschini(1950~)는 한 걸음 더 나아가 프란체스코회가 일관되게 '자발적 빈곤으로부터 시장사회로'로 이끈 수도회에서의 부의 본질을 정당화하고자 했다.

프란체스코회는 창설자 프란체스코의 청빈 이념에 공명하고 그것을 일상생활에서 실천하고자 했다. 청빈을 철저히 하고 모든 소유권을 내던지며 종래의 수도원처럼 공동 소유마저 인정하지 않았다. 화폐를 거부하고 재산의 축적도 인정하지 않으며, 일상생활에 필요한 것은 노동과 탁발로 조달했다. 화폐로 대표되는 부, 도시와 상업이 산출하는 모든 이익을 거부하는 집단으로서 나타났다.

그중에서도 급진파였던 것이 성령파Spirituals인데, 그 대표적 사상가가 페트루스 요한네스 올리비Petrus Johannes Olivi(1248년경~1298)였다. 올리비는 동시에 화폐 불임설을 넘어서서 경제 활동을 추진하기 위한 상업·상인론을 전개했다. 그것은 '청빈의 역설'로서 생각되어왔다.

이러한 올리비의 사상이 발견된 것은 뜻밖에도 최근인데, 1970년대에 들어서서야 겨우 프란체스코회 급진파 안에 혁신적인 경제론이 존재했었다는 것이 발견되었고, 그 중심은 올리비였다.

클레멘스 5세(재위 1305~1314)는 1312년의 교령에서 '징리는 죄가 아니라는 잘못된 설을 완고하게 부르짖는 자를 이단자로서 벌해야 한다고 결정한다'라고 결정했다. 이때의 탄압 대상으로서 생각되고 있던 것이 올리비였다. 이 수수께끼 같은 사상가는 누구였던가?

3. 올리비의 경제사상

수수께끼의 사상가 올리비

올리비는 프란체스코회에 속하는 신학자이자 요아킴주의를

받들고, 프란체스코회 안에서도 급진파가 되는 성령파의 대표적 사상가이자 사후에 열광적인 숭배를 받았다. 그를 숭배하는 사람들이 많았는데, 프란체스코가 제2의 그리스도이고 올리비가 제2의 바울이라고 여길 정도였다. 올리비의 사상은 탄압되고 공개적으로 읽히는 일은 적어졌다. 그럼에도 불구하고 그의 사상은 소중하게 프란체스코회 속에서 지켜져 갔다. 올리비는 철학적으로는 주의주의, 개체주의 입장인바, 많은 점에서 둔스 스코투스와 오컴의 선구자로 여겨지고 있다.

최근의 경제학사에서 올리비에 대한 주목은 급속하게 높아져 있으며, 근대적인 경제사상을 지니고 있었다고 간주되는 일도 많다. 상당히 대담하게 경제사상을 변혁했을 뿐 아니라 프란체스코회에서도 혁신적인 종말론을 전개하고 로마 가톨릭교회를 비판했으며, 철학적으로도 중요한 전환점이 되었고, 게다가 엄격한 청빈을 설교하면서도 이자 긍정, 상업의 진흥을 도모한 그의 사상은 철학사적으로나 경제학사적으로 그리고 종교사에서도 중요하다.

그는 당시부터 이단자로서 계속해서 규탄받았다. 1283년, 파리 대학 관계자에 의한 조사위원회가 설치되었고, 위원회는 올리비의 저작에서 '위험', '잘못', '이단적'이라고 판단되는 부분을 골라내 22개 조항으로 정리하고 그에 대한 대항 의견을 덧붙인 다음 「일곱 봉인의 책」으로서 공표했다.

올리비는 대항 의견을 읽는 것도 허락받지 못한 채 동의할 것을 강요당하며, 변명의 기회도 부여받지 못했다. 가까스로 2년

후에 변명의 기회를 부여받아 「변명」을 저술한다. 1285년의 밀라노 총회에서도 비판되고, 복권은 1287년의 몽펠리에 총회까지 기다려야만 했다. 1298년에 사망한다. 사후 1299년에 리옹 총회에서 분서 처분을 받으며, 1326년에는 요한네스 22세(1249~1334)에 의해 『묵시록 주해』가 단죄되었다.

'가난한 사용'의 사상

조금 거슬러 올라가자. 파리의 화려함을 끔찍할 정도로 싫어했던 올리비는 남프랑스로 돌아와 교육 연구에 몰두했다. 그의 프란체스코회 정신을 관통하는 사유는 박해당하고 전 저작이 몰수되었다. 급진적이라고 하여 내부로부터도 외부로부터도 비판받았지만, 1287년에 프란체스코회 내부에서는 정통적인 것으로 인정받게 되었다. 만년의 1294년경부터 그 지방 상인들의 경제 문제에 관여하고 『계약론』을 저술했는데, 이것이야말로 12세기의 '자본론'이라고 말해질 정도로 다양한 측면에서 획기적인 저작이었다.

올리비는 청빈을 둘러싼 이해에서 이단으로 취급되고 남프랑스의 세리냥으로 물러나 있었지만, 그곳의 교역에 관계하는 상인들의 거래를 둘러싼 상담에 관여하는 가운데 영리 활동을 정당화하는 경제 윤리를 확립해갔다.

올리비는 과격한 청빈론자, 절대적 무소유의 제창자로 여겨져 왔지만, 실제로는 아주 다르다. 그는 '현재의 필요'와 '현재를 위한 필요'라는 것을 엄격히 구별한다. '현재의 필요'는 현재 시점에서 향유 활용하기 위해 필요한 것이 아니라 '미래를 위해' 필요한 것이다. '현재를 위한 필요'는 현재 시점에서 향유 활용하고 소비하는 사용 방식이다. 씨앗을 뿌릴 때에 씨앗이 필요한 것은 수확할 때를 위해 지금 필요한 것이다. 사용과 향유라는 틀로 정리하면, 현재는 향유되어서는 안 되며, 미래를 위해 사용되어야 한다. 현재 분명히 필요한 것이 현재를 위해 필요한 것이 아니라 미래를 위해 필요한 것이라면, 그것을 소유하는 것은 정당한 일이다. 이것이 '가난한 사용'의 의미이다. 현재에서의 비존재와 미래에서의 존재의 격차를 유지하는 한에서 그것은 '가난한 사용'이다.

'가난한 사용'이란 소유하는 것이 아니고 현재에서 향유하는 것이 아니며, 미래를 위해 현재에서 필요하지 않을 수 없는 부분을 사용하는 것이다. 미래에서의 향유는 사후에서의 지복 직관과 마찬가지로 물리쳐질 수 있는 것이 아니다.

'가난한 사용'에서 사물은 소비되고, 비존재로 되는 것이 아니라 잔존한다고 생각된다. 따라서 가난한 사용이라는 틀에서는 이자를 취했다고 하더라도 비존재를 매매하는 것이 되는 것은 아니다.

올리비의 공적

올리비의 철학은 반아리스토텔레스적으로 실체론적 틀을 부정하고 있다. 그의 경제사상의 특징을 개조식으로 적자면 아래와 같이 된다.

① 자본capitale의 개념을 창출한 것은 올리비이다. 원금은 솔루스 등으로 불리고 있었지만, 그것은 기본적으로 같은 액수를 갚는 것으로, 그 이상을 요구하면 징리로 간주되었다. 원금은 늘어나는 것이 아니기 때문이다. 그러나 '자본'은 투자하여 이익을 낳기 위한 것이며, 씨앗과 같은 성격을 갖추고 있었다. 그때까지의 화폐에 대한 파악 방식은 불임·비생산적인 것으로 파악되고 있었지만, 올리비는 화폐에 대해 이익을 만들어내기 위한 증식적인 성질을 인정했다.

② 이자 긍정론을 제창했다는 점에서도 선구적이다. 소비대차는 로마법에서 상호 부조적인 측면을 지니는 것이었다. 소비되는 사물의 무이자 기한부 대여였다. 소비대차는 무이자일 뿐만 아니라 대여되는 것이 사용되고 소비되고 소멸하는 것이라고 생각하고 있었다. 그것은 어디까지나 '소비대차'인바, 대여된 사물이 계속해서 존재하고 수확물과 이익을 산출하게 되면, 그것은 소비대차가 아니다. 그리고 돈을 빌려주는 것은 소비대차였기 때문에, 이자를 가능하게 하기 위해서는 소비대차 개념을 변화시키든가 돈을 빌려주는 것은 소비대차가 아니라고 하든가—이것은 현실적으로는 조합과 공동사업 등과 같은 방식으로 이용되고 있었다. 그러나 그것에는 그 용도의 장면이 한정되어 있다—, 또는 돈을 빌려주고 이자를 취하는 것이 소비대차로 상호 이익이 된다는 논리를 생각해내든가 해야 했다.

③ 공동선이라는 논점을 경제사상에 가지고 들어온 것. '공동선'이라는 사고방식. 공정 가격을 논의할 때의 공동선이라는 발상. 공동선이란 공동체를 구성하는 모두에게 좋은 사항, 그리고 공동체에 의해서만 유지되고 증진될 수 있는 이익을 가리킨다. 올리비는 다음과 같이 적고 있다. '상품과 일의 가치가 공동선을 고려하여 결정되어야 한다면, 이때 무엇보다도 중요한 것은 공동의 가격 결정·고려이며, 이것은 시민의 공동체에 의해 공동으로 이루어져야만 한다.'(올리비, 『구입 매매론』, §26)

공동의 의사 결정과 전체의 공동 이익이 중시되고 있다. 게다가 가격에 대해서는 사물에 내재하는 가치가 아니라 희소성과 원격지로부터 운반되었다는 것이 요인으로서 포함되어 있다.

④ 시장을 발견했다는 점에서도 선구적이라고 평가된다. 시장이란 잉여와 희소성 사이의 격차에서 생기는 포텐셜을 발견하고, 그것을 구체적인 사물의 교역·교통 속에서 유통되게 하며, 그리하여 부가 성립하고 증가한다. 중요한 것은 시간과 공간의 거리가 커지게 되면, 그 포텐셜도 높아진다는 점이다. 유럽이 하나의 시장을 형성한다는 것, 이익 공동체societas를 형성하고 그 권역 내에서의 교역이 부를 확대한다는 발상과 올리비의 경제사상은 호응하고 있는 것으로 보인다.

⑤ 올리비는 근면·노력의 의의를 중시하고, 상품 가격의 원천으로서 근면을 평가했다고 이해할 수 있다.

⑥ '새로운 공정 가격론'을 제기한 사상가로서 평가되기도 한다.

보통 공정 가격은 시장 어디에서도 일치해야 하는 것으로 생각되지만, 올리비는 자유의사를 중시하고, 파는 사람과 사는 사람 사이에서의 자유로운 계약에 의해서도 공정 가격에서 벗어나지 않는다고 생각했다. 올리비는 사실상 가격과 가치의 어긋남을 허용했다. 희소한 것을 비싸게 파는 것은 허용된다.

개혁자 올리비

이처럼 올리비는 경제사상에서 선구적인 논점을 제출했다고 하여 높이 평가받게 되었다. 아직 평가는 확정되어 있지 않지만, 커다란 흐름의 중심에 자리하는 것은 확실하다.

올리비 이자론의 핵심은 개연성이라도 평가 가능한 것은 매매 가능하며, 매매는 합법적이라는 것이다. 따라서 유실 이익(소극적 손해)과 손해 발생(적극적 손해)의 개연성이 예상되는 경우, 그 손해배상을 현재의 가격에 부과하는 것은 합법적이라고 하게 된다. 올리비의 이자 긍정론은 미래의 시간, 개연성을 실재적인 것으로서, 매매와 교환의 항목으로서 생각하는 전제를 지니고 있었다. 그것은 위험에 균형이 맞는 대가를 받는 것은 정당하다는 논의를 설득력 있게 전개하고 있다.

징리는 부정한 것으로 생각되고 있었지만, 이자는 이익 상실과 손해 발생 경우의 손해배상으로 생각되고, 이것은 인정되고 있었다. 징리와 이자는 명확히 구별되어야만 한다. 빌려준 돈의 대금으로서 원금 이상으로 수취하는 것은 징리이며, 이것은 그 자체로 부정한 것으로 생각되고 있었다. 그 논거로서 토마스 아퀴나스는 존재하지 않는 것을 매매한다, 같은 것을 두 번 판다와 같은 점을 들고 있다. 올리비는 토마스의 이론과 반대의 학설을 주장한 것이다.

원금은 원금과 같은 액수가 갚아져야 하며, 원금 이상의 반제는 징리였다. 이자는 어디까지나 손해배상으로서 생각되고 있었다. 미래에서의 개연성은 미래란 비존재라고 하는 생각에 반영되어 있다. 올리비는 일관되게 미래를 실재적인 것으로서 생각한다. 그것이 이자론에서나 자본의 사고방식에서 그리고 '가난한 사용'이라는 생각에서도 발견된다.

4. 중세에서의 경제와 윤리

중세의 자본주의

금리를 결정하는 것은 결코 신이 아니다. 그러한 신은 있을 수 없다. 인간이 만약 경제 활동에 고유한 의의를 인정하는 것이라면, 인간은 자유이어야만 한다. 인간은 자유이어야 하는 절대적 필연성을 짊어진다. 자유란 인간이라는 것의 필연적 조건이다. 왜 그것이 절대적 필연성일까? 그 이유는 좀 더 많은 인간 생명의 유지가 인간에 대한 과제이기 때문이다. 경제란 인간의 생명을 위해서 있다.

매매라는 개념은 근대적인 개념이며, 로마법에서는 사용대차와 소비대차라는 식으로 대차가 기본이고, 현물을 그대로 반환하는 것이 기본적인 교환 형식이었다. 먹을거리 등은 소비하여 현물이 상실되기 때문에, 그것과 같은 품질의 사물을 반환하는 것이 기본이며, 그것이 이루어지지 않는 까닭에 화폐가 사용된다고 하는 틀이 있었다. 동일 사물의 교환, 같은 품질을 지닌 사물의 반환이 기본으로, 그것이 가능하지 않은 경우에 화폐가 사용되었다. 화폐 사용의 최대 문제는 상품의 가치가 시기에 따라 변동한다는 것, 따라서 상품의 가치를 계측하는 척도가 설정될 필요가 나온다는 것이다. 화폐 사용의 가장 큰 문제는 척도의 설정, 상품의 가치에 대한 평가였다.

'중세에 자본주의는 있었는가?'라는 물음을 두고 오늘날 활발하게 논의가 이루어지고 있다. 프랑스의 역사가 자크 르 고프Jacques Le Goff(1924~2014)는 중세에는 자본주의가 존재하지 않았으며, 있었던 것은 카리타스(신의 사랑)라고 말하고, '구제의 경제학', '성령의 경제학'이라고 부를 만하다는 논지를 펼쳤다. 르 고프는 청빈의 사상이 경제적 성격을 갖추고 있지 않았다고 생각한다.

올리비의 경제사상에 대한 평가와 관련해서는 자본주의의 기원을 보는 역사가와 그것에 반대하는 역사가로 나누어지며, 이 문제의 매듭은 지어져 있지 않다. 본래 자본주의의 정의는 무엇인가라는 큰 문제가 있다. 자본주의에 관한 저작이 방대하게 있으면서도 그것을 정면에서 검토하고자 하는 만용을 부리는 논자는 없는 듯하다. 맑스의 『자본론』으로 거슬러 올라갈 의의가 드러나는 것이지만, 거기로 돌아가지 않더라도 영리 활동의 영적이고 세속적인 측면이라는 양면에서의 정당화, 자본의 자기 증식, 인간의 목적론적이고 의식적인 활동을 넘어선 경제 체계, 실체주의로부터 함수주의로, 가치의 추상화, 수량성, 미래의 시간 개념 틀, 비존재의 실재성, 화폐 개념의 변혁, 교통 유통 체계의 격변, 공간성의 소실 등등, 그 문제와 관련된 것을 열거하자면 한이 없다. 이러한 계기들은 13세기에 대부분 배태되어 있었다. 그런 의미에서 자본주의의 정의가 어찌 되었든지 간에 그 원형은 성립해 있었으며, 그 사상적 뒷받침에 올리비가 관여했다는 것은 확실하다.

문제는 올리비의 청빈 사상이 과연 자본주의의 정신과 합치하고 그것을 밀어붙이고자 하는 것이었는가 하는 점에 놓여 있다. 올리비가 현대 자본주의가 인간 문명을 지배하고 있는 모습을 찬미할 리는 없다. 정반대이다. 그럼에도 불구하고 올리비의 사상 근간에 놓여 있는 성령주의가 피오레의 요아킴Joachim of Fiore(1135년경~1202)과 프란체스코에서 유래하는 것이고, 경제 활동이 성령의 보편적 관류에 의한 부의 배분을 지향하는 것이었다고 한다면, 중요한 점에서 중첩된다고 할 수 있다. 요컨대 부란 축적되는 것이 아니라 '정보'와 마찬가지로 사회에 관류하고 계속해서 유통되는 한에서 부라고 한다는 점에서 그러한 것이다. 이런 의미에서 성령주의는 이웃 사랑의 보편성을 지향하는 것이고, 만약 자본주의가 그 성질을 유지하고 있는 것이라면, 성령의 경제학이라는 점에서 올리비는 자본주의를 선취하고 있다고도 말할 수 있다. 물론 그와 같이 경제학의 역사를 다시 쓸 수 있는가 하는 그 도전은 이후의 사람들에게 맡겨져야 하는 일일 것이다.

비존재를 둘러싼 드라마

중세에서의 상거래는 바터 거래(현물 거래) 또는 그것을 모델로 한 것이 기본이었다. 각지에서 화폐가 주조되고, 그곳에서 열리는 시장에서는 현지의 통화밖에 통용되지 않았기 때문에, 환전상이 발달하게 되었다.

그러나 화폐가 거래의 중심적 매개인 시대가 아니게 되어간다. 화폐와 상품이라는 현재 시점에서의 실체주의적 교환이 범형적 모델로 되는 것이 아니라 현실성과 개연성 사이의 교환이 실재적으로 받아들여지기 시작한 시대이기도 했다.

미래라는 비존재, 개연적 존재가 거래의 대상이 되는 것은 12세기까지는 적었다. 원격지 사이의 거래에서 화폐·귀금속을 가지고 가는 것은 약탈당할 위험성이 높고, 다름 아닌 재산과 생명을 위험에 노출하는 행위였다. 은행과 회사가 주요한 도시에 설치되고 수표와 어음으로 결제가 이루어지는 것은 가치가 물리적인 사물에만 깃드는 것이 아니라 존재하지 않는 사물에도 내속한다는 것을 이제 가까스로 인식하게 되었다는 것을 함축한다. 경제학에 존재론으로부터 독립하는 이치가 나타난 것이다.

근세에 들어서서 비존재자가 인간의 정당한 조작 대상이 되었다고 말할 수 있지만, 그것은 쉽게 성립한 것이 아니다. 수아레스의 『형이상학 토론집』이 비로소 비존재자론인 '이성의 있음에 대하여'라는 장을 권말에 도입할 수 있었던 것은 예수회 수사 수아레스가 중세 신학에 대한 결별의 마음가짐을 담은 징표로 볼 수도 있다.

중세로부터 근세로의 흐름은 실체 개념에서 함수 개념으로라고 정리할 수 있다. 보편 논쟁의 반영을 볼 수도 있다. 여기서는 존재하지 않는 것의 실재성이야말로 보편 논쟁의 문제였다는 것이 제시되고 있다고도 말할 수 있다. 중세 경제학의 문제는 비록 그것이 나중의 경제학 견지에서 보면 미숙한 것일지라도 그리스 철학으로부터 현대에 이르는 커다란 흐름 속에서 철학과 존재론의 변화 기축도 짊어지고 있었다.

☞ 좀 더 자세히 알기 위한 참고 문헌

— 오구로 준지大黑俊二, 『거짓말과 탐욕 — 서유럽 중세의 상업·상인관嘘と貪欲 — 西欧中世の商業·商人観』, 名古屋大学出版会, 2006년. 20세기에 들어서서 '발견'된 올리비의 사상과 당시 경제사상의 실상을 해명한 명저이다. 청빈의 역설을 해명하는 바는 전율을 불러일으킨다.

— 우에다 다쓰노스케上田辰之助, 『토마스 아퀴나스 연구トマス·アクィナス研究』, 우에다 다쓰노스케 저작집 2, みすず書房, 1987년. 토마스 아퀴나스의 텍스트를 꼼꼼하게 읽을 수 있도록 분석하는 모습은 현재에도 그대로 통용되는 정교함과 치밀함을 갖추고 있다.

— 자크 르 고프Jacques Le Goff, 『연옥의 탄생煉獄の誕生』, 와타나베 가네오渡辺香根夫·우치다 히로시内田洋 옮김, 法政大学出版局, 1988년. 연옥이 12세기에 어떻게 고안되어갔는지를 아는 것도 재미있지만, 고리대금이 괴롭히는 모습에 대한 묘사가 재미있다.

— 배리 고든Barry Gordon, 『고대·중세 경제학사古代·中世経済学史』, 무라이 아키히코村井明彦 옮김, 晃洋書房, 2018년. 원저의 간행이 1975년으로, 올리비가 발견되기 이전의 저작이며, 올리비에 대한 언급이 없다는 점은 어딘지 불만스럽지만, 그 밖의 점에서는 고대와 중세의 흐름을 개관할 수 있는 대단히 귀중한 책이다.

제4장

근세 스콜라 철학

애덤 다카하시 高橋厚

1. 아리스토텔레스주의와 대학에서의 철학

들어가며

15세기 이후, 서유럽 사람들의 지적 관심은 예로부터의 지리적 경계를 넘어서서 지구 전체로 향하기 시작한다. 먼 곳으로의 항해는 존재조차 알려지지 않았던 동식물의 표본이나 의술과 약제를 가져다주었으며, 종교 개혁은 포교를 목적으로 하는 지식인들의 네트워크가 남북 아메리카 대륙, 아프리카 그리고 아시아로 넓어지는 계기가 되었다. 또한 새롭게 등장한 인쇄술로 인해 앎의 성립과 전달의 존재 방식에 커다란 변화가 찾아왔다.

하지만 이와 같은 미증유의 사건을 앞에 두고 사람들은 전통적인 학문을 곧바로 내던지는 것이 아니다. 오히려 그들은 예로부터의 지적 전통을 존중하면서 그것들을 고침으로써 새롭게 눈앞에 나타난 사태의 의미를 해명하고자 시도했다.

이 장에서 논의하는 근세 스콜라 철학—주로 15세기와 16세기 사이에 서유럽의 대학을 중심으로 하여 전개된 철학—은 바로 이와 같은 신구의 학문적 앎이 교차하는 곳에서 성립하는 지적 영위이다. 따라서 이 시대의 사상을 정확히 파악하기 위해서는 전제로 되어 있던 철학적 전통을 이해하고, 그에 기반하여 근세에 고유한 문제와 이론이란 어떠한 것이었는지를 검토할 필요가 있다.

이하에서는 우선 13세기부터 17세기까지 일관되게 지속하고 있던 아리스토텔레스주의 전통과 그 제도적 기반으로서의 대학에 관해 설명한다. 다음으로 그 장기적인 전통 속에서 특권적인 역할을 하고 있던 12세기 스페인의 철학자 아베로에스(1126~1198)의 사상을 소개하고, 마지막으로 16세기의 철학자들을 구체적인 예로 다루고자 한다. 이와 같은 순서로 고찰함으로써 고대·중세 이후의 철학적 전통이라는 '땅'이 있어서 비로소 근세 스콜라 철학이라는 특수한 '그림'이 성립했다는 것이 밝혀지게 될 것이다.

다수의 아리스토텔레스주의

우선 13세기부터 17세기까지 서유럽에서의 철학에 대해 크게 두 가지 특징에 주목하여 개관해보자.

첫 번째 특징은 '아리스토텔레스주의'의 지속과 다양성이다. 적어도 17세기 전반까지의 서유럽에서 '철학자' 및 '철학'이라는 명칭은 현재와 같은 단순한 일반명사가 아니었다. 그것들은 오로지 고대 그리스의 철학자 아리스토텔레스와 그의 저작에 기초한 학문 체계를 의미하고 있었다. 철학에 관계하는 자들은 아리스토텔레스의 이론을 토대로 논의를 하고 있었다. 따라서 그의 저작집 전체가 라틴어로 번역되어 보급된 12세기 말부터 그의 권위가 쇠퇴하는 17세기까지의 철학 전통을 넓은 의미에서의 아리스토텔레스주의로 간주하는 것이 일반적이다.

다만 학문의 틀이 통일되어 있었다는 것은 개별 철학자들의 주장도 동일했다는 것을 의미하지 않는다. 확실히 아리스토텔레스에서 유래하는 몇 가지 기본 개념은 널리 공유되고 있었다. 예를 들어 그 전통에 이어지는 자라면, 임의의 물체를 그 본질을 결정하는 '형상'과 물질적 기초인 '소재'(질료)의 합성체로 보는 것이 관례였다. 그러나 역사가 찰스 슈미트Charles B. Schmitt(1933~1986)가 '다수의 아리스토텔레스주의'라고 형용했듯이 실제로 주장된 이론에는 커다란 차이와 대립이 존재했다.

특히 근세의 경우, 그와 같은 입장의 다름이 생겨난 요인으로서는 다음과 같은 네 가지 점이 제시된다.

① 주로 12세기까지 그리스어·라틴어로 쓰인 아리스토텔레스

저작의 '주해서' — '주해서'란 예를 들어 아리스토텔레스의 『혼에 대하여』나 『형이상학』과 같은 저작마다 이 철학자가 무엇을 의도했는지를 설명하는 책들을 가리킨다. 그리고 그와 같은 책을 집필한 인물들을 '주해자'라고 부른다.

② 알베르투스 마그누스, 토마스 아퀴나스, 둔스 스코투스 등 13·4세기의 대표적인 스콜라학자들에 의해 쓰인 방대한 신학적 저작들.

③ 근세에 새롭게 번역된 고대의 문헌, 특히 플라톤과 고대 그리스·로마의 의학자 히포크라테스와 갈레노스의 저작.

④ 특히 종교 개혁기 이후의 가톨릭과 프로테스탄트 사이에서나 각각의 내부에서의 교의의 대립.

여기에서 세부적인 것을 다룰 수는 없지만, 마지막의 종교적 대립이 견해의 차이를 초래했다는 것은 쉽게 추측할 수 있을 것이다. 그에 반해 앞의 세 무리의 저작들이 요인이 되었던 것은 그것들의 수용이 아리스토텔레스의 저작을 해석할 때의 역점을 변화시키고, 또한 그것과는 다른 사상 계보에 사람들이 주목할 기회를 부여했기 때문이다.

이 철학적 전통 내에서 입장의 차이를 보여주는 예로서 16세기의 원자론의 융성을 들 수 있다. 일반적으로 아리스토텔레스는 세계가 나눌 수 없는 원자(아톰)로 이루어진다고 설명하는 원자론을 비판한 인물이라고 말해진다. 그러나 예를 들어 독일 비텐베르크의 철학자 다니엘 젠네르트Daniel Sennert(1572~1637)는 17세기 이후 일반화하는 원자론적인 세계관의 정당화를 아리스토텔레스의 『기상론』(제4권)을 이용하여 시도하고 있었다.

다음으로 옮겨가기 전에 플라톤 및 플라톤주의의 영향에 대해 보충해두고자 한다. 플라톤이나 고대 말기의 신플라톤주의자 플로티노스의 저작은 마르실리오 피치노Marsilio Ficino(1433~1499) 등에 의한 라틴어 번역을 통해 15세기 이후 서서히 보급되었다. 그러나 세계의 포괄적인 설명 체계로서의 아리스토텔레스 철학의 우위는 적어도 뒤에서 이야기하는 것과 같은 대학 교육 속에서는 17세기까지 흔들리지 않았다.

대학에서의 학문 제도로서 철학

두 번째 특징은 '대학'에서의 철학의 제도화이다. 고대 그리스·로마의 철학은 이 시리즈의 고대 편에서 몇 번이나 강조되었듯이 개인의 윤리적인 삶의 방식을 묻는 '삶의 기법'이라는 측면이 강했다. 이 전통은 그리스도교의 수도제와 결부되어 서유럽의 정신 풍토를 형성했다.

그러나 특히 13세기 이후, 철학은 그 성격을 크게 변화시키게 되었다. 왜냐하면 지식을 계속적인 동시에 집약적으로 생산하는 사회제도가 나타나고, 철학은 그 제도의 일부가 되었기 때문이다. 그 제도란 바로 12세기 이후 서유럽의 곳곳에서 설립된 대학이다.

앞에서 언급한 아리스토텔레스주의 철학은 대학 제도 속에 끼워 넣어짐으로써 일정한 커리큘럼에 기초하여 연구되거나 교육하는 학문 체계로 변화했다.

다만 근세의 대학과 철학의 연결을 생각할 때, 나라나 지역에 따라 각 대학의 특징이 달랐다는 점은 주의를 필요로 한다. 파리나 옥스퍼드, 스페인의 살라망카 등은 창설 초기부터 후세까지 가톨릭과의 강력한 결합을 유지했다. 그것들과 대조적으로 북이탈리아의 파도바나 볼로냐에서는 신학부가 존재하지 않는데, 그 점은 그리스도교 신학에 동화되지 않는 아리스토텔레스주의의 전개를 촉진했다. 또한 종교 개혁기를 경계로 하여 현재의 독일과 북부 저지대 지방에서는 새로운 움직임이 생기게 된다. 예나와 라이덴에서는 프로테스탄트 대학이 창설되고, 튀빙겐과 비텐베르크는 가톨릭에서 돌아섰다.

이처럼 근세의 대학 배치를 고려함으로써 얻어지는 교훈이 하나 있다. 그것은 특정한 대학 또는 그리스도교의 특정 종파에 속해 있던 인물을 다루었는데도 불구하고, 거기서 찾아지는 사상을 시대 전체로 안이하게 일반화하는 것은 허용되지 않는다는 점이다. 근세 철학을 생각할 때, 우리는 학문의 장기적인 지속의 층과 시대마다 지역·대학의 다름이 가져오는 사상적인 편차라는 쌍방에 세심한 주의를 기울일 필요가 있는 것이다.

2. 철학의 모태 또는 '주해자' 아베로에스와 그의 사상

'주해자'의 역할이란 무엇인가?

대학을 제도적 기반으로 한 다수의 아리스토텔레스주의가 근세 스콜라 철학을 바라보는 가장 중요한 견지라는 것을 앞 절에서 확인했다. 이 절에서는 아리스토텔레스주의의 내실을 좀 더 정확하게 파악하기 위해 커다란 보조선을 또 하나 긋고자 한다. 그것은 12세기 스페인에서 활약한 이슬람교도 철학자 아베로에스(이븐 루시드)의 사상이다.

'철학자'라는 말이 단순한 일반명사가 아니었듯이, 서유럽 세계에서 단적으로 '주해자'라고 하면 그것은 다른 누구도 아닌 아베로에스를 가리켰다. 그는 이슬람교도였지만, 아리스토텔레스를 마주 대할 때는 신학적 교의를 고려하지 않고 이 고대 그리스 철학자의 텍스트를 어디까지나 내재적으로 해석하고자 했다. 그의 주해서가 라틴어로 번역된 13세기 이후, 그는 아리스토텔레스 저작에 대한 가장 권위 있는 주해자가 되었다. 그 영향력을 고려하면, 근세의 '다수의 아리스토텔레스주의'는 아베로에스가 보여준 해석을 모태로 하여 성립했다고 해도 지나친 말이 아니다.

여기서부터는 근세 철학자의 지적 전제를 확인하기 위해 아베로에스가 제시한 특징적인 해석 가운데 많은 논쟁을 불러일으킨 '지성론'과 17세기까지의 철학·신학 쌍방에 있어 중심적 과제였던

'신적 섭리'라는 두 가지 논점에 대해 한 걸음 더 나아간 해설을 덧붙이고자 한다.

'지성 단일설'의 내실

첫 번째는 인간의 혼, 특히 그 '지성'(오성)에 관한 견해이다. 전제로서 우선 아리스토텔레스의 혼론을 간단히 확인해보자. 혼이란 현대의 정신이나 마음과는 달리 폭넓게 생명의 원리를 의미하고 있었다. 살아 있는 것이라면, 수준의 다름은 있지만 무언가의 혼을 지닌다고 생각되고 있었다. 그 위에서 아리스토텔레스는 『혼에 대하여』에서 인간의 혼을 세 층위로 구분했다. 그 세 층위 가운데 '식물적 혼'과 '감각적 혼'으로 불리는 낮은 층위의 두 가지는 인간이 동식물과 공유하는 것이며, 구체적으로는 생명 유지 능력과 감각 능력을 가리킨다. 그것들에 반해 인간만이 지닌다고 생각되었던 것이 '이성적 혼', 즉 사유와 판단의 능력 또는 마당인 지성이었다.

이 지성에 대해 논의할 때 아베로에스가 우선 강조하는 것은 지성과 신체·신체적 능력과의 괴리이다. 이것은 아리스토텔레스가 '감각하는 능력은 신체 없이는 존재하지 않지만, 지성은 떨어져 존재한다'(『혼에 대하여』, 제3권 제4장)라고 말한 것에 토대한다. 아베로에스는 이 '지성은 떨어져 존재한다'라는 말을 '지성은 신체도 신체적 능력도 아니다'라고 해석했다(『'혼에 대하여' 대주해』,

제3권 제4장). 요컨대 아리스토텔레스가 구분한 세 층위의 혼 가운데 낮은 층위의 두 가지는 신체적 능력이지만, 이성적 혼 또는 지성은 그렇지 않다고 그는 바라본 것이다. 그리고 지성이 비신체적이라는 것은 그것이 신체와 함께 소멸하지 않는다는, 요컨대 지성은 불사적(불변적)이라는 것도 동시에 의미하고 있었다.

이러한 지성과 신체가 떨어져 존재한다는 생각과 또 하나의 다른 아리스토텔레스의 기본 이론이 합쳐지면, '지성이 인류에게서 수적으로 하나이다'라는 생각, 즉 일반적으로 아베로에스의 '지성 단일설'이라고 불리는 것이 즉각적으로 도출되게 된다. 그 또 하나의 이론이란 본질을 같이하는 것이 '이것'이나 '저것'으로 지시될 수 있는 개체로서 존재하는 원인은 '소재'(질료)라고 불리는 물질적 기초에서 찾아진다는 생각이다(『형이상학』, 제7권 제8장). 예를 들어 같은 디자인의 책상이 '이 책상'이나 '저 책상'이라는 개체로 되는 것은 소재인 나무나 금속을 원인으로 한다고 생각하면 이해될 수 있을 것이다.

이와 같은 개체성의 원칙을 고려하면, 지성이 신체로부터 분리되어 있을 때, 개체로 되기 위한 조건인 소재를 결여한다는 것이 된다. 그 결과 각 사람에게 대응한 개체로는 될 수 없는 까닭에, 지성은 인류에게서 하나의 것으로서 존재한다고, 즉 수적으로 단일하다고 해석된 것이다.

조금 전에 언급한 것에서 추측될 수 있듯이, 인류에게 지성이 하나라는 생각은 아베로에스 논의의 '도달점'이 아니었다. 어디까지나 아리스토텔레스 지성론의 두세 가지 원칙을 요약한 것에 지나지 않는 것이었다. 오히려 아베로에스의 논의는 그 생각을 '출발점'으로 하여 본격적으로 시작된다.

그가 주로 물었던 것은 사유와 판단의 마당인 지성이 인류에게 공유되고 있다면, 개개인의 인식이 서로 다른 것은 어떻게 해서 생겨나는 것일까 하는 문제였다. 아베로에스에 따르면, 우리의 인식이 개인마다 다른 것은 지성의 다수성 때문이 아니라 우리 인식의 기초('기체subjectum')가 되어 있는 감각 기관에서 유래한 '표상 상'(심적 이미지)이 개개인에게서 다르기 때문이라고 한다(『'혼에 대하여' 대주해』, 제3권 제5장). 이것은 아리스토텔레스의 '혼은 표상 상을 수반하지 않고서는 결코 지성 인식을 수행하지 않는다'(『혼에 대하여』, 제3권 제7장)라는 주장을 전제로 하고 있다.

아베로에스는 이와 같은 해석을 취함으로써 아리스토텔레스가 보여준 원칙에 따르면서 개개인을 넘어서서 보편적으로 공유되는 지식이 개별적인 감각적 이미지로부터 어떻게 나타나는지를 신학적 원리에 기반하지 않고서 설명하고자 한 것이다.

천체를 기점으로 하는 자연의 섭리

아베로에스 사상을 특징짓는 두 번째 점은 '섭리'의 문제이다. 섭리란 특히 신 등이 미리 이 세계에 일어날 것을 예견하는 동시에 이 세계를 통치한다고 하는 생각을 가리킨다.

그다지 알려지지 않은 것이지만, 아리스토텔레스 철학에는 신적 섭리의 이론이 빠져 있다는 비판이 고대부터 역사적으로 되풀이되었다. 그 비판의 이유는 그가 『형이상학』(람다 권)에서 논의한 '신' 관념에 놓여 있다. 이 저작에서 아리스토텔레스는 '신'을 우주의 시원에 자리하는 '부동의 동자'로 정의했다. 그것은 문자 그대로 움직이지 않는 까닭에, 자기 이외의 어떠한 것에 대해서도 배려하지 않는, 즉 이 세계에 대한 섭리를 지니지 않는다고 받아들여진 것이다. 이 '철학자의 신'에 대한 비판을 전개한 것은 고대의 교부나 중세의 신학자만이 아니다. 근세에도 프란체스코 파트리치 Francesco Patrizi(1529~1597)는 알렉산드리아의 클레멘스와 오리게네스의 말을 끌어들여 마찬가지의 비판을 전개했다.

그렇지만 아리스토텔레스주의자들이 섭리 문제를 무시했던 것은 전혀 아니다. 이 세계가 물질의 우연적인 이합집산의 결과가 아니라 거기서 무언가 법칙과 질서가 발견된다고 믿는 한, 섭리는 이론적으로 필수적인 요소였기 때문이다.

여기서 다시 열쇠가 되는 것이 아베로에스의 입장이다. 그는 『형이상학』에 대한 주해에서 자연 세계에 섭리가 있다는 것은 '천체의 운동과 이 세상에서 생겨나는 것 각각의 존재와 그 존속의 대응이 고찰되면 분명하다'라고 말했다(『'형이상학' 제요』, 제4장). 요컨대 이 세계의 질서를 형성하고 유지하는 직접적인 원인이라고 그가 해석하는 것은 '천체'(행성과 항성 및 천구의 총칭)였던 것이다. 그리고 그와 같은 움직임을 완수하는 까닭에, 천체는 세계의 질서를 고려하기 위한 지성을 갖춘 예지적 존재라고 이해되었다.

이와 같은 아베로에스의 섭리관을 뒷받침하고 있던 것은 아리스토텔레스의 『천계에 대하여』, 『생성과 소멸에 대하여』, 『기상론』 등의 자연 철학적 저작이었다. 이 아라비아 '주해자'의 영향에 의해 중세부터 근세에 걸친 아리스토텔레스주의 전통에서는 천체와 그것의 자연 세계에 대한 작용에 관한 논의가 커다란 비중을 차지하게 되었다. 이것을 철학사가 가드 프로이덴탈Gad Freudenthal (1944~)은 아리스토텔레스 철학의 '점성술화'라고 불렀다.

요약하면, 아베로에스가 제시한 아리스토텔레스 철학의 체계에서 인간 지성은 신체로부터 구별되며, 각 개인의 인식의 차이는 표상 상의 다름에 의해 설명되었다. 그리고 지성은 인간만이 아니라 천체에도 갖추어져 있으며, 그 천체가 자기의 운동을 통해 이 세계의 질서를 통제한다고 생각되고 있었다. 이러한 세계상이야말로 근세의 철학자들이 자신의 입장을 구축할 때 눈앞에 지니고 있던 아리스토텔레스 철학의 모습이었다.

3. 세 사람의 근세 철학자 — 폼포나치, 스칼리게르, 멜란히톤

지금부터는 본 주제인 16세기 철학자의 구체적 검토에 들어가

보자. 이 장의 서두에서 말했듯이 15·16세기의 서유럽은 격동의 시대였다. 대항해 시대, 종교 개혁, 인쇄술의 보급에 더하여 일반적으로 르네상스라고 칭해지는 문예 부흥은 그 이전 시대에는 이름밖에 알려지지 않았던 고대의 문헌을 서유럽에 가져왔다. 철학의 기초는 여전히 아리스토텔레스의 철학이었다고 하더라도, 고대의 많은 저작이 되살아나자 그에 따라 사상의 다양성도 늘어나게 되었다. 여기서 다루는 구체적인 예도 근세 스콜라 철학을 구성한 다양한 요소와 흐름 가운데 — 동시대에 논쟁을 불러일으키고 후세의 철학에 영향을 준 것이긴 하지만 — 몇 가지 예밖에 아니라는 점을 미리 주의해둘 필요가 있다.

근세 스콜라 철학이라고 말할 때, 일본에서는 스페인과 포르투갈의 예수회 전통이 주로 논의되어왔다. 구체적으로는 스페인의 루이스 데 몰리나, 프란시스코 수아레스 그리고 포르투갈의 '코임브라학파' 등이다. 하지만 그처럼 가톨릭과 예수회를 중심으로 하여 이 시대의 철학을 말하는 것은 대학에 관한 설명 부분에서도 언급했듯이 반드시 이 시대의 철학에 대한 공평한 견해라고는 말할 수 없다.

예수회 전통에 관해서는 이 책의 5장과 6장의 논의로 넘기기로 하고 여기서는 다른 계보의 철학자들에게 빛을 비추어보고자 한다. 구체적으로는 신학과는 상용할 수 없는 철학적 논증을 중시한 파도바의 폼포나치, 북이탈리아에서 공부한 후 프랑스에 체재하며 아리스토텔레스 철학을 그리스도교 신학과 조화를 이루는 것으로서 이론화한 스칼리게르, 그리고 철학적 교설을 루터파의 신학적 교의를 정통화하기 위해 사용한 멜란히톤, 세 사람이다. 이러한 구체적인 사례들을 통해 그들이 거의 동질적인 철학적 전통에 기반하면서도 결과적으로는 많이 다른 입장을 제시했다는 것이 밝혀지게 될 것이다.

피에트로 폼포나치

가장 먼저 다루어야 할 이는 이탈리아의 파도바대학에서 학위를 취득한 후, 그곳에서 교수직을 맡은 폼포나치Pietro Pomponazzi(1462~1525)이다. 파도바는 베살리우스Andreas Vesalius(1514~1564)나 갈릴레오도 교수직을 맡았듯이 북이탈리아에서 학문의 중심지였다. 앞에서도 말했듯이 거기서는 그리스도교 신학과 때때로 대립하는 아리스토텔레스주의 전통이 세력을 지니고 있었다. 여기서는 폼포나치의 주저 『혼의 불사성에 대하여』(1516년)를 토대로 그의 사상의 골격을 소개하고자 한다.

이 『혼의 불사성에 대하여』(이하에서는 『불사론』)와 관련해 자주 언급되는 것은 그 출판에 따른 비판적 반향이다. 이 저작에서 폼포나치는 혼이 불사라는 것을 철학적으로 논증하는 것은 불가능하며, 그것은 '신앙에 고유한 것에 의해 증명되어야만 한다'라고 주장했다(『불사론』, 제15장). 여기서 '신앙에 고유한 것'이라고 말해지는 것은 구체적으로는 「사도신경」이다. 그리스도교의 정통

교의를 규정하는 「사도신경」에서는 최후의 심판에서의 '부활'이 주창된다. 사후의 부활을 위해서는 개개인의 육체가 소멸한 후에도 적어도 그 혼은 불사적인 것으로서 존속할 필요가 있다.

폼포나치는 이러한 그리스도교의 가장 중요한 교의를 부정하지는 않지만, 분명히 경시하고 있다고 받아들였다. 『불사론』의 많은 논의가 그 교의를 전제로 하지 않고서 행해지고 있었기 때문이다. 나아가 1513년에 제5회 라테란 공의회에서 제시된 혼의 불사가 철학에 의해 증명되어야만 한다는 명령에도 반했기 때문에, 결과적으로 많은 비판을 불러일으키게 되었다.

다만 이 저작의 논쟁적 성격에 대해서는 일본에서도 이미 소개가 이루어져 왔다—네지메 겐이치根占獻一 편저, 『이탈리아 르네상스의 영혼론イタリア・ルネサンスの靈魂論』(三元社, 2013년 신장판). 여기서는 그가 혼과 지성을 어떻게 파악했는지, 그리고 그것과 신적 섭리라는 논점과의 관계를 좀 더 상세하게 살펴보려고 한다.

폼포나치가 이 저작에서 인간의 혼을 논의할 때 첫 번째로 비판의 창끝이 향하는 곳은 앞에서 보았던 아베로에스의 입장이다. 다만 그는 지성의 단일성에 대해서는 그다지 지면을 할애하지 않는다. 오히려 논의의 초점을 이루는 것은 지성이 신체로부터 분리되어 존재하는가 아닌가 하는 점이었다. 아베로에스는 지성이 '신체도 신체적 능력도 아니다'라는 원칙에서 지성의 단일성을 도출했기 때문에, 지성의 신체로부터의 괴리를 부정하면 자연히 그 단일성도 부정되기 때문이다.

그는 지성이 신체로부터 분리되어 존재한다는 것을 일관되게 부정한다. 그때 그가 근거로 삼는 것은 마찬가지로 이미 언급한 아리스토텔레스의 '혼은 표상 상을 수반하지 않고서는 결코 지성 인식을 수행하지 않는다'라는 주장이었다. 이 주장은 아베로에스에게서도 기본 원칙의 하나였다. 그러나 폼포나치는 이것으로부터 '주해자'와는 정반대의 결론을 도출한다. 그는 인간의 지성도 신체에 의존하는 '자연적인 동시에 기관적인 신체의 활동'이라고 주장했다(같은 책, 제4장). 뒤에서 그는 좀 더 명확히 '지성적 혼은 물질적이다'라고 결론짓는다(같은 책, 제8장).

여기서 오해해서는 안 되는 것은 혼 또는 지성이 물질적이라는 주장이 교회에 대해 위협으로 여겨졌던 이유란 어떠한 것이었는가 하는 점이다. 그것은 그와 같은 설이 인간의 윤리적 책임과 세계에서의 신적 섭리 양자에 대한 부정으로 이어질 우려가 있었기 때문이다. 만약 혼이 신체와 더불어 소멸하는 것이라면, 신으로부터의 구원과 벌을 받아들일 주체가 부재하게 되고, 그 결과 이 세상의 악을 신이 묵인하고 있다는 것이 된다고 비판자는 생각할 것이다. 따라서 『불사론』의 후반부는 이와 같은 예상되는 비판에 대한 응답에 돌려져 있다.

그 응답에서 폼포나치 논의의 요점은 혼의 불사성이 증명되지 않는다고 하더라도 인간은 윤리적 행위를 자연히 행한다는 것, 그리고 이 세계에는 신적 섭리가 작용하고 있다는 것을 철학적으로 제시하는 것에 있었다. 우선 윤리적 행위와 관련해서는 혼의 불사가 부정되면 공공선을 위해 목숨을 거는 것이 존재하지 않게 되는 것이 아닐까 하는 문제가 제기된다. 이에 대해 그는 아리스토텔레스의 『동물지』(제9권 제40장)에서의 벌의 예를 끌어들여 동물에게는 그 공동체를 지키는 자연 본능이 갖추어져 있다고 주장한다(『불사론』, 제14장).

실제로 폼포나치의 논의에서 이 시대에 고유한 새로움이 엿보인다고 한다면, 그 하나는 이와 같은 아리스토텔레스의 동물론이나 플리니우스Gaius Plinius Secundus(23~79)의 『박물지』의 활용에 있다. 의학사학자인 낸시 시라이시Nancy G. Siraisi(1932~)가 밝혀주었듯이, 이러한 '히스토리아'(사례 · 역사)에 관한 문헌들은 중세 스콜라학의 논리적으로 체계화된 논의를 대신하여 개개의 역사적 · 경험적 사례를 토대로 하여 자연 현상에 대해 고찰하는 관점을 근세의 지식인에게 제공했다. 대항해 시대에 의해 서유럽의 밖에서 도래한 문물은 이와 같은 과거의 박물지를 부정하는 것이 아니라 오히려 보완하는 것으로서 수용되었다.

그러면 혼이 가사적이라면 신적 섭리가 부정된다는 의혹에 대해서는 어떠한가? 폼포나치는 혼의 불사 문제와 관계없이 이 세계에서는 선한 질서가 발견된다고 주장했다. 주목해야 하는 것은 그가 어떠한 관점에서 세계의 질서 문제를 생각했는가 하는 점이다. 거기서 그가 언급하는 근거는 천체가 지상에 주는 작용이었다. 그는 세계가 천체의 지성에 의해 질서 지어져 있으며, 그것은 아리스토텔레스도 『기상론』에서 말한 것이라고 한다(같은 책,

제14장). 나아가 '알렉산드로스는 신과 [천계의] 지성들이 달 밑의 사물에 대해 섭리를 미친다'라고 논의했다고 그는 이어 나간다. 여기서 알렉산드로스라고 불리고 있는 사람은 고대에 가장 중요한 아리스토텔레스 주해자로 여겨진 아프로디시아스의 알렉산드로스(기원후 200년경에 활약)이다.

그런데 앞 절에서 말한 대로 이처럼 천체와 그 지성을 신적 섭리의 실제적인 주체로 간주하는 생각은 아베로에스가 서유럽에 퍼뜨린 교설이었다. 폼포나치는 그가 비판 대상으로 하고 있던 아베로에스가 아니라 알렉산드로스의 이름을 의도적으로 거론함으로써 자신의 주장이 아리스토텔레스의 자연 철학에 기초한 정통한 입장이라는 것을 보여주고자 하는 것이다.

율리우스 카이사르 스칼리게르

다음으로 파도바에서 교육을 받은 후 남프랑스에서 의사로서 활약한 스칼리게르Julius Caesar Scaliger(1484~1558)를 살펴보고자 한다. 그는 시학이나 에라스뮈스에 대한 비판서로도 알려지지만, 그 이름을 철학사에서 중요하게 만드는 것은 사망하기 직전인 1557년에 출판된 『미묘함에 관한 공교적 연습*Exercitationes exotericae de subtilitate*』이라는 저작과 그 영향이다.

이 『공교적 연습』(이하에서는 『연습』)은 1660년대까지 10회 이상 판을 거듭하며 계속해서 자연 철학 · 형이상학의 교과서로서 참조되었다. 젊은 케플러는 이 저작에서 영향을 받아 그 자신의 천문 물리 연구를 시작했고, 또한 라이프니츠도 아마도 이 저작에 친숙했을 것임을 근간의 연구가 보여준다. 이하에서는 사카모토 구니坂本邦暢와 이언 맥클린Ian MacLean의 연구에 기반하여 『연습』의 기본적인 사상을 소개한다.

우선 인간의 혼과 지성에 관한 스칼리게르의 견해를 살펴보자. 그는 이 저작에서 이탈리아의 자연 철학자이자 수학자인 지롤라모 카르다노Girolamo Cardano(1501~1576)를 논적으로 하고 있다. 카르다노는 적어도 본인의 의도로서는 혼, 특히 지성의 불사성을 철학적으로 증명하려고 하고 있었다. 하지만 스칼리게르의 눈에는 카르다노가 많은 부분에서 혼이 물질적이라고 논의하고, 단일하고 불변적인 지성이라는 아베로에스의 설을 반복하고 있는 것으로 보였다. 그는 이 자연 철학자에 대해 '당신은 아베로에스 …… 의 광기를 따라서 혼을 죽을 수밖에 없는 것으로 삼았다. 다른 한편 지성은 하나이고, 첫 번째 것이며, 모든 것을 채우고, 모든 개물에 들어와 있다'라고 생각했다고 비판한다(『연습』, 307번).

앞의 인용문에서의 '당신'은 카르다노를 가리키지만, 실제로 여기서 말하고 있는 내용은 폼포나치가 아베로에스의 입장으로 정리한 기술에 정확히 대응하고 있다(『불사론』, 제3장). 앞에서도 보았듯이 인간이 동식물과 공유하는 낮은 위계의 혼에 대해 그것은 신체적 능력이며, 그런 까닭에 신체와 함께 소멸한다고 생각되고 있었다. 그리고 아베로에스는 그것들과 구별된 이성적 혼, 즉 지성이 신체로부터 분리되어 있을 뿐만 아니라 수적으로 단일한 동시에 불사라고 해석하고 있었다. 스칼리게르는 카르다노도 이 설을 답습하고 있다고 비판했다.

스칼리게르는 자신의 입장으로서 지성만이 아니라 개인의 혼 전체가 물질적인 것이 아니며, 좀 더 정확하게는 세계를 물질적으로 구성하는 '4원소'(불·공기·물·흙)와는 다른 것이라고 증명하려 한다. 이 세계에 존재하는 것이 이러한 원소들로 구성되어 있다면, 모든 것이 근원을 더듬어가면 4원소로 이루어져 있다고 생각할 수도 있다. 하지만 스칼리게르는 이와 같은 자연주의적인 입장을 일관되게 비판했다.

특별히 언급해야 하는 것은 그가 인간의 혼뿐만 아니라 이 세계에 존재하는 사물 일반도 그것들을 형성하는 본질적 원리, 즉 아리스토텔레스의 말을 사용하자면 사물의 '형상'이 4원소와 그 성질로 환원될 수 없다고 주장했다는 점이다. 그가 '모든 완전한 혼합물의 형상은 그것이 설령 혼이 아니라 하더라도 4원소와는 전혀 다른 제5정수이다'라고 말한 것은 그러한 의미이다(『연습』, 307번). 이처럼 사물들의 형상이 물질로 환원될 수 없는 특이한 성격을 지닌다고 주장했기 때문에, 스칼리게르는 후에 '형상의 최대 비호자'라고 불리게 되었다.

그러면 사물의 본질을 결정하는 형상이 자연의 원소에서 유래하지 않는다면, 그것들은 어떻게 해서 이 세계로 오게 되는 것일까? 여기서 우선 중요해지는 것이 신의 섭리 이론이다. 하지만 스칼리게르의 전략은 그리스도교 신학의 교의에 호소하는 것이 아니었다. 그는 아리스토텔레스의 텍스트를 해석함으로써 신에 의한 세계의 창조와 그 질서 유지를 철학적으로 논증하려고 한다.

그렇지만 이미 언급했듯이 『형이상학』에서 '부동의 동자'로서의 신은 자연 세계에 대한 관계를 갖지 않는 것이었다. 그 대신 스칼리게르가 의거한 것은 아베로에스와 마찬가지로 아리스토텔레스가 『천계에 대하여』와 『생성과 소멸에 대하여』에서 이야기한 논의였다(『연습』, 제72번, 77번). '신과 자연은 아무것도 헛되이 만들지 않는다'(『천계에 대하여』, 제1권 제4장), 또한 '신은 …… [자연 세계 사물의] 생성을 끊임없는 것으로 함으로써 모든 것을 완전한 것으로 만들었다'(『생성과 소멸에 대하여』, 제2권 제10장)와 같은 몇 개의 문장이 열쇠가 된다. 신으로부터 자연 세계에 대한 작용에 대해 스칼리게르는 다음과 같이 말한다.

> 신은 [이 세계의 사물을] 스스로 움직이는 것이 아니라 영속적인 동자를 주고 시간적인 [동자]를 주었다. 전자는 [천계의] 지성들이며, 후자는 우리의 혼이다. (『연습』, 제7번)

그에 따르면 아리스토텔레스가 말하는 신도 천계의 지성을 매개로 하여 이 세계에 작용을 미친다고 한다. 그리고 그 천계의 지성과 유비적인 것으로서 지상에 존재하는 것이 우리의 혼이다.

하지만 물음은 아직 해결되지 않았다. 신이 천계의 지성을 통해 이 자연 세계에 관계한다고 하더라도, 사물들의 형상은 구체적으로 어떻게 이 세계에 도래하는 것일까? 여기서 주의를 촉구하고 싶은 것은 근세 철학에서의 '동물 발생' 논의의 중요성이다. 특히 생물이 무생물로부터 생겨나는 '자연 발생'의 현상 — 예를 들어 부패한 것으로부터 곤충이 생기는 것 — 은 이 세계의 창조·생성의 비밀을 해명하는 실마리를 주는 것으로서 16세기의 지식인에 의해 즐겨 논의되었다.

결론만을 말하자면, 스칼리게르 자신은 인간의 혼과 동식물의 형상은 신에게 기원이 있으며, 그에 의해 창조된다는 입장을 견지했다. 하지만 그 논의 과정에서 자연의 사물이 생성될 때 천계에서 유래하는 '형성력virtus formativa'이라고 불리는 힘이 관여한다는 설을 그는 받아들였다(『연습』, 제6번). 이 설에서는 천계와 자연 세계를 형성력이 연결하며, 그 힘이 실제의 생성 국면에서 작용함으로써 사물들의 형상이 생기한다는 것이다.

이 형성력이라는 말은 고대 로마의 의학자 갈레노스(기원후 2세기에 활약)의 저작 『자연의 기능들에 대하여』와 『정액에 대하여』에서 유래하며, 16세기의 의학자·자연 철학자들에 의해 폭넓게 사용된 개념이다. 따라서 이 개념 그 자체는 스칼리게르가 고안한 것이 아니었으며, 그 자신의 입장으로서 언급된 것도 아니었다. 하지만 『연습』의 독자 또는 그것에 영향을 받은 사람들은 이 힘 개념을 스칼리게르 자신의 것으로서 자주 언급하게 되었다.

그와 같은 영향을 받은 인물 가운데 한 사람이 라이프니츠였다.

그가 「생명의 원리와 형성적 자연에 관한 고찰」이라는 논고에서 '형성적 자연' 즉 '형성력'의 이론을 전개한 인물로서 스칼리게르의 이름을 들고 있는 이유에는 이상과 같은 지적 배경이 놓여 있었다.

필립 멜란히톤

지금까지 살펴본 폼포나치와 스칼리게르는 전자가 아리스토텔레스 철학의 내재적 설명을 중시한 데 반해, 후자는 그 철학을 그리스도교 신학의 교의에 따르도록 조율을 시도했다. 마지막으로 다루는 멜란히톤Philip Melanchthon(1497~1560)은 루터파의 교의를 정당화하기 위해 철학적 전통을 사용한 인물이다. 그는 마르틴 루터의 연하의 동지인 동시에 개혁의 오른팔로서 활약한 철학자·신학자였다.

루터 자신은 중세의 대표적인 신학자들—특히 토마스 아퀴나스와 그들이 중용한 아리스토텔레스를 비판했다. 따라서 그의 영향권에서 이 고대 그리스 철학자의 교설이 무용한 것으로서 물리칠 가능성도 대단히 컸다. 그러나 실제로 철학적 전통은 세계를 설명하기 위한 체계로서 계속해서 이용되었다. 그 역사적 전개를 생각하는 데서 주목되는 것이 멜란히톤의 기여이다.

멜란히톤은 하이델베르크와 튀빙겐에서 공부한 후, 루터가 있던 비텐베르크대학에 그리스어 교수로서 부임했다. 그는 신학적인 텍스트도 많이 남겼지만, 여기서는 『혼에 대한 주해』(1540년)와 『자연학 입문』(1549년)을 다룬다. 이 두 저작에서 그가 과거의 철학을 이용하여 어떻게 신학적 교의를 정당화했는지를 주로 사치코 쿠스카와Sachiko Kusukawa의 연구에 토대하여 설명하고자 한다.

우선 『혼에 대한 주해』(이하에서는 『주해』)에서는 아리스토텔레스 혼론의 틀과 비교해볼 때, 주제에서 커다란 차이가 보인다. 이미 보았듯이 아리스토텔레스에게서의 혼이란 생명의 원리이며, 인간뿐만 아니라 다른 동식물도 수준의 차이는 있지만 공유하고 있는 것이었다. 그에 반해 멜란히톤은 논의를 인간의 문제로 한정했다. 그는 혼론의 초점을 동식물에 널리 공유되고 있는 생명의 원리로부터 인간의 본성 문제로 옮긴 것이다.

이리하여 인간의 본성을 논의할 때, 멜란히톤은 인간의 이성적 혼뿐만 아니라 신체의 구조와 조성에 대해서도 상세하게 논의했다. 그때 그는 의학자 갈레노스의 생리학적·해부학적 책을 빈번히 참조했다. 멜란히톤에게 갈레노스는 의학뿐만 아니라 자연 철학 전반에 대한 권위였다. 1538년의 문장에서 그는 '자연 철학이라고 우리가 부르는 철학 분야에 관해 갈레노스 이상으로 실로 풍부한 저자는 없다'라고 말하고 있다.

왜 그는 갈레노스의 저작에 기초하여 신체의 생리학적·해부학적 고찰을 수행한 것일까? 그는 근대적인 의학자로서 그 주제에 다가간 것이 아니다. 그의 동기는 오로지 신학적이었다. 요컨대 멜란히톤에게 신체의 정밀한 구조와 그 내부에서의 생리적 현상이야말로 창조주인 신의 탁월한 행위의 징표, 다시 말하면 신의 섭리의 증거였다. 그는 신체를 자세히 분석함으로써 '자연이 우연에 의해 생겨난 것이 아니라 [자연 현상의] 모든 목적을 놀랄 만한 의도로 내다보고 있는 무언가의 건축적인 정신이 존재한다'라는 것이 이해된다고 말한다(『주해』, 1548년판, 46번째 표). 물론 여기서의 '건축적인 정신'이란 다름 아닌 그리스도교의 신이다. '건축가로서의 신'이라는 표현은 멜란히톤의 저작에서 자주 확인된다.

이 『주해』 마지막 장에서 멜란히톤은 혼의 불사를 다룬다. 다만 그는 폼포나치처럼 철학적으로 논증 불가능하다고 하는 것도, 스칼리게르처럼 철학적으로 옹호하는 것도 아니었다. 혼의 불사성이라는 주제는 멜란히톤에 대해 본래 철학적인 '문제'가 아니었다. 오히려 그것은 논의의 전제를 이루는 '공리'와 같은 것인바, 그것은 그리스도교의 신앙에 의해서만 밝혀지는 것이었다.

자연 현상으로부터 그리스도교적인 신의 섭리를 해명한다는 입장은 멜란히톤이 갈레노스적인 의학뿐만 아니라 그것과는 다른 우주론과 천문학에 접근하는 이유가 되기도 했다. 왜냐하면 천문학적인 사태에 대해 아는 것은 신이 이 세계를 창조하고 통치한다는 것을 배우는 가장 중요한 기회로 여겨졌기 때문이다. 이와 같은 논점을 다룰 때, 자주 그에 대한 점성술 전통의 중요성이 지적되어왔다. 확실히 멜란히톤은 고대 로마의 천문학자 프톨레

마이오스(기원 2세기에 활약)의 점성술적 저작 『테트라비블로스 *Tetrabiblos*』를 스스로 강의한 것으로도 알려져 있다.

하지만 지금까지 몇 차례 보았듯이 아베로에스를 통해 제시된 아리스토텔레스 철학에서는 천계로부터 자연 세계에 대한 작용이 신적 섭리의 틀에서 이해되고 있었다. 실제로 멜란히톤은 『자연학 입문』의 끝부분에서 이러한 관점에서 아리스토텔레스의 자연 철학을 다루고 있다.

> 아리스토텔레스의 『생성과 소멸에 대하여』의 마지막 문장은 가장 주목해야 할 것이다. '[자연 세계에서의] 생성·소멸이 영속적인 원인은 황도대에서의 태양과 행성들의 운동이다.' (…) 그런데 이러한 자연의 경이로운 질서를 고찰할 때, (…) 좀 더 선행하는 동시에 예지적인 다른 원인, 즉 창조주인 신이 존재한다고 추론해야만 한다. 이러한 신의 숙려에 의해 [자연 세계] 전체의 질서가 확립되고 통치되는 동시에 유지된다. (『자연학 입문』, 제3권)

천체의 작용을 신적 섭리의 논점과 함께 파악한다는 점에서 멜란히톤은 폼포나치나 스칼리게르와 확실히 보조를 맞추고 있다. 그러나 그들과 논의의 의도와 방향성은 명확히 달랐다. 멜란히톤은 아리스토텔레스주의 자연 철학을 어디까지나 그리스도교의 신의 섭리나 통치를 정당화하기 위해 사용한 것이다.

나가며

지금까지 아리스토텔레스주의의 장기적인 지속을 배경으로 16세기의 세 사람의 철학자를 다룸으로써 그들의 사상에서 보이는 공통성과 각각의 독자성을 살펴보았다. 근세의 시대 변화는 철학자들이 고려해야 할 문헌과 사물의 양을 비약적으로 증대시켰다. 따라서 이 시대의 철학을 한정된 지면에서 소개할 때는 아무래도 그들의 사상에서 인정되는 절충적인 요소나 경향을 강조하게 되는 경향이 있다.

이 장에서는 이런저런 것과 관련된 사항을 열거하는 것이 아니라 아리스토텔레스주의와 아베로에스의 영향이라는 당시 공유되고 있던 커다란 이론적 토대를 우선 확인하고, 그 토대 위에서 근세의 철학자들이 각각의 사유를 어떻게 전개했는지를 분석했다.

여기서 검토된 16세기의 철학자들은 13세기 이래의 전통을 깊이 계승하고 있었다. 혼과 지성에 관한 이론은 교회의 교의에도 저촉되었기 때문에 근세에도 쟁점의 하나였다. 하지만 그들의 논술을 보게 되면, 거기서 사용되는 언어의 다수는 선행하는 철학자들 논의의 반복에 지나지 않았다. 또한 각 사람의 논의가 지닌 역점과 방향성은 달랐지만, 혼이나 자연 현상을 신적 섭리와 연결하여 논의할 때, 그들은 하나같이 아베로에스의 해석에 따라 천체의 지상 세계에 대한 작용 문제로 언급하고 있었다.

그러면 그와 같은 철학적 전통의 계승 측면에 반해 16세기 철학의 고유성이란 어떠한 것이었을까? 이 장에서 다룬 세 사람의 철학자에서 보인 특징은 16세기 이후 새롭게 번역된 의학서나 박물학서에 기반하여 자연의 개별적인 동시에 경험적인 사례를 주시하는 자세였다. 역사가인 히로 히라이Hiro Hirai(1967~)가 '의학적 인문주의'라고 부른 것이다. 폼포나치는 인간의 자연적인 윤리를 아리스토텔레스의 『동물지』를 토대로 하여 이야기했다. 스칼리게르와 멜란히톤은 갈레노스의 의학적 식견을 언급하면서 자연세계 질서의 비밀을 해명하고자 했다. 이와 같은 그들의 지적 경향은 자연의 '경이'로운 개별적인 것들을 전 세계로부터 수집하고 진열하고자 한 동시대의 지식인과 권력자 쌍방의 열광과도 중첩된다.

근세 스콜라 철학이 아베로에스의 아리스토텔레스 이해를 하나의 모태로 하고 있었듯이 근래의 연구는 17세기 이후의 철학자들이 16세기 아리스토텔레스주의자의 저작에 깊이 의존하고 있었다는 것을 밝혀왔다. 다만 여기서 그 성과를 자세히 소개할 여유는 없다. 그 대신 아직 해명되어 있지 않은 물음에 주의를 촉구함으로써 이 장을 마무리하고자 한다.

라이프니츠는 「유일한 보편적 정신의 교설에 대하여」라는 논고를 아베로에스의 지성 단일성을 언급하는 것에서 시작하고 있다. 하지만 실제의 논적으로서 그의 눈앞에 있었던 것은 16세기의 철학자들이 집요하게 논박을 시도한 아베로에스 그 사람이 아니라 '그도 유일한 보편적 정신의 교설로부터 그리 떨어져 있지 않다'라고 형용되는 스피노자와 '그렇다고는 알지 못한 채 이 교설을 수립하고 있다'라고 말해지는 데카르트주의자들이었다.

흥미로운 것은 라이프니츠가 아베로에스, 스피노자, 데카르트주의자의 차이뿐만 아니라 그들의 사상에서 보이는 모종의 공통성에도 주목하고 있다는 점이다. 그것은 스피노자와 데카르트주의자들이 아베로에스를 따르는 무리였다는 것을 의미하지 않는다. 그렇다면 그들에게서 찾아지는 모종의 공통성이란 도대체 어떠한 것이었을까? 그리고 비판의 창끝이 변화했을 때, 그 배후에서 어떠한 논점이 다투어지고 있었던 것일까? 이러한 문제들을 해명하는 것은 16세기까지의 스콜라 철학으로부터 근대 철학으로의 전회를 생각하는 데서 중요한 관점을 제공해 줄 것이라고 필자는 생각한다. 하지만 이 점에 관한 고찰은 다른 기회로 미루기로 하자.

☞ 좀 더 자세히 알기 위한 참고 문헌

— 찰스 B. 슈미트Charles B. Schmitt · 브라이언 P. 코펜헤이버Brian P. Copenhaver, 『르네상스 철학ルネサンス哲学』, 에노모토 다케후미榎本武文 옮김, 平凡社, 2003년. 근세 스콜라 철학의 이해를 시도할 때 일본어로 읽을 수 있는 책으로서는 이 저작을 우선 되풀이하여 읽을 것을 권한다.

— 히로 히라이ヒロ·ヒライ · 오자와 미노루小澤實 편저, 『앎의 미크로코스모스知のミクロコスモス』, 中央公論新社, 2014년. 중세로부터 근세에 걸친 '지성사intellectual history'에 관한 이 의욕적인 논집에는 이 장의 집필에서도 참조한 히라이와 사카모토坂本 등에 의한 수준 높은 논고가 수록되어 있다.

— 앤 블레어Ann M. Blair, 『정보 폭발 — 초기 근대 유럽의 정보 관리술情報爆發—初期近代ヨーロッパの情報管理術』, 스미모토 노리코住本規子 외 옮김, 中央公論新社, 2018년. 근세에서의 철학·과학의 성립을 '노트 작성' 등의 구체적 실천에 주목하여 논의한 획기적 저작.

— 이케가미 슌이치池上俊一 감수, 『원전 르네상스 자연학原典ルネサンス自然学, 上·下』, 名古屋大学出版会, 2017년. 이 장에서 17세기까지의 '철학'이란 아리스토텔레스에 준거한 학문 체계라고 말했다. 그중에서 현재의 학문 구분에서 말하자면 물리학·화학·생물학·천문학 등에 관계되는 자연 철학 영역은 근세의 철학에서도 커다란 비중을 차지하고 있었다. 이 책은 그와 같은 자연 철학의 다양한 모습을 알기 위한 귀중한 자료집이다.

제5장

예수회와 키리시탄

니이 요코新居洋子

1. 키리시탄 시대의 필로소피아 번역

동아시아에 전해진 '필로소피아'

이미 이 철학사 시리즈에서도 여러 차례 되풀이되고 있지만, 현재 일본어로서 정착해 있는 '철학'이 메이지 일본의 니시 아마네西周에 의한 philosophy의 번역어라고 하는 것은 잘 알려져 있다. 그러나 그렇다고 해서 서유럽의 필로소피아(철학)의 동아시아에서의 번역이 19세기에 겨우 시작되었다고 하는 것은 분명히 말해 잘못이다. 필로소피아가 동아시아에 전해지고 그 번역의 방대한 성과가 산출되기 시작한 것은 지금부터 420년 이상 이전이기 때문이다. 이것은 일본에서는 직풍시대織豊時代(일본의 역사에서

오다 노부나가와 도요토미 히데요시가 정권을 쥐고 있던 시대), 중국에서는 명대 후기에 해당한다.

당시 스스로의 쇄신을 꾀한 예수회는 해외로 눈을 돌렸는데, 이와 같은 조류 속에서 이그나티우스 데 로욜라Ignatius de Loyola(1491~1556)를 중심으로 결성된 예수회는 선교를 위해 세계 각지로 향했다. 1549년에 일본, 그로부터 약 30년 후에 중국에서 가톨릭 선교의 첫걸음을 내디딘 것도 예수회이다. 이렇게 해서 전해진 가르침은 일본에서는 키리시탄, 중국에서는 천주교라고 불리며, 현재는 동아시아 선교의 최초 1세기를 가리켜 '키리시탄 시대'라고도 부른다. 이 시대에 예수회 선교사가 현지에서 열심히 몰두한 것이 그리스도교를 보급하기 위한 번역서의 편찬이었다. 그 가운데는 필로소피아에 관한 내용이 많이 포함된다. 이 필로소피아란 기본적으로 예수회의 교양 체계 근간에 놓여 있는 스콜라 철학이었지만, 또한 르네상스를 거쳐 예수회의 교양 체계로 짜 넣어진 키케로와 세네카 등 서유럽 고전 문학도 그들의 번역을 통해 동아시아에 전해졌다.

스콜라학에서는 학문을 자주 신학scientia divina과 인학人學, scientia humana으로 구분하고, 나아가 인학의 핵심으로서의 필로소피아를 신학에 이르는 중요한 징검다리로서 자리매김한다. 필로소피아에는 논리학과 자연학, 형이상학 등, 요컨대 아리스토텔레스를 기초로 하는 논리학과 천체론, 기상론, 아니마론 등의 학문이 포함된다. 일본에서는 16세기 말, 예수회 준관구장 페드로 고메스Pedro Gómez

(1535~1600)가 일본인 예수회 수사 양성을 위해 『예수회 일본 콜레죠의 강의 요강』을 편찬했으며, 거기서 천체론과 아니마(혼)론 등의 자세한 번역이 이루어졌다. 이것들은 서양으로부터 전해진 활자 인쇄를 사용하여 간행되었다.

중국에서는 재래의 출판 기술을 이용하여 예수회 선교사에 의한 한역서만 하더라도 250종 이상의, 그리스도교와 서유럽 학술의 번역서가 출판되었다. 그중에서도 서유럽의 필로소피아에 관련해서는 최초 시기의 예수회 선교사 마테오 리치Matteo Ricci(1552~1610)의 『천주실의天主實義』를 비롯하여 많은 교리서가 아니마론을 포함하며, 그 이외에 논리학과 관련해서는 『명리탐名理探』, 천체론에서는 『환유전寰有詮』, 기상론에서는 『공제격치空際格致』, 그리고 아니마론과 관련해서는 『영언려작靈言蠡勺』과 『성학추술性學觕述』을 비롯한 필로소피아 학문들의 전문적인 한역서가 17세기 전반에 선교사와 사대부들의 협력으로 잇달아 출판되었다. 그뿐만 아니라 같은 시기에 푸젠성에서 많은 사대부와 교제한 예수회 선교사 줄리오 알레니Giulio Aleni(1582~1649)는 『서학범西學凡』과 『서방답문西方答問』을 저술하는데, 여기에서는 '비록소비아斐錄所費亞'라는 개념 그 자체 및 그것이 서유럽의 학문 체계 속에서 차지하는 자리매김도 소개했다.

이러한 서유럽에서 유래한 '필로소피아' 개념은 음뿐만 아니라 의미상으로도 한역이 시도되어 주자학에서 중시되는 격물궁리格物窮理(한 사태 한 사물의 이치를 탐구하고 규명한다) 개념이 차용된다거나 그 생략형으로 '이학理學'이라고 불린다거나 한다.

스콜라학에서 이성과 계시

스콜라학에서 철학은 자연 이성에 기초하여 탐구하는 학문이자 계시에 기초하는 신학과 구별되지만, 양자는 결합해 있다. 요컨대 사람의 신에 대한 인식은 이성에 기초한 신의 피조물의 인식을 통해 서서히 상승할 수 있으며, 궁극적으로는 계시로써 완성된다. 또한 세계 각지로 향한 선교사들은 서유럽 이외의 사람들을 이성의 정도나 관습의 질에 따라 문명적인지 야만적인지 분류하려는 일을 늘 하고 있었다. 이러한 사고방식들과 태도를 배경으로 하여 선교사들이 일본인과 중국인에 대해 비교적 발달한 이성을 인정하고, 강제력이 아니라 현지인 자신의 이성에 의한 논증을 통해 자연스럽게 신앙으로 이끌기 위해 자연학이나 형이상학의 번역서를 출판한 것은 선행 연구에서 자주 지적되어 왔다.

이처럼 서유럽의 철학이 동아시아로 전해지기 시작하는 국면에서 열쇠가 되었던 것은 스콜라학에서 다듬어진 '이성'이라는 개념이라고 할 수 있다. 그렇다면 철학을 뒷받침하는 이 이성 개념 그 자체는 어떻게 번역되었던 것일까?

2. 이성의 번역어로서 '영'

스콜라학의 한역에서 '영성'

일본의 선교사들은 그리스도교에서의 개념들이 재래의 것과 혼동될 위험을 피하기 위해 기본적으로 원어주의를 취했다. 이에 반해 중국에서는 인명이나 지명 이외에는 기본적으로 재래의 유교 개념으로부터 차용하거나 새롭게 만든 한역어로 대응시키고 있다. 한자로 음역하는 경우에도 반드시 한자에 의한 의역어를 동반했다. 그로 인해 이성에 관한 개념들, 예를 들어 스콜라학에서 생물 가운데 사람만이 지닌다고 생각되는 이성적 아니마anima rationali는 일본에서는 그대로 '아니마 라쇼날' 등으로 음역되었지만, 중국에서는 아니마를 '아니마亞尼瑪' 등으로 음역하면서 아울러 이성적 아니마에 '영혼靈魂'을 할당하는 등, 의역에 발을 들여놓고 있다. 일본에서의 음역어가 어떻게 재래 개념과의 차별화가 꾀해졌는지를 보여주는 것과는 대조적으로, 중국에서 만들어진 한역어는 스콜라학과 재래의 어떠한 사상 체계와의 회통이 어떻게 시도되었는지를 알기 위한 중요한 실마리가 된다. 그뿐만 아니라 당시 스콜라학에서의 이성 개념이 메이지 시기에 니시 아마네에 의한 역어로서 출발하고 현재 널리 보급된 개념으로서의 '이성'의 틀로 수렴되지 않는다는 점도 이러한 역어를 통해 잘 알 수 있는 것이다.

우선 다루는 것은 17세기 중국에서 출판된 토마스 아퀴나스

『신학대전』의 한역, 『초성학요超性學要』이다. 제1부의 한역은 예수회 선교사 로도비코 불리오Lodovico Buglio(1606~1682)에 의해 1654년부터 1677년경에 베이징에서 출판되며, 1677년에 제3부의 보론에 있는 부활론이 불리오의 동료 가브리엘 마갈량이스Gabriel de Magaillans(1609~1677)에 의해 한역되었다. 제2부 및 제3부의 본문은 한역되지 않았는지 발견되지 않는다. 제1부 전체의(초역이기는 하지만) 한역이라는 대사업을 성취한 불리오는 시칠리아 출신으로 로마학원에서 연찬을 쌓은 후, 명·청 교체의 혼란 속에서 중국에 들어와 장헌충張獻忠 지배하의 쓰촨과 청나라 초의 베이징에서 선교 활동을 수행한 인물이다.

『신학대전』 제1부 제1문은 '거룩한 가르침에 대해, 그것은 어떤 것이며, 어떤 범위에 미치는가'(『神学大全 I』, 야마다 아키라山田晶 옮김, 中央公論新社, 2014년)이다. 그 제1항에서는 '철학적 학문들 이외에 다른 가르침을 지닐 필요가 있는가'라는 물음이 세워지며, 자연 이성에 기초한 학, 요컨대 철학만으로는 신을 둘러싼 이성을 넘어선 사항의 인식에 도달할 수 없는 까닭에, 계시에 기초한 신학, 요컨대 '거룩한 가르침'도 필요하다는 결론이 도출된다. 그 가운데서 주문의 서두에 내걸린 '인간의 구원을 위해서는 인간 이성에 의해 추구되는 철학적 학문 외에 신의 계시에 의한 무언가의 가르침이 존재하는 것이 필요했다'라는 문장을 살펴보자. 이 부분은 불리오의 『초성학요』에서는 다음과 같이 되어 있다.

> 본래 영성靈性이 조물주에 의해 창조된 것은 다름 아니라 천국에서의 영원한 복을 향유할 수 있도록 하기 위해서이다. 다만 영원한 복을 향유하기 위해서는 더 나아가 천주(신)의 묵계默啓(계시)도 필요로 한다. 이른바 초성超性의 천학天學이다. (강조는 인용자)

아마도 스콜라학에 친숙해져 있지 않은 중국 사람들에게 맞추려고 했기 때문에, 불리오의 한역은 반드시 축어적이지는 않다. 이 부분에서도 사람이 신의 유사한 형상으로서 이성을 부여받고, 본성적으로 신을 향해 다가간다는 내용은 라틴 원문에서는 보이지 않지만, 스콜라학의 이해에 빠질 수 없는 기본적 인식인 까닭에 보완했을 것이다. 그러나 천국에서의 영원한 행복에 참여하기 위해서는 '영성'과 '묵계'의 양자가 필요하다고 하는 논지는 명확하다. 요컨대 '영성'이야말로 이성, 요컨대 라티오ratio의 번역어이다.

또한 '초성의 천학'이란 신학을 가리킨다. '성性'은 유교에서는 사람에게 자연적으로 갖추어진 본성을 가리키며, 명·청 시대에 선교사들이 스콜라학의 자연학에 속하는 내용을 번역할 때는 '성학性學' 등으로 옮겼다. '초성'이란 성 이상, 요컨대 자연을 넘어선 존재=신을 가리키며, '천학'이란 이 경우 '천주天主'의 학, 요컨대 신학을 가리킨다. 덧붙이자면 천문학 등도 포함하며, 선교사들이 가져온 학문과 교리를 총칭하여 '천학'이라고 부르는 경우도 있다.

'영심', '영재'

그런데 동시대 이외의 선교사에 의한 한역서도 조감해 보면, 불리오가 라틴어의 역어로 삼은 '영성'은 『서학범』과 『환유전』에서 자주 나오지만, 『천주실의』와 『만물진원万物眞原』 등 널리 유통된 교리서에서도 채택되어 있다. 『환유전』은 아리스토텔레스 『천체론』의 코임브라 주해—많은 예수회 수사가 교편을 잡은 코임브라 대학에서 스콜라학의 핵심인 아리스토텔레스 철학을 둘러싼 다종다양한 주해의 통합을 꾀하기 위해 16세기 말~17세기 초에 걸쳐 편찬된 주해—의 한역이다. 서두에 '천주'와 만물의 관계를 이야기하는 장이 놓여 있는 것에서도 분명히 드러나듯이, 단지 천체의 틀을 설명하기보다는 역시 신의 행위로서의 자연을 이해하는 구성이 취해져 있다.

> 사람이 [그 밖의 생물과 비교해] 귀한 것은 오로지 **영성**에 의해 추론할 수 있다는 능력 때문이다. 사람을 만들어내면서 추론할 수 있는 능력을 부여하지 않는다면 모순이며, 신이 그와 같은 일을 할 리가 없다. (강조는 인용자)

여기서 분명하듯이 사람의 이성을 추론의 능력으로 파악하는 스콜라학의 사고방식이 설명되고 있다.

또한 '영성' 외에 유사한 '영심靈心'과 '영재靈才' 등도 이성의 번역어로서 나타났다. 유학자나 불승의 그리스도교 비판에 리치가 반론하는 내용의 『변학유독弁學遺牘』과 자연 현상이나 인체의 짜임새로 나타난 다양한 '징표'에서 신의 섭리를 보라고 이야기하는 자연 신학적인 책 『주제군징主制群徵』— 스콜라학의 쇄신을 시도한 살라망카학파를 대표하는 한 사람, 예수회 수사 레오나르두스 레시우스Leonardus Lessius(1554~1623)에 의한 저작의 초역 — 에서는 '영심', 『천주실의』나 같은 리치에 의한 『기인십편畸人十篇』에서는 '영재'가 사용되고 있다. 『천주실의』에서의 용례를 들어두고자 한다.

무릇 사람과 금수의 가장 큰 상이점은 영재에 있습니다. 영재에 의해 옳고 그름과 참과 거짓을 잘 변별하고 도리가 없는 것에 유혹되지 않는 것입니다. (강조는 인용자)

'영혼'=이성적 아니마

'영靈'에 얽힌 또 하나의 중요한 번역어는 '영혼靈魂'이다. 스콜라학에서는 사람은 영양 섭취와 생장의 능력으로서의 아니마(anima vegitabilis)밖에 지니지 않는 식물과 이에 더하여 감각, 욕구의 능력으로서의 아니마(anima animalis 또는 anima sensibilis)밖에 지니지 않는 동물과는 달리 이성의 능력으로서의 아니마(anima rationalis 또는 anima intellectiva)를 부여받고 있는 까닭에 지상에서 가장 귀한 존재라고 파악한다. 일본과 중국에 들어온 선교사는

재래의 불교가 지니는 윤회전생과 살생계의 사상에 대항할 필요에 내몰렸기 때문에, 곳곳에서 아니마론을 끄집어내 사람과 그 밖의 생물을 명확히 나누는 동시에 불멸인 이성적 아니마의 존재를 주장했다. 일본에서는 『도치리나 키리시탄』과 『묘정문답妙貞問答』, 『히데스노 쿄ひですの経』, 『강의요강講義要綱』 등 다양한 책에서 아니마를 둘러싼 논의가 보인다. 그중에서도 일본 키리시탄사 연구자인 가와무라 신조川村信三에 따르면, 고메스의 『강의요강』에서의 아니마론에는 원문에 없는 '아니마 불멸의 논증'을 둘러싼 덧붙인 부분이 있으며, 그 의도에 대해서는 '인간 본래가 이미 '부처'와 마찬가지로 구원이 결정되고 완성되어 있다고 하는 사상 경향이 있었기 때문'이라고 한다(가와무라 신조, 『전국종교사회=사상사 — 키리시탄 사례로부터의 고찰戦国宗教社会=思想史—キリシタン事例からの考察』, 知泉書館, 2011년).

중국에서는 식물의 아니마는 '생혼生魂', 동물의 아니마는 '각혼覺魂' 그리고 사람의 이성적 아니마는 '영혼'으로 한역되었다. 이것은 16세기 말에 중국 선교의 단서를 연 미켈 루지에리Michele Ruggieri(1543~1607)와 리치 이래의 아니마를 둘러싼 엄청난 한역 저술을 통해 깊이 정착했다.

한어로서의 '영성'

한어에서 스콜라학의 이성 개념을 받아들인 것이 '영靈'이라는 개념이었다는 것은 의외의 것으로 보일지도 모른다. 일본에서는 20세기 초 이래로 '영성靈性'이 스피리츄얼리티spirituality의 번역어로서 정착하여 '이성'과는 종교와 철학·과학이라는 틀에서 구별되었고, 오히려 대립적으로 파악되는 경향이 있기 때문이다. 그러나 스콜라학에서의 이성 개념을 토대로 하게 되면 왜 '영'이라는 역어가 취해졌는지를 알 수 있게 된다. 이 점에서 중요한 것은 우선 스콜라학에서 다듬어진 이성 개념이 단지 지상의 세계를 둘러싼 판단과 추론 그 자체에 목적이 있다기보다는 이와 같은 추론을 통해 이성의 원천이자 이성을 넘어선 존재인 신의 인식으로 사람을 정향시키는 것을 가리키고 있다는 점이다.

이 점을 토대로 하여 새롭게 한역어인 '영'을 음미해보고자 하는 것이지만, 그 전에 언급해두어야만 하는 것은 '영성'이 숙어로서 불교나 도교의 경전에 비교적 자주 나타나는 말이었다는 점이다. 그러면 선교사가 불교나 도교로부터 '영성'을 차용했는가 하면, 그렇게 단순한 이야기는 아니다. 지금까지 연구에 의해 일본에서는 선교사가 불교 비판을 펼치면서도 그리스도교를 현지화하는 시도 가운데 불교적 개념이 교리의 설명이나 의례, 조직 측면 등으로 어쩔 수 없이 들어왔다고 하는 것이 해명되어왔다. 그러면 중국에서는 어떠했는가? 중국에 막 진출할 무렵의 선교사도 가사를 입고 '승려'라고 자칭하는 등, 불교의 모습을 빌리고자 했다. 그러나 머지않아 리치는 친하게 교제한 어떤 유학자로부터 사회적인 자리매김이 미묘한 불교에 의탁하는 것은 좋은 계책이 아니라는 조언을 받는다. 이것을 계기로 하여 그들은 적응해야 할 대상을 유교로 바꾼다. 이러한 커다란 방향 전환 이후 선교사들 자신이 중국에서 불교 개념을 굳이 차용하는 일은 필자가 아는 한 거의 없었다.

중국에서 선교사들이 사용한 '영성'의 내용에서 보더라도 그것이 불교나 도교로부터 차용되었을 가능성은 작다. 왜냐하면 그들이 '영성'을 말할 때, 그 '성'이 유교 개념으로서의 그것을 강하게 의식한 것이었다는 점은 확실하기 때문이다. 예를 들어 『초성학교』에서는 다음과 같이 말하고 있다.

> 생각건대 성이란 다름 아니라 물物을 그 본래의 물이게 하는 것이다. 영이라는 물에서는 영성이라고 하고, 그 이외의 물에서는 물성이라고 한다. 본래 물성은 무지무각無知無覺한 것으로, 반드시 그 향하는 바에 도달하는 것은 영이라는 자가 끌어당겨 그 목적에 도달하게 하기 때문이다. 이것을 토대로 하면, 성은 물의 근원이 아니라 물성을 끌어당기는 자야말로 물의 근원이라는 것을 알 수 있다. 이것을 천주라고 한다.

이것은 『신학대전』 제1부 제2문 제3항에서 신의 존재를 논증하기 위해 제시된 다섯 개의 길 가운데 제5의 길에 관한 부분으로 생각된다(제1~제4의 길에 관한 논술은 거의 생략되어 있다). 요컨대 '인식을 결여한 것' 즉 자연 물체는 우연적으로가 아니라 의도적으로 목적에 도달하지만, 이를 위해서는 '무언가 인식하고 이해하는 자'에 의해 지시될 필요가 있으며, 그런 까닭에 모든 자연물이 그에 의해 목적으로 질서 지어지는 '무언가의 지성 인식자', 요컨대 '신'이 존재해야 한다는 논의이다(『신학대전 I』).

이러한 원문에 대해 한역 쪽에서는 '자연 물체'라기보다 그 '성'에 초점에 놓여 있으며, '성'은 물의 근원이 아니라 '영이라는 자', 요컨대 '성'을 끌어당기는 존재(신)야말로 근원이라고 미묘하게 논지가 조정되고 있다. 이것은 유교에서의 '성', 요컨대 앞에서 언급했듯이 자연적으로 갖추어진 본성이라는 개념을 굳이 이용하고 있기 때문일 것이다. 그리고 '성'은 '영이라는 물', 요컨대 사람에게서는 '영성', 그 이외의 사물에서는 '물성'이라고 말한다. 즉, 여기서의 '영성'이란 '영이라는 물'에서의 '성'이라는 것이 된다.

주자학에서의 '영'

그리하여 결국 '영'의 개념을 다시 묻지 않으면 안 된다. 명·청 시대, 다양한 반발을 받으면서도 과거 과목으로서의 지위를 차지하고 커다란 영향력을 유지한 주자학에서는 이 개념이 많이 사용된다. 우선 주희朱熹(1130~1200)는 '지각'이란 곧 '마음의 영'이며, 이理와 기氣가 합함으로써 나타난다고 한다(『주자어류朱子語類』). 또한 남송의 진순陳淳은 주자학의 중요 개념을 『북계자의北溪字義』로 정리했지만, 그것의 '귀신' 절에서는 정이程頤의 '귀신은 조화의 자취',

장재張載의 '귀신은 두 기의 양능二氣之良能'을 인용하고, 그에 대한 설명으로서 다음과 같이 말하고 있다.

> 귀신이란 음양 두 기의 굽히고 폄, 오고 감일 뿐이다. (음과 양의) 두 기로부터 말하자면, 신은 양의 영, 귀는 음의 영이다. 영이라는 것은 자연히 굽히고 펴며 오고 감으로써 이처럼 생기 넘치는 것일 뿐이다.

위와 같은 예에서 보면, 주자학에서의 '영'이란 기의 특히 맑고 깨끗하며 활발하여 뛰어난 것인바, 사람에게서는 마음의 본성이자 지각을 이루는 것이라고 말할 수 있다.

본래 주자학에서의 기란 만물이 이루는 조화의 바탕이며, 특히 뛰어난 '정기精氣'의 모임에 의해서 나오는 것이 사람인바, 그로 인해 운동과 사고가 가능하다. 본래 유교의 경서 가운데 하나인 『서경書經』에서도 그 「태서상泰誓上」 편에서 '오직 천지야말로 만물의 부모이며, 사람이야말로 만물의 영이다'라고 말하고 있다.

요컨대 선교사들이 이성의 한역어로서 사용한 '영'의 개념 배후에는 기를 매개로 하는 사람과 천지 만물의 연결, 또한 기 가운데서도 활발하고 뛰어난 것이 천지 사이에서 귀신이 되고, 지상에서는 사람을 형성한다는 유교적이고 특히 주자학적인 사상이 놓여 있다. 이러한 '영'의 개념은 사람과 만물의 근원을 잇는 동시에 지상에서의 가장 높은 자리를 사람에게 부여한다는 의미에서 스콜라학적인 이성 개념과 멋들어지게 공명하고 있다. 그와 동시에 현대의 '이성'의 틀로는 수습될 수 없는 당시의 이성 개념을 날카롭게 반영하고 있기도 한 것이다.

사대부들과의 대화

그러면 이러한 번역어로서의 '영靈'은 어떻게 고안되었던 것일까? 선교사가 가지고 들어온 그리스도교와 스콜라학에 관한 다양한 개념은 자주 그들의 혼자 힘이 아니라 선교사가 구술한 내용을 현지의 사대부들이 필기한다거나 문장을 정리한다거나 하는 등, 양자의 협동 작업을 통해 번역되었다. '영성', '영혼'을 최초 시기에 사용한 선교자들 가운데 한 사람인 리치는 명나라의 고관이자 천주교 신자이기도 했던 서광계徐光啓(1562~1633)를 비롯하여 이지조李之藻(1571~1630)나 빙응경馮應京 등의 사대부들과 친하게 교제하고 그들과 협력하여 『천주실의』 등의 책을 출판했다. 그 뒤에도 많은 사대부가 선교사에 의한 한역을 돕고, 서문이나 발문을 기고하며, 출판이나 중판에 관여했다. 이러한 협동 작업의 장에서는 당연히 다양한 대화가 이루어졌을 것이다. '영성'이나 '영혼'과 같은 번역어도 이러한 협동 작업을 통해 다듬어지고 정착해갔을 것으로 생각된다.

3. 동아시아로부터 서유럽으로 — 이성과 '이'

이성과 '이'

그런데 이성을 둘러싼 사상의 전파는 서유럽으로부터 동아시아로라는 방향으로만 생겨난 것이 아니다. 동아시아 선교에서의 적응 정책의 구상자 알레산드로 발리냐노Alessandro Valignano(1539~1606)는 일본인을 이성적인 사람들로서 분류하고 이에 입각한 실천 방침을 세웠는데, 일본 키리시탄 문학 연구자인 오리이 요시미折井善果에 따르면, 이러한 인식과 실천이 서유럽에서의 이성을 둘러싼 다시 물음과 상호 작용 관계에 있었을 가능성이 나오고 있다. 또한 중국과 관련해서는 유교의 서점사西漸史를 전문으로 하는 이가와 요시쓰구井川義次가 예수회 선교사에 의한 유교 경전의 번역이 '신학적 해석으로부터 공자를 해방하고자' 한 크리스티안 볼프의 해독을 통해 이성에 깊이 뿌리 내린 가르침으로서 계몽사상의 형성에 작용했다는 것을 밝히고 있다(오리이 논문은 이 장 말미의 참고 문헌 목록의 『선교와 적응』에 수록되어 있다. 이가와의 저작도 같은 목록에 실었다).

다만 선교사의 동아시아에서의 경험과 현지 사상의 번역은 인간적인 '이성'을 보강하는 방향에서만 수용된 것이 아니다. 신학적인 만물 생성관과 서로 겹치는 방향성도 존재했다. 그리고 이러한 방향에서 가장 강하게 서유럽의 지식인을 매혹한 것은 유교의

'이理'였다.

그러나 이 점은 언뜻 보아 이해하기 어렵다. 왜냐하면 주자학에서 이란 만물의 근원인 태극으로 통하는 동시에 기와 상즉하여 만물을 구현하는 것이지만, 선교사는 이 이와 태극을 계속해서 격렬하게 비판했기 때문이다. 그들은 이와 태극이란 감각과 이성을 지니지 않는 물체의 준칙에 지나지 않으며, 그런 까닭에 감각과 이성을 지니는 존재를 산출할 수 없고, 반드시 사물에 의존하며, 자립적으로 존재하는 것도 불가능한바, 만물의 근원이기에 걸맞지 않다고 말한다. 이러한 논의는 선교사에 의한 한역서의 곳곳에서 나타나는데, 여기서는 다시 『초성학요』를 인용하고자 한다. 앞에서 거론한 『신학대전』 제1부 제2문 제3항에 대응하는 부분으로 '성'은 물의 근원이 아니라 신이야말로 근원이라고 이야기한 후의 논술이다.

이 점은 이도 (성과) 마찬가지이다. 이는 자립한 물이 아니라 영성(이성)의 도구이며, 사태를 궁구하여 물에 이르는(궁격사물窮格事物) 수단이다. 생각건대 이는 인성과 사물에 놓여 있으며, 이가 사물에 놓여 있고 인심에 합하면, 사물은 진실하다고 말할 수 있다. 인심이 물에 놓여 있는 이를 궁구하면, 이것을 물에 이른다(격물格物)고 한다. 이 점으로부터 이는 물과 마음에 놓여 있고 언제나 (물과 마음에) 의존하여 존재하고 변역變易하며, 물의 뒤에 존재한다(물이 존재하고 비로소 존재할 수 있다)는 것을 알 수 있다. 과연 이것을 물의 근원으로 삼을 수 있을까?

이것은 분명히 원문에서 일탈한 기술이다. 그것만으로도 여기서 대상으로 거론된 격물궁리格物窮理의 이, 즉 '개개의 사물에 입각해 있음'과 동시에 만물을 꿰뚫는 '보편적인 질서 원리'로서의 이, 그리고 그것과 일체화할 수 있는 '사람의 마음의 이'(하야시 후미타카林文孝, 「이理」, 나가이 히토시永井均 외 편, 『사전 철학의 나무事典哲学の木』, 講談社, 2002년)라는 주자학적인 이가 선교사들에게서 어떻게 주도면밀하게 비판해야만 하는 대상으로서 인식되고 있었는지를 잘 알 수 있다.

이와 사물의 관계

이와 같은 선교사의 견해는 본래 주자학에서의 '이'가 아마도 주희 자신의 의도를 넘어서서 아무래도 실체화해 갈 수밖에 없었다는 그 본연의 모습에서 기인하는 것이기도 할 것이다. 그에 더하여 이는 사물과 상즉하고 있는 것인바, 이와 사물은 어느 쪽이 먼저고 어느 쪽이 나중이라는 관계가 아니다. 그러나 선교사들의 만물 생성관이란 전체로서 앞과 뒤, 조물과 피조, 능동과 수동과 같은 이항 대립적인 틀에 의해 체계가 만들어져 있었다. 그들의 틀로부터 보자면, 주자학적인 이와 사물의 관계 방식은 단지 모순된 것, 미숙한 것으로서밖에 파악되지 않을 수 없었다.

그렇지만 가와하라 히데키川原秀城에 따르면, 주자학의 이기론을 특히 깊게 파고 들어간 조선조에서는 이도설理到說 — 이는 운동의 능력을 지니며, 능히 스스로 이른다고 한다 — 과 이무형무위설理無形無爲說, 또한 이기호발설理氣互發說과 기발이승일도설氣發理乘一途說이 나온다(가와하라 히데키, 「송시열의 주자학 — 조선조 전중기 학술의 집대성宋時烈の朱子学—朝鮮朝前中期学術の集大成」, 가와하라 히데키 편, 『조선조 후기의 사회와 사상朝鮮朝後期の社会と思想』, 勉誠出版, 2015년 등). 이의 운동성과 능동성을 둘러싸고 정면으로 대립하는 해석이 16~17세기에 차례차례 나타났다. 이것에서 보면 이를 둘러싼 선교사의 비판적 태도는 반드시 그들의 사상적 배경의 독자성으로만 돌려지는 것이 아니며, 이 시대의 주자학에서 이의 본연의 모습 그 자체가 논쟁적인, 다시 말하면 다양한 맥락에서 논의할 수 있는 문제이기도 했다.

이의 능동성을 둘러싼 동서의 논의

그런데 이상과 같은 주자학적인 '이'는 선교사를 통해 서유럽으로 전해졌는데, 서유럽에서는 어떻게 이해되었던 것일까? 이에 대해 비교적 열심히 논의한 서유럽 지식인이라고 하면, 고트프리트 라이프니츠Gottfried Wilhelm Leibniz(1646~1716) 이외에 달리 없을 것이다. 그는 선교사가 전해오는 중국 정보에 강한 관심을 지니고, 특히 태극과 이, 천, 귀신 등이 만들어내는 만물 생성관에 관한

선교사의 보고를 비판적으로 분석하고 독자적인 해석을 가했다. 그중에서도 '이'를 둘러싸고서는 「창세기」의 '신의 영이 수면 위를 뒤덮고 있었다'의 '신의 영'이 이와 치환 가능하다고 말하는 (「중국 자연 신학론— 중국 철학에 관해 드 레몬에게 보낸 서간中国自然神学論 — 中国哲学についてド·レモン氏に宛てた書簡」, 『라이프니츠 저작집 10 중국학·지질학·보편학ライプニッツ著作集 10 中国学·地質学·普遍学』, 야마시타 마사오山下正男 옮김, 시모무라 도라타로下村寅太郎 외 감수, 工作舎, 1991년) 등, 놀랍게도 신과의 동질성을 주장했다.

> 이가 태극, 즉 완전한 것으로 말해지는 것은 이가 만물을 만들어 낼 때 있는 힘껏 움직여 자신의 능력을 다했기 때문입니다. 게다가 이는 그 마무리로서 또한 만물에 대해 그 이후에는 자기의 자연적 경향성에 따라 각자의 진로를 예정조화적으로 밟아 갈 수 있는 능력을 심어 주었습니다. (「중국 자연 신학론」)

여기서 설명되고 있는 이란 선교사들의 해석을 크게 꿰뚫고 나아가 만물을 생성하고 움직이는 힘 그 자체인 동시에 말하자면 초능동성을 지닌 존재라고 할 수 있다. 나아가 '지성을 넘어선 존재', '결코 잘못하는 일이 없는 것인 까닭에 무리하게 지성을 움직일 필요도 없는' 존재라고도 한다.

이러한 라이프니츠의 해석을 역사적으로 자리매김하려고 할 때, 앞에서 인용한 가와하라 히데키의 연구를 다시 참고할 수 있다. 그에 따르면, 조선조에서 이와 기를 둘러싼 논쟁을 전개한 한 사람인 이황李滉은 이를 '정의情意'도 '조작造作'도 없음에도 불구하고 결코 '죽은 물死物'이 아니라 오히려 인심이 이르는 모든 것에 이르고 모든 것을 다하는 '운동인을 갖춘 살아 있는 물'이라고 했다. 이것 역시 이를 둘러싼 논의가 초능동성에 다다른 사례라고 할 수 있을 것이다. 요컨대 이 시대에 이의 능동성을 둘러싸고서 간접적이기는 하지만 동서를 잇는 논의의 권역이 확실히 생겨나 있었다고 말할 수 있는 것이다.

4. 천주교 비판으로부터 한층 더한 보편의 모색으로

'신도'로서의 유교

이 장의 매듭으로서 선교사에 의한 번역이 현지 사람들의 사상 활동과 어떻게 맞닿아 있었는지 살펴보고자 한다. 한역이나 원어를 남기는 형태로 전해진 불멸의 영혼이나 신을 둘러싼 사상은 중국과 일본에서 어떻게 작용했던 것일까? 선교사와 현지 사람들의 협력으로 번역된 그리스도교와 스콜라학은 단지 지식으로서 받아들여졌던 것만이 아니다. 이들을 접한 현지 사람들 가운데는 자기 측에서의 보편성을 다시 묻거나 새롭게 내세우는 자들이 나타났다. 그리고 흥미롭게도 이러한 방향성은 선교사들에 대해 반발한 사람들에게서 좀 더 강하게 나타났던 듯하다.

우선 명대의 유학자들이다. 중국에서 활동한 예수회 선교사는 기본적으로 현지에 적응하는 방침을 정하고, 그중에서도 유교의 천, 선조, 공자에게 제사 지내는 의례는 신에 대한 신앙과 충돌하지 않는다는 타협적인 해석을 강론한다거나 유교 경서에 나타나는 '상제上帝'를 그리스도교의 신(천주)을 설명하기 위해 차용한다거나 하는 등, 유교에 대한 적응을 꾀했다. 그러나 그렇다고 해서 선교사의 행동이 유학자 측에서 반드시 호의적으로 받아들여졌던 것은 아니다. 실제로 선교사들이 제멋대로 '상제'라는 이름을 그들의 신에게 덮어씌우는 것은 불손하다고 한다거나 그들의 가르침에서 황제로부터 일반 서민에 이르기까지 동등하게 '상제'(신)를 받들어 모신다고 하는 것은 유교 본래의 상제 제사 방식, 요컨대 가장 중대한 의례인 까닭에 황제만이 주재한다는 규정을 훼손하고 질서를 어지럽히는 것이라고 비난한다거나 하는 등의 엄격한 반응이 유학자 사이에서 폭넓게 보인다.

그중에서도 특히 흥미로운 것은 명대 후기의 유학자, 왕계원王啓元(1559년경~죽은 해는 미상)의 논의이다. 유명 인물이라고 말할 수는 없지만, 한어권에서는 베이징대학 교수 등을 역임한 천슈이陳受頤(1899~1978)가 1930년대에 이미 그 사상적 의의에 주목한 연구를 발표하기도 했다. 왕계원의 사상은 전 16권으로 이루어진 『청서경담清署経談』을 통해 알 수 있다. 이 책은 명나라의 태조 홍무제가 공자 제사 제도를 정비하는 등, 공자 존숭의 태도를 선명하게 내세운 것에 대한 칭찬으로 시작하며, 도교와 불교로 경도된 사신士紳에 대한 비판으로 전개되어간다. 그것은 이와 같은 황제의 정책에 대한 공감과 당시 사대부들의 사상 풍조에 대한 위기의식에서 유교 권위의 재구축을 부르짖는 것이었는데, 이러한 위기의식을 부채질한 특히 커다란 요인이 바로 신흥 세력으로서의 천주교였다. 그는 '천주'가 '상제'를 참칭하고 선교사가 양자를 뒤섞어 사람들을 속이며, 본래 천자만이 모실 수 있는 상제를 상하 관계없이 사람들이 모두 제사를 지내는 대상으로 삼음으로써 명분을 침해하고 있다고 비난한 것이다.

좀 더 주목해야 하는 것은 그가 천주교의 화는 불교의 그것보다 격심하다는 취지를 주장한 후, 다음과 같이 말하고 있는 부분이다. 『청서경담』 16권의 한 구절이다.

> 세상의 성교聖敎를 비방하는 자는 '그가 언급하는 것은 인사人事뿐이며, 신도神道에는 관여하지 않는다'라고 말하는 데 지나지 않는다. 본래 『논어』에서는 '공자는 신神을 말하지 않는다'라고 이야기되고 있지만, 『역경』 계사전에서는 신에 대해 몇 번이고 언급하고 있는바, 신을 알지 못하고서 그저 함부로 신에 대해 언급하고 있을 뿐일까? 다른 (불교나 천주교의) 책에 적혀 있는 전지前知의 일은 유학자는 말로 표현하지 않지만, 공자가 신이라는 것은 분명하다.

이 '공자가 신이다'의 '신'이란 초월자로서의 신이라기보다 '전지', 요컨대 내세에 관한 예언을 관장하는 자를 가리킬 것이다. 그리고 내세를 둘러싼 가르침으로서의 '신도'는 '인사'로서의 현세의 일들과 대비된다. 이리하여 왕계원은 천주교 비판을 거쳐 유교에서의 '신도' 측면의 재발견으로 향해 간다. 지금까지의 연구에서는 유교의 '종교'화는 청나라 말기의 캉유웨이康有爲에 의한 '공교孔敎'의 제창에서 시작된다고 하는 것이 통례이지만, 그보다 약 300년 전에 이미 왕계원에 의한 '신도'설이 나와 있었다. 물론 그것이 현대의 '종교' 개념에 곧바로 접속되는 것은 아니지만, 전사로서 간과해서는 안 되는 사례이다.

'허공의 대도'

나아가 불교의 승려들은 일본과 중국 모두에서 선교사들의 가장 강력한 논적이 되었다. 일본 근세 불교 연구자인 니시무라 료西村玲는 그들의 천주교 비판에 초점을 맞추어 그들이 '천주의 세계를 만억의 하나로 간주하여 천주를 상대화'하는 데 머무르지 않으며, 천주라는 '외계'에 세워진 보편의 존재에 맞서 '세계 만상을 포함하여 내재하는 허공虛空의 대도大道'를 '완전한 근원', 이를테면 완전한 보편으로서 제시해 보였다는 것을 해명하고 있다(니시무라 료, 『근세 불교론近世仏教論』, 法藏館, 2018년).

이러한 왕계원과 불교 승려들에 의한 논의는 근세 동아시아에 선교사가 가져오고 현지의 지식인들과 함께 번역한 스콜라적이고 그리스도교적인 보편이 단지 공감과 반감을 부르는 것에만 그치는 것이 아니라 때로는 반작용적인 논의를 통해 한층 더한 보편의 모색으로 향하게 하는 계기가 되었다는 것, 그리고 그 전제로서 이러한 미지의 보편을 둘러싼 논의를 받아들이는 사상적 토양이 존재하고 있었다는 것을 보여준다.

☞ 좀 더 자세히 알기 위한 참고 문헌

— 이가와 요시쓰구井川義次, 『송학의 서천 — 근대 계몽에 이르는 길宋学の西遷 — 近代啓蒙への道』, 人文書院, 2009년. 서유럽 근대를 특징짓는 계몽사상의 형성에 중국으로부터 선교사를 거쳐 들어온 유교 사상이 어떻게 작용했는지 논의한다. 서유럽과 동아시아의 사상 접촉을 쌍방향적인 관점에서 다시 묻기 위해 반드시 읽어야 할 책.

— 오리이 요시미折井善果, 『키리시탄 문학에서의 일본과 유럽 문화 비교 — 루이스 데 그라나다와 일본キリシタン文学における日欧文化比較 — ルイス·デ·グラナダと日本』, 教文館, 2010년. 일본에서 번역되어 널리 퍼진 키리시탄 문학의 특질을 그 원전의 동시대 서유럽 및 각 선교지에서의 자리매김으로부터 파악하고, 나아가 재래의 '자연' 등의 개념과의 교차를 통해 그리스도교와 재래 사상과의 공명 및 단절을 해명하고 있다.

— 가와하라 히데키川原秀城 편, 『서학 동점과 동아시아西学東漸と東アジア』, 岩波書店, 2015년. 그리스도교와 나란히 활발해진 서구 과학의 번역도 단순한 개별 지식의 전달에 머무르는 것이 아니라 서유럽과 동아시아 쌍방의 학술적 조류의 교제로서 파악된다. 이 책에서는 선교사가 서유럽의 과학과 사상의 어떠한 내용을 번역하고, 그것들이 동아시아에서의 '천관天觀·지관地觀·인관人觀'의 변용에 어떻게 작용했는가 하는 커다란 물음을 둘러싸고서 논증이 전개된다.

— 사이토 아키라齋藤晃 편, 『선교와 적응 — 글로벌 미션의 근세宣教と適応 — グローバル·ミッションの近世』, 名古屋大学出版会, 2020년. 중국과 일본에서의 선교사에 의한 사상 번역은 언제나 현지에서의 선교 실천과 깊이 뒤얽혀 있다. 이 책은 선교에서의 '적응'을 키워드로 하여 라틴아메리카,

인도, 일본, 중국에서의 선교 실천과 사상 활동을 횡단적 관점에서 파악하려고 하는 것으로, 세계적으로도 거의 그 유례를 볼 수 없는 시도이다.

제6장

서양에서의 신학과 철학

오니시 요시토모大西克智

이 장에서는 서양에서의 신학과 철학의 관계를 다룬다. 특히 그리스도교 세계에서 신학은 철학의 기반으로서 또는 철학의 영위에 박힌 쐐기로서 철학사의 변천에 깊이 관계해왔다. 지금부터 그려내고자 하는 것은 그 변천의 일부분이며, 그 자체가 세계철학사의 중요한 한 국면을 이룬다. 물론 유대 세계에도 이슬람 세계에도 신학과 철학적 사유 사이에는 고유한 관계가 있으며, 따라서 신학과 철학이 각 세계에서 맺는 관계들의 한층 더한 관계를 구명하는 시도가 언젠가 이루어져야 할 것이다. 이 장은 또한 그러한 시도의 포석 가운데 하나가 될 것을 기대하고 있다.

이하에서는 앞의 변천이 지닌 심층을 탐구하기 위해 고찰의 초점을 믿음과 앎의 관계에 맞추고, 그 원형의 하나를 11세기의 사람 안셀무스로 소급하는 형태로 우선 확인해두고자 한다. 그에 기반하여 애초의 관계가 다름 아닌 바로크 시대를 통해 겪는 결정적인 변질 과정을 16세기 말 예수회의 신학자 몰리나Luis de Molina(1535~1600), 같은 회의 신학자이자 철학자 수아레스Francisco Suárez(1548~1617), 그리고 17세기의 철학자 데카르트René Descartes (1596~1650), 세 사람에 근거하여 다시 더듬어보자.

1. 믿음과 앎의 원풍경 — 안셀무스

신학과 철학

가장 넓은 의미에서 파악하면, '신학Theologia'이란 '신에 관해 생각하고 말하는 학문'이다. '그 자체로 최선이자 영원한 생명'인 '신'을 내세우는 아리스토텔레스의 신학은 '형이상학' 즉 '제1철학'의 별칭이며, '신(들)'에 관한 스토아학파의 이설은 그들의 철학적 우주론의 일부분을 이루고 있었다. 어느 쪽이든 고대 그리스에서 신학과 철학 사이에 강한 긴장이 놓여 있는 것은 아니다. 양자의 관계가 문제가 되는 것은, 요컨대 신학과 철학의 거리가 강하게 의식되는 것은 두 개의 학문을 그리스도교 문화권에 속하는 사람들이 떠맡게 된 이후의 일이다.

그리스도교 신앙의 중심은 신의 육화와 그리스도의 부활과 인류의 구원 등, 사람의 앎이 미치지 못하는 일련의 교의에 의해 형성되어 있다. 그런데 '이러한 초자연적인 오묘한 교의에 닿을 수 있는 것은 신학이지 철학이 아니다. 철학의 임무는 인간의 자연 본성에 기초한 이성이 닿는 범위에 한정되는 것이기 때문이다.' 고대 말기의 교부이든 중세 이후의 신학자이든 이렇게 생각하지 않는 자는 설령 있었다 하더라도 대단히 드물 것이다. 자연히 그들이 신학과 철학의 관계를 묻는 경우, 예를 들어 신의 계시에 달린 신학상의 진리와 철학적 이성이 발견하는 진리의 관계를 묻는 경우, 구별을 전제로 한 관계가 물어지게 된다.

그러나 이 장에서는 이러한 전제를 지나치게 자명한 것으로 여기지 않도록 조심하고자 한다. 당연한 일이지만 신학 역시 인간이 이루는 영위이며, 철학에는 그 탄생 때부터 인간의 존재를 넘어선 무언가에 대한 지향이 내장되어 있다. 그 무언가를 가리키는 말이 서양에서는 '신'이며, '신에 관해 생각하고 말하는 학문'이라는 신학의 말뜻은 철학에도 꼭 들어맞는다.

실제로 신학과 철학이 상호적으로 침투하고 양자의 경계선이 흔들리는 경우는 시대가 내려가면 갈수록 눈에 띄게 되어간다. 예를 들어 뒤에서 검토하는 몰리나의 신학서 『콩코르디아』는 그 중요한 부분에 인간 의지의 힘을 신으로부터 분리하여 분석하는 철학적인 논의를 담고 있다. 또는 데카르트의 『성찰』에서 '신의 존재 증명'은 그의 형이상학의 중심에 해당한다. 더욱이 해석의 문제가 여기에 덮어씌워져 사태는 더욱더 꿰뚫어 보기가 어려워진다. 몰리나의 '철학적'인 논의도 신학의 구성 요소로서 '신학적'이라고 부를 수 있으며, 신을 둘러싼 데카르트의 사유는 '신학적'이라고도 형용되는 한편, 그와 같은 파악 방식을 인정하지 않는 입장도 당연히 강하다.

이처럼 학문의 내용 내지 대상으로 향해 그것이 신학(적)인지 철학(적)인지를 물어보더라도 해결되지 않는 경우가 너무나도 많다. 신학과 철학이 맺는 관계의 안쪽에 빛을 비추기 위해서는 물음이 향하는 그 끝을 변화시키는 것이 좋다.

신학자와 철학자

신학과 철학의 경계가 계속해서 동요하지만, 사실은 각각에 관여하는 사람들 자신은 전혀 흔들림을 느끼거나 동요하지 않는 편이었다고 말할 수 있을 것이다. 철학적 개념을 어떻게 구사하더라도 몰리나는 철학자가 아니다. 신학적 문제를 건드림으로써 데카르트가 신학자가 되는 것은 아니다. 이 점에 흔들림이 생기지 않는 것은 인간에게 갖추어진 두 개의 원초적인 힘이 신학자, 철학자 또는—수아레스의 경우처럼—신학자이자 철학자, 각각의 내부에서 작용하고 있고, 그 작용의 현실성이 예를 들어 데카르트가 철학자라고 하는 것을 의심할 수 없게 하기 때문이다.

논의의 시작으로서 이 힘에 관한 근세의 증언을 하나 들고자 한다. 젊은 라이프니츠가 남긴 초고들 가운데 『철학자의 고백』(1672년경)이라는 제목이 붙은 '신학자'와 '철학자'의 대화편이 있다. 다음에 인용하는 것은 그 서두 부분이다.

> 신학자: 신이 정의라는 것을 당신은 믿습니까?
>
> 철학자: 예, 믿습니다. 아니, 그렇다고 알고 있습니다.
>
> 신학자: 당신은 누구를 신이라고 부르는 것입니까?
>
> 철학자: 전지하고 전능한 실체를.
>
> 신학자: 정의란 어떠한 것입니까?

'신학자'의 최초의 물음에 대한 '철학자'의 대답 방식에 주의하자. 라이프니츠는 그 자신이기도 한 '철학자'에게 '믿습니다'를 '알고 있습니다'로 일부러 고쳐 말하게 하고 있다. 신학자의 신학자인 근거는 믿는 힘에, 철학자의 그것은 아는 힘에 있다고 생각하는 것이다.

확실히 그것은 그러한 것이지만, '철학자'가 '예, 믿습니다'라고 일단 인정하고 있듯이, 철학자 안에서도 믿는 힘은 작용하고 있다. 또한 신학자의 경우에도 학문에 관여하는 자로서 알고자 하는 욕구를 지니지 않을 리가 없다. 초자연과 자연이 오로지 신학과 철학의 거리를 보여준다고 한다면, 믿음과 앎은, 그리고 믿음이 구하는 신학과 앎이 구하는 철학은 하나의 정신 내부에서 다양한 관계를 맺는다.

이하에서는 젊은 라이프니츠의 눈에는 — 만년의 저작 『변신론』(1710년)에서 신학자의 세 번째 물음에 정면으로 몰두하게 되는 그의 눈에도—비치는 일이 없었던 문자 그대로의 내적인 이 관계를 서두에서 이름을 거론한 네 사람의 사상에 근거하여 검토하고자 한다. 첫 번째 사람은 자기 안에서 감지한 두 개의 힘의 작용을 전례 없는 명석한 언어로 기록한 사람, 안셀무스이다.

앎을 구하는 믿음

북이탈리아의 고향을 뒤로하고 알프스를 넘어서 27세(1060년)에 노르망디 지방 베크 수도원에 들어간 안셀무스는 수도자가 되었다. 그 후 이 수도원장(1078년 이후)을 거쳐 60세 때(1093년) 영국의 캔터베리 대주교의 자리에 거의 강제로 오르게 된다. 로마 교황의 대리를 맡는 정치적 직무에 어울리지 않는 안셀무스의 마음은 생애 내내 기도와 학구의 세계에 놓여 있었다. 그와 동시에 자신이 믿는 신에 대해 알고자 하는 그의 욕구는 모든 사태의 인식을 정돈하는 변증 논리학의 정비로도 향하며, 결과적으로 '문제'의 입론과 반론으로 이루어지는 '토론'을 중요시하는 스콜라학에 이르는 길을 개척한 사람들 가운데 한 사람으로 헤아려지게 된다.

처음에 인용하는 것은 수도원장이 되기 직전에 쓰인 전기의 주저 『프로슬로기온』('대화'를 의미)에서 안셀무스가 자신의 사유의 기본적인 태도를 말하는 부분이다.

주여, 저는 당신의 높이를 끝까지 밝히려고 생각하지 않습니다. 저의 이해가 그 높이에 미칠 리는 없습니다. 그럼에도 자신의 마음이 믿고 또한 사랑하는 당신의 진리를 조금이라도 이해하기를 바라지 않을 수는 없습니다. 믿기 위해 이해하고자 하는 것이 아닙니다. 어디까지나 이해하기 위해 믿는 것입니다. '믿는 것이 아니라면 이해하는 일도 없을 것이다'라는 것도 저는 믿는 것입니다.

대충 고쳐 말해보자. '신의 모든 것을 이해하는 것은 도저히 불가능하다고 하더라도, 신이 자신이 믿고 있는 상대방인 이상, 그 상대방의 일을 무언가 알고자 한다. 앎으로써 믿는 마음을 확고히 하려는 것이 아니다. 믿는 마음이 알고 싶어 하게 만드는 것이다. 이 마음이 우선 작용하는 것이 아니라면, 본래 사람은 아무것도 이해할 수 없을 것이다.'

이후 안셀무스는 '당신이 우리가 믿고 있듯이 존재하고, 우리가 믿고 있는 대로의 분이라는 것을 …… 제가 이해하도록 배려해주십시오'라고 말하고, 신의 존재 증명에 착수한다. '배려해주십시오'라고 요청하는 한편, 증명 자체는 '이성이야말로 인간 안에 놓여 있는 모든 것의 군주이며 심판자이다'라는 확신에 기초하여 '성서의 권위'에 의지하지 않고서 앞으로 나아간다.

데카르트가 계승하고 칸트가 '존재론적 증명'이라고 부르며 실패를 선고하는 등, 후세에 커다란 파문을 남긴 이 증명의 상세한 것에 관해서는 다루지 않으려고 한다. 오히려 여기서는 존재 증명을 짊어지는 이성에 대한 신뢰마저도 신에 대한 믿음을 능가하는 것은 결코 아니었다고 하는 기본적인 사실이 지니는 의미에 대해 생각해보고자 한다. 안셀무스의 철학적 경향을 상징하는 표현으로서 '이해를 추구하는 믿음'(『프로슬로기온』, 서문)이라는 말이 자주 원용된다. 그러나 앎에 대한 강한 욕구의 원천은 어디까지나 믿음에 놓여 있다. 그렇다면 이 욕구 이상으로 강한 무언가가 믿음 측에도 갖추어져 있었던 것이 아닐까?

경험과 죄

'믿는 것이 아니라면 이해하는 일도 없을 것이다'라는 말은 구약성서 「이사야서」로부터 취해진 것인데, 이 말을 자신이 '믿는' 이유를 안셀무스는 후년의 저작(『말의 육화에 관한 서간』)에서 다음과 같이 설명하고 있다.

> 왜냐하면 믿는 것이 아니라면 사람이 경험하는 일은 없으며, 경험하는 것이 아니라면 사람이 아는 일도 없기 때문입니다.

뒤집어 말하자면, 오직 믿음만이 '경험'할 만하다는 것이다. 이 경험은 그를 포함하는 누구나가 날마다 쌓아나가는 크고 작은 무수한 경험 가운데 하나가 아니다. 유일무이한 실재를 느끼게 하고 자신의 생존 감각이 통째로 거기에 달려 있다고 생각하게 만드는 강력한 경험이다. 그 경험이 안셀무스의 경우에는 '믿는다'라는 것이었다. 왜 그렇지 않으면 안 되었던 것일까? '주여'로 시작되는 부분 바로 앞에서 그는 다음과 같이 말하고 있었다(' ' 안은 『구약성서』, 「시편」에서의 인용).

'나의 죄는 내 머리 위에 덮치고', 나를 덮어 숨기며, '무거운 짐처럼' 나를 내리누릅니다. 그 죄를 없애고, 무거운 짐을 벗겨 주십시오…….

원죄의 신화로 거슬러 올라가는 '죄'는 '한 사람[=아담]에 의해 죄가 이 세상으로 들어오고, 죄에 의해 죽음이 들어왔듯이, 모든 사람이 죄를 범했기 때문에, 죽음이 모든 사람에게 스며들고 말았다'(『신약성서』, 「로마인들에게 보낸 편지」)라는 바울의 인식을 거쳐 그리스도교 신학의 중추에 놓였다. 안셀무스가 말하는 '경험'의 표면에 내걸린 것이 '신을 믿는다'라고 한다면, 그 안쪽에는 죄로부터 '우리를 구해주십시오'(「시편」/『프로슬로기온』)라고 적혀 있다.

죄책의 생각에서 안셀무스가 느낀 전율을 공유하기는 어렵다고 하더라도, 그가 말하는 '죄'가 지적 조작이 가능한 추상 개념이 아니라 그를 현실적으로 고통스럽게 하는 힘을 휘두르고 있었다는 점은 상상할 수 있을 것이다. '왜 그[=아담]는 빛을 우리로부터 차단하고 어둠으로 우리를 에워쌌던 것일까? 왜 그는 생명을 우리로부터 빼앗고 우리에게 죽음을 짊어지게 했던 것일까? …… 비참한 상실, 비참한 고뇌, 모든 것이 비참이다.' 앞의 인용 조금 앞에 기록된 이 탄식이 마음 깊은 곳에서 나온 것이라는 점에 대해서는 의심할 여지가 없다. 명석성을 지향하는 앎을 추동하는 안셀무스의 믿음은 죄책에 대한 전율을 그 자체의 추동인으로 하는 믿음이며, 그는 그와 같은 믿음을 근거로 하는 신학자였다.

*

안셀무스에 앞서 자신은 '이해하기 위해 믿는' 자라고 마찬가지로 이야기했던 아우구스티누스의 일을 언급하고 나서 다음으로 나아가자. 아우구스티누스는 죄와 악에 전율하는 믿음을 앎의 힘으로 뒷받침하고자 한 그리스도교 사상사에서의 최초의 사람이다. 그가 느낀 전율은 최초의 사람의 그것으로서 안셀무스의 그것보다 훨씬 더 혼돈스러웠고, 아마도 그만큼 더 강했을 것이다. 두 사람을 떼어놓는 600년은 그 혼돈의 한가운데로부터 안셀무스의 손에 의해 믿음과 앎의 작용이 각각 순화된 형태로 추출되기까지 요구된 세월이다.

같은 600년을 안셀무스로부터 이번에는 반대 방향으로 후세 쪽으로 날아갔을 때, 믿음과 앎의 관계는 도대체 어떻게 되어 있는 것일까?

2. 괴리되는 믿음과 앎 — 몰리나와 수아레스

제4카논

몰리나는 1535년 마드리드의 동방 쿠엥카에서, 수아레스는 1548년 안달루시아의 그라나다에서 태어나며, 두 사람 모두 13세기에 창설된 스페인의 가장 오랜 살라망카대학에서 신학과 철학을 닦았다. 1540년에 창립된 예수회에 둘 다 10대 후반에 입회한다. 성장한 후 몰리나는 포르투갈의 코임브라와 에볼라의 대학을 거쳐 고향의 신학교에서, 수아레스는 각지의 예수회 부속학교를 거쳐 코임브라대학에서 신학과 철학을 강의했다. 두 사람 사이에 실제적인 교류가 있었던 흔적은 없다.

그들의 사상은 종교 개혁의 파도를 되돌리고자 하는 대항 종교개혁 운동, 특히 트리엔트 공의회를 빼놓고서 말할 수 없다. 공의회는 정통 신앙(가톨릭)의 가르침을 카논으로서 확정하는 가톨릭 전체의 최고 회의체이며, 카논에 반하는 사람과 사상은 이단으로서 배척된다. 트리엔트에서도 많은 카논이 정해지지만, 그중에서도 16세기 후반의 신학과 철학에 결정적인 영향을 준 것이 1544년의 제6총회에서 내세워진 다음의 제4카논이다.

의지는 설사 그렇게 바라더라도 신에게 동의하지 않을 수 없다고 주장하는 자는 이단이다.

뒤집어 말하면, '의지는 그렇게 바라게 되면, 신에게 동의하지 않을 수 있다.' 중세 이래로 인간의 행위는 인간의 의지와 그 의지에 대한 신의 활동의 양쪽에 의해 성립한다고 생각되어왔다. 신의 활동은 강제가 아니며, 그것에 '동의하지 않을' 여지를 인간 측에 남긴다. 선행을 촉구하는 신의 활동에 동의하지 않는 것, 그것이 곧 악을 이룬다고 하는 것이며, 그 책임은 당연히 인간이 짊어진다. 역으로 만약 '동의하지 않는' 것이 불가능하다면, 악의 책임을 인간에게 물을 수 없게 되고 오히려 신이 악의 책임을 짊어지게 되지만, 그것이 잘못이다.

제4카논이 중세를 일관하는 이러한 공통 이해에 다시 보증을 부여한 것은 '동의하지 않을 수 없다'라는 생각을 긍정할지도 모르는 프로테스탄트의 결정론적 사상을 배격하기 위해서였다. 루터에 따르면, '구원과 지옥의 형벌과 관련해 인간에게 자유 의지는 없다. 인간은 오히려 신의 의지나 악마의 의지, 어느 쪽인가에 사로잡혀 따르며, 어느 쪽인가의 노예가 된다.'(『노예 의지론』)

구교와 신교가 이렇게 날카롭게 대립하는 한편, 구교 여러 파 내부에서도 카논의 문언 해석을 둘러싸고 같은 무리인 까닭에 한층 더 제한 없는 투쟁이 펼쳐진다. 16세기 후반의 신학계의 혼란을 상징하는 이 '은총 논쟁'에서 유달리 이채를 띠는 것이 종래의 신학적 상식을 뒤집는 몰리나의 자유 의지론이다.

악을 이루는 자유

몰리나의 주저는 통칭 『콩코르디아(조화)』. 정식으로는 『은총의 선물, 신의 선지, 섭리, 예정 및 형벌과 자유 의지와의 조화』(초판 1588년/개정판 1599년)라고 한다. 은총, 선지, 섭리, 예정 및 형벌은 모두 다 신의 의지 내지 지성의 활동이거나 활동의 산물이다. 몰리나는 이것들 모두와 인간의 자유 의지는 완전히 '조화'를 이룬 상태에 있으며, 한편이 다른 편을 손상하는 사태는 생길 수 없다는 것을 논증하고자 한다.

논증의 열쇠는 저작의 제목에는 열거되어 있지 않은 '협동'에 놓여 있다. 은총이 인간의 힘을 넘어서는 회심과 구제 등, 신으로부터의 '특수한[=초자연적인] 활동'인 데 반해, 협동은 인간의 의지가 이루는 통상적인 행위에 대한 '전반적인[=자연 수준에서의] 활동'이다(신학적 고찰이 철학의 고찰 영역인 자연 영역으로 내려옴으로써 신학과 철학의 경계가 모호해지는 전형적인 경우라고 말할 수 있을 것이다). 복잡하고 치밀한 논증의 최종 단계에서 몰리나는 다음과 같이 말한다.

> 인간은 스스로의 자유와 방종에 의해 의지와 신이 주는 전반적인 협동을 자유의 제작자[=신]에 결부되어 있지 않은 것[=악한 행위]

을 위해 남용한다.

되풀이하자면, 제4카논이 '동의하지 않을 수 있다'라고 규정한 것은 죄책의 책임을 신에게 돌리지 않기 위해서였다. 인간은 자기의 의지로 신으로부터 이반하고 죄를 범하며 그 책임을 짊어지지만, 그 이반 즉 죄는 결코 인간의 자유에 의한—인간적 자유의 증거가 되는—행위가 아니다. 자유는 선(한 행위)과만 결부된다. 예부터 한 번도 의심된 적이 없는 이 대전제에 제4카논 역시 기초하고 있다. 역으로 말하면, 카논 자체에 인간의 자유를 지키려고 하는 의도는 전혀 포함되어 있지 않다.

이 대전제를, 즉 자유와 선 사이에 예부터 유지되어온 결부를 몰리나는 앞의 부분에서 끊어 내고 있다. '남용하는' 것, 요컨대 선을 촉구하는 신의 활동을 거부하고 신으로부터 이반하는 것도 인간은 '스스로의 자유'—다른 부분에서의 표현으로는 '악을 이루는 자유'—에 의해 이룬다. 게다가 몰리나는 '전반적인 협동'을 거부하는 자유에 관한 논증과 결론을 신의 모든 활동에 전용한다. 자연과 초자연의 구별은 의미를 상실하며, 인간은 은총도 구원도 거부하는 자유를 갖춘 존재가 된다. 나아가서는 의도적·의지적으로 신에게 등을 돌리는 것에서야말로 좀 더 커다란 자유가 깃든다고 하는, 어쩌면 도착이라고도 오인될지도 모르는 사고방식조차 『콩코르디아』에는 담겨 있다.

믿음을 구하지 않는 앎

인간은 신의 활동을 거부하기 어렵지만 거부할 수 없는 것이 아니라고 생각하는가(도미니크회 계열), 거부할 수 있다고 단적으로 생각하는가(프란치스코회 계열, 예수회 계열)의 미묘한 뉘앙스의 차이를 둘러싼 '은총 논쟁'을 조감하거나 신학의 역사를 아무리 거슬러 올라가더라도 몰리나 이상으로 강하게 인간의 힘을 긍정한 신학자는 그 이전에는 없다. 그렇게 몰리나는 어디까지나 신앙에 돈독한 신학자였다. 신의 활동을 인간은 자유롭게 거부할 수 있다는 생각도 그 발단에서는 거부하여 악을 이루는 것은 인간이며, 악의 책임은 신에게 없다는 점을 명확히 하고자 하는 몰리나의 믿음에 기초한 의도가 작용하고 있었을 것이다. 그러한 그의 앎이 인간적 자유의 절대화로 향하게 된 것은 왜일까?

자연히 안셀무스의 믿음에 달라붙어 있던 죄악에 대한 전율이 상기된다. 저 집요한 전율을 몰리나의 믿음은 전혀 감지하고 있지 않다. 감지하고 있다면 '악을 이루는 자유'라는 관념이 그의 정신에 도래하는 일도 없었을 것이다. 전율을 면제받은 믿음에 촉진된 앎이 발견한 신이 거부하더라도 괜찮은 신이었다는 것은 오히려 당연한 귀결이었던 것일지도 모른다. 믿음은 안셀무스의 앎에 대해 원천이자 의거하고 돌아갈 곳이었다. 이 점에서 '앎을 구하는 믿음'은 동시에 '믿음을 구하는 앎'이기도 했다. 그러나 그와 같은 믿음을 몰리나의 앎이 구하는 것은 아니다.

몰리나주의를 무신론으로서 비판하는 목소리는 당시에도 그 이후에도 끊임없지만, 비판의 옳고 그름을 지금 논의할 필요는 없다. 그보다 한층 더 중요한 것은 정반대의 종교적 입장에 있던 인물—'오직 신앙'이라고 이야기한 루터—로부터 마치 이어받은 듯한 형태로 몰리나가 수행하게 된 사상사에서의 역할이다. 「95개 조항」(1517년)을 단행하기 몇 년 전에 『구약성서』 「시편」의 강의에서 루터가 제시한 '신학자'의 정의를 다음에 인용하고자 한다.

> 살아 있는 자로서, 아니 오히려 죽어야 할 자, 저주받은 자로서 사람은 신학자가 된다. 이해하고 읽으며 사변을 일로 하는 자로서가 아니라.

'저주받은 자'는 조금 더 온건하게 '죄를 짊어진 자'라고도 옮길 수 있지만, 루터가 '신학자'에게 요구한 죄책 의식은 앎에 대한 욕구를 꺼려야 하는 자라고 할 정도로 강렬했다. 죄악과 죽음의 관념에 사로잡힌 루터의 믿음은 앎을 구하는 것이 아니라 거부함으로써 일거에 바울에게로 돌아가고자 한다. 그와 같은 방식으로 세기 초에 루터가 알린 믿음과 앎의 괴리를 역전된 방식으로, 요컨대 이전과 같은 믿음을 앎에서 구하게 하지 않음으로써 세기말에 다시 알린 것이 몰리나였다. 독일 농민 전쟁도 프랑스의 종교 전쟁도 이 괴리를 가장 깊은 뿌리로 지닌다.

몰리나 안에서 변모를 이룬 앎은 다음에 다룰 수아레스의 손에 의해 학문 체계적으로도 믿음의 상위에 놓이게 된다.

'시녀'로부터의 탈각

수아레스에게는 교정판으로 모두 28권에 이르는 저작집이 있다. 대충 나누면, 26권까지는 신학자 수아레스의 저술(은총 등 계시에 관련된 사항들을 다루는 '초자연적 신학'과 교회법이나 신도의 생활양식 등을 다루는 '도덕 신학')이 차지하며, 제25, 26의 두 권이 철학자 수아레스에 의한 『형이상학 토론집』(1597년)이다. '제1철학 또는 형이상학의 본성'을 획정하는 제1토론으로부터 '가상적 존재자'를 다루는 제54토론까지 내용은 다양한 영역에 걸치지만, 여기서는 수아레스가 이 저작에서 나타낸 의도가 지닌 사상사적인 중요성에 이야기를 한정하고자 한다.

『형이상학 토론집』의 내부 구조와 기본 원리를 수아레스는 '제1토론'에서 다음과 같이 예고하고 있다.

> 존재, 실체, 원인, 그 밖에 이것들과 비슷한 사항에 관한 공통의 근거를 미리 파악해두지 않으면 신에 관한 정확하고 논증적인 인식을 형이상학에서 획득할 수 없을 것이다. 왜냐하면 신의 활동 결과를 통해서가 아니라면, 또한 공통의 근거에 의해서가 아니라면, 신을 인식하는 것이 우리에게는 가능하지 않기 때문이다.

'존재, 실체, 원인'과 같은 형이상학의 개념들을 인간의 이성으로 탐구할 수 있는 '공통의 근거'에 기초하여 우선 확립한다. 다음으로 그러한 개념들에 기초하여, 요컨대 어디까지나 자연의 수준에 머물러 '신에 관한 정확하고 논증적인 인식'을 획득한다. 이렇게 해서 획득되는 인식은 초자연적 신론, 요컨대 신학과 어떠한 관계에 놓여 있는 것일까?

『형이상학 토론집』의 「서언」에 이 글의 집필에 이른 경위가 수아레스답지 않은 고백조로 대체로 다음과 같이 말해지고 있다. '나는 거룩한 신학의 가르침에 주해를 베푸는 신학 강의를 담당하고 있었지만, 어느 순간 그 강의를 중단하지 않을 수 없다는 느낌이 다가왔다. 우선, 이전에 자신이 행한 철학 강의를 새롭게 세밀히 조사하고 전개하며 출간하기 위해서이다.'

그러나 신학을 중단하고 우선 철학으로 돌아오는 것은 좀 더 완성도가 높은 신학을 뒤에 추구하기 위해, 즉 다시 신학으로 돌아오기 위해서가 아니었다. 수아레스는 같은 「서언」에서 다음과 같이 말하기도 한다. '거룩한 초자연적 신학'은 '인간이 구사하는 논의와 추론으로써 완성된다.' 또는 '제1철학'이야말로 '모든 학문을 모종의 방식으로 뒷받침하고 유지한다.' '모든 학문'에는 신학도 포함된다. 수아레스가 신학적 탐구를 중단한 것은 우선 형이상학의 틀 내에서 인식하기 위해서이고, 동시에 그 인식만 있으면 충분하기 때문이었다.

'자연 본성에 기초한 이성적·철학적 인식은 계시와 은총의 영역으로 나아가 비로소 완전히 전개되며, 동시에 그 한계도 분명해진다. 철학은 신학으로 나아가는 발판으로서 필요하기는 하지만, 최종적으로는 신학의 시녀의 입장에 머문다.' — 이것은 토마스 아퀴나스가 정식화한 이후 16세기까지 기본적으로 유지되어온 사고방식이다. 그 사고방식을 수아레스는 '제1철학' 내지 '형이상학'에 대해 '거룩한 초자연적 신학' — 토마스가 『신학대전』에서 도입한 표현 — 을 '완성'하는 역할을 부여함으로써 역전시킨다. 수아레스에 따르면, 철학을 추구하는 앎에 신학으로 향하는 믿음은 필요하지 않다. 완성하는 측의 완전성은 완성되는 측의 존재에 좌우되지 않기 때문이다.

정말이지 철학을 신학에 종속시키는 전통적인 생각의 표명도 『형이상학 토론집』에서는 이곳저곳에서 보이지만, 그것들에 실질이 수반되어 있지 않다는 것은 몰리나에 이어서 인간의 자유를 최대화하고 반비례적으로 신의 현존을 감축하는 수아레스의 이론적 방침이 분명히 이야기하고 있다. 그 신이 인간 세계에 가져오는 '결과'는 때때로 '무언가의 악과 좋지 못한 것이 신 안에서 생겨나는' 것이 아닌지 의심하게 하고, '자칫하면 신이 증오의 대상이 되기도 한다.'(「제19토론」) 주저 없이 이렇게 표명할 수 있었던 수아레스를 '신학자이자 철학자'라고 부르는 경우, 그 신학자는 '이해하고 읽으며 사변을 일로 하는' 철학자에 의해 '뒷받침되고 유지'됨으로써 가까스로 자기 자신을 유지하는 신학자이다.

*

앎이 이전의 믿음을 방기하기에 이르는 과정을 한 권의 책으로 응축한 것이 『콩코르디아』라고 한다면, 수아레스는 같은 과정을 신학적 저작들로부터 『형이상학 토론집』을 이탈시키는 체계적 절차를 통해 다시 한번 분명히 보여준다. 그들에게는 그들 나름의 믿음이 틀림없이 무언가 남아 있었다고 하더라도, 그 믿음은 앎을 통제하는 힘을 이미 잃어버렸다.

이렇게 하여 괴리가 어쩔 수 없게 된 믿음과 앎의 더 나아간 행방을 『신의 실재 및 인간 영혼의 신체로부터의 구별을 논증하는 제1철학에 관한 성찰들』(통칭 『성찰』)을 저술한 철학자 데카르트에게서 추적해가고자 한다.

3. 문제의 재구성 — 데카르트

신학과의 관계

1596년, 프랑스의 투렌 지방에서 태어난 데카르트는 여덟 살부터 10년간, 예수회가 운영하는 라 플레슈 왕립학원에서 공부한다. 편력의 세월을 거친 후, 1629년 이후에는 네덜란드를 거주지로 삼았다. 1649년에 교사로서 초빙받은 스톡홀름으로 출발하며, 그 다음 해에 사망한다.

17세기의 학문 세계에 여전히 군림하고 있던 신학은 데카르트의 인생과 저작에도 수많은 흔적을 남기고 있다. 그의 등을 철학으로 떠민 것은 오라트와르회의 추기경 베뤼르였다. 미완성으로 끝난 『정신 지도의 규칙』(1628년)에는 신앙의 근거를 지성의 힘으로 밝히고자 하는 젊은 야망이 엿보인다. 자연학 전반을 다루는 『세계론』의 출간을 단념한 것은 지동설을 이야기한 갈릴레오의 이단심문(1633년)이 원인이며, 그 내용 일부를 살리기 위해 집필된 『방법서설과 삼시론』(1637년)은 스콜라학과 손을 끊는 참신함 때문에, 신교 측의 신학자 보에티우스Gisbertus Voetius(1589~1676)와 예수회의 부르뎅 신부Pierre Burdin(1595~1653) 등으로부터 공격을 받고, 비학문적인 '위트레히트 분쟁'으로 데카르트는 만년까지 피폐를 강요당한다. 주저 『성찰』(초판 1641년/제2판 1642년)은 사전에 받은 반론에 대한 답변을 붙여 출간되지만, 아르노Antoine Arnauld(1616~ 1698) 등 신학자의 반론에 대한 답변은 필연적으로 신학과 철학의 관계에 대해 언급하는 내용을 포함하게 된다.

이러한 개별적인 국면마다 데카르트는 종교와 신학에 관한 자신의 견해를 미세하게 조정하여 제시하지만, 기본적인 견지는 변하지 않는다. 『성찰』의 탐구 과정을 교과서식으로 다시 배열한 『철학 원리』 「제1부」(1644년)를 매듭짓는 제76항에서 그는 대체로 다음과 같이 말하고 있다. '우리는 신에 의해 계시된 사항이야말로 가장 확실하다고 믿어야만 한다. 만약 이성의 빛이 계시와는 다른 무언가를 명석한 동시에 명증적으로 제시하는 것으로 생각되는 경우에는, 자신의 판단이 아니라 신의 권위 쪽에 믿음을 두어야 한다. 그러나 신에 대한 신앙이 아무것도 가르치지 않는 사항에 관해서는 참이라고 스스로 통찰하지 않은 것을 참인 것처럼 받아들이는 것 이상으로 철학도에게 어울리지 않는 것은 없다.'

한 사람의 평신도로서 데카르트는 가톨릭의 교의를 받아들인다. '만약'이라는 표현은 그 점을 강조할 뿐으로, 그는 계시와 이성이 모순될 가능성 등은 실제로는 상정하지 않았다. 이 제76항을 데카르트 자신이 '최고의 규칙'이라고 부르고 있다. 확실히 『성찰』의 방법적 회의에서 유래하는 '그러나' 이하는 물론이고 계시를 언급하는 구절에서도 거짓은 포함되어 있지 않다. 다만 본심도 제시되어 있지 않다. 시대의 상황만 허락한다면, '자신은 신학에 관심을 기울이는 인간이 아니다'라는 한마디로 데카르트에게는 충분했을 것이며, 사실 그는 존경하는 벗 호이헨스Christiaan Huygens(1629~1695)에게 감추는 것 없이 그렇게 말하고 있다(1642년 10월 10일자 서간).

종교가 가르치는 모든 사항을 믿고자 하고, 실제로 굳게 믿고 있다고 스스로 생각하는 한편, 인간의 자연 본성에 기초하는 대단히 명증적인 근거에 의해 확신을 얻는 경우처럼 강하게 자신의 마음을 움직일 수 있는 일이 종교의 경우에는 이미 없는 것입니다.

신학과 철학이 인접해온 오랜 역사가 있는 이상, 신학에서 유래하는 다양한 어휘와 생각과 문제가 데카르트의 철학에 침투해오는 것은 피하기 어렵다. 종교 세력과의 쓸데없는 충돌을 회피하려고 그가 배려하는 것도 무리가 아니다. 그리고 피하기 어렵고 무리가 아니라고 하는 그 이상의 의미를 신학을 언급하는 데카르트의 논의와 종교에 대한 그의 자기변명에서 발견하고자 하더라도 아마 잘 보이지 않을 것이다. 데카르트가 철학자이지 신학자가 아니라는 것은 곰곰이 생각하면 그러한 것이다.

믿음의 근거로

그렇지만 다음의 것을 상기할 필요가 있다. 안셀무스의 믿음이 전율에 규정되어 있었던 것은 믿는 마음의 활동이 그 자신의 이지성의 통제에서 벗어나 있었기 때문이다. 또한 몰리나와 수아레스의 앎이 믿음을 돌아보지 않았던 것은 앎이 홀로 달린 그 결과이긴 하지만, 의도적인 무시는 아닐 것이다. 세 사람의 경우는 믿음과 앎의 문제가 신학과 철학을 불문하고 학적인 앎으로 해결되는 성질의 문제가 아니라는 것을 잘 보여준다. 데카르트 역시 그와 같은 문제로서 믿음과 앎의 관계를 — 그렇게는 의도하지 않고서 — 받아들이게 된다. 아니 오히려 다른 모든 사상가와 마찬가지로 사람이 믿는 힘과 아는 힘이 만들어내는 문제 영역에 그 역시 좋든 싫든 휘말리게 된다.

다시 한번 안셀무스를 되돌아보자. 신을 포괄적으로 이해하는 것은 가능하지 않다는 생각이 신의 존재 증명으로 그를 촉구했다. 같은 생각이 『성찰』에서의 신의 존재 증명에서도 중요한 요점이 되는 것이지만, 『철학 원리』에서는 그보다 좀 더 나아간다. 「제1부」 제41항의 후반 부분을 살펴보자. ① 신에게로 향하는 이 생각이, ② 인간 측으로 반전하고, ③ 새로운 전개를 보여준다.

> (…) ① 왜 신이 인간의 자유로운 행위를 미결정인 채로 남긴 것인지를 아는 정도로 신의 능력을 포괄적으로 이해하는 것은 우리에게는 가능하지 않지만, ② 다른 한편으로 우리 안에 있는 자유 (…) 에 관해서는 이 정도로 명증적인 동시에 완전하게, 또한 포괄적으로 우리가 이해할 수 있는 것은 달리 없다 (…) ③ 실제로 그 본성상 포괄적으로는 이해할 수 없다고 알고 있는 것을 포괄적으로 이해하지 못한다고 해서 우리가 스스로의 안쪽 깊은 곳에서 포괄적으로 이해하고 우리 자신에게서 경험하는 사항까지 의심하는 것은 불합리할 것이다.

① 신의 전능함을 보여주는 사례는 달리도 많이 있는 가운데, 데카르트는 신이 인간의 행위를 미리 다 결정하지 않은 이유를 감히 선택하여 든 다음, ② 그로부터 반전하여 인간의 자유를 강조한다. 그가 감히 그렇게 하도록 한 것이, ③ 자신의 의지가

자유라고 느끼는 '경험'에 갖춰진 강한 현실성과 그로 인한 의심 불가능성이다.

안셀무스의 경우, 죄악에 대한 전율이 경험의 실질을 이루고, 그 경험이 신에 대한 믿음을 뒷받침하며, 믿는 것이야말로 유일무이한 경험이라고 그에게 말하도록 했다. 이에 반해 제41항은 그와 같은 경험에 대응하는 것이 데카르트의 경우에는 의지의 자유라는 것을 분명히 보여준다. 그렇지만 의지가 믿음을 대체한 것이라는 정도의 단순한 문제가 아니다. 데카르트에게서 의지는 오히려 믿음의 근거가 되기도 한다.

어떠한 것일까? '믿음'과 '신앙' 그리고 '믿는다'라는 말의 기본적인 용법을 실마리로 하여 고찰을 계속해보자.

의지에 의한 믿음

라틴어에도 프랑스어에도 종교상의 '믿음' 즉 '신앙'을 의미하는 명사는 있지만(라틴어: fides, 프랑스어: foi), '믿는다'라는 동사에 종교적 의미만을 짊어지는 것은 없다. '생각한다'를 폭넓게 의미하는 일반적인 동사가 문맥에 따라서 '신을 믿는다'라는 의미로 된다. 당연히 믿음의 대상이 되는 '~을(를)'의 '~'에는 다양한 것이 들어갈 수 있다. 이때 신학자라면 '신을 믿는 것과 저 남자의 말을 믿는 것에서는 믿음의 질이 전혀 다르다. 믿는 대상이 완전히 다르기 때문이다'라고 말할 것이다. 다른 한편 데카르트는 '어느 쪽이든 믿는 것이며, 다름은 없다'라고 답할 것이다. 왜 다름은 없다고 말할 수 있는 것일까? 믿는다는 정신의 활동이 의지의 활동일 뿐이기 때문이다. 『성찰』에 대한 「제5반론에 관한 서간」에서 신에 의해 계시된 진리를 인간이 믿기에 이르는 심리 기제를 데카르트는 다음과 같이 설명하고 있다.

신앙에 관한 진리에 대해서도 그것이 신에 의해 계시된 것이라는 것을 확신하게 하는 무언가의 근거를 우리는 우선 각지하고 있을 것이며, 게다가 우리는 그 진리를 스스로 믿고자 할 것이다.

설명의 전반부에 따르면 '이 진리는 신의 계시에 의한 것이다'라는 확신이 생기는 것은 확신을 낳는 근거를 인간 측이 처음에 붙잡고 있기 때문이다. 후반부에 따르면 그 진리를 인간은 '스스로 믿고자 한다.' 여기는 '믿기로 스스로 결정하다'가 직역으로 '스스로 결정하다'라는 것은 데카르트가 의지의 활동을 말할 때 사용하는 표현이다. 따라서 '스스로 믿고자 한다'라는 것은 '스스로의 의지로써 믿고자 한다'라는 것이다. 또한 맨 처음의 '도'는 인간이 진리를 파악하고 그것을 긍정하기에 이르는 과정 ― 사태의 근거를 지성이 각지하고, 즉 그 근거의 진리성을 확신하고, 그 진리를 의지가 긍정하는 과정 ― 과 같은 과정이 '신앙의 진리에 대해서도' 인정된다는 함축을 지닌다.

이 '도'와 관련하여 데카르트는 신학자들에 대한 「제2답변」에서 다음과 같이 말하고 있었다.

> 명석함, 말하자면 분명함—그에 의해 우리의 의지는 동의하는 것을 향해 움직여질 수 있다—에는 이중의 의미가 있다. 즉 한편은 자연의 빛에 의한 것이며, 또 한편은 신의 은총에 의한 것이다.

인간이 스스로 얻는 인식은 거기에 자연의 빛, 즉 이성의 빛이 들어옴으로써 명석해진다. 신이 부여하는 은총은 무조건 명석하다. 어느 쪽이든 이 명석함이 의지를 획득된 인식이나 은총에 동의하도록 촉구한다. '동의한다'라는 것은 인식의 경우 '긍정한다'라는 의미이며, 은총의 경우에는 '받아들인다'라는 의미이다. 데카르트의 생각에는 의지가 명석한 인식을 긍정하지 않거나 은총을 받아들이지 않는 일은 일어나지 않는다. 그럼에도 긍정과 받아들임은 인간이 스스로의 의지로 하는 일이다.

데카르트의 정신의 눈길은 자기 안에 있는 의지의 활동이 관계하는 것(신이나 명석한 인식)을 도외시하고 그 활동 그 자체로 곧바로 향하고 있다. 따라서 그의 정신은 의지의 활동에 수반되는 현실을 달리 아무것도 뒤섞지 않고서 감지한다. 그 의지가 앎과 대립적인 관계에 들어서는 일은 앞에서 확인했듯이 지성에 의한 근거의 각지로부터 의지에 의한 진리의 긍정으로라는 과정이 보여주는 대로 기본적으로 존재하지 않는다. 그와 같은 의지가 믿음의 근거로서 작용하고 있는 이상, 믿음과 앎을 이항 대립적으로 파악할 필요도 없다. 이렇게 해서 데카르트는 믿음과 앎이라는 전통적인 문제를 포맷과 함께 재구성하고, 믿음을 신학의 영역으로부터 밖으로—'경험'이라는 말로 지시되는 일반적인 영역으로—끌어냈다.

결론을 대신하여—'경험'의 행방

의지에 의한 믿음. 데카르트에게서 나타난 이와 같은 믿음의 모습에 포함된 문제를 그 소재만을 간단히 제시하여 이 장의 결론을 대신하고자 한다.

스스로의 의지로 믿는다는 것은 뒤집어 읽으면 믿지 않을 수도 있다는 것이다. 그렇다면 결국 데카르트는 몰리나('악을 이루는 자유')와 수아레스('신도 증오의 대상이 된다')가 산출한 이를테면 과잉된 자유 의지론의 계승자라고 할 수 있는 것이 아닐까…….
100년이 넘는 데카르트 연구를 통해 여러 차례 되풀이되어온 이 문제에 관해서는 전혀 그렇지는 않다고만 말해두고자 한다. 오히려 카논을 표준으로 하여 투쟁하는 신학상의 정통과 이단, 그리고 무신론의 문제보다도 어떤 의미에서 훨씬 더 무시무시한 문제가 있다.

믿음의 근거를 자기의 의지에 한정한다는 것은 다시 말하면 믿는다는 것에 있어서 자신 이외의 누구(신)도 무엇(교회나 교의)도 의지하지 않는다는 것이다. 즉 의지에 의한 믿음은 우선 종교적인 신앙이 의거하는 것을 거부한 다음, 그럼에도 여전히 성립하고자 하는 믿음이다. 그렇다면 역시 무신론의 문제가 아닐까? — 그렇지는 않다. 데카르트는 '경험'이라는 일반적인 영역으로 믿음을 끌어냈다. 의거해서는 안 되는 '누구'는 우선은 신이라고 하더라도 신으로만 한정되지 않는다. '무엇'은 우선은 교회와 교의라고 하더라도 이것들로만 한정되지 않는다. 의거해서는 안 되는 것에는 모든 권위 외에, '최고의 규칙'에서의 표현을 빌리자면, 모든 '참이라고 스스로 통찰하지 않은 것'이 포함된다.

과연 의지에 의한 믿음에 따라 스스로를 고립무원의 상태에 두는 것에 겁먹지 않고 또한 전율하지 않는 것이 사람에게 가능한 것일까? 데카르트 자신은 어린 시절부터 받아들여 온 지식을 모두 백지화하고 '최초의 토대로부터 새롭게 시작해야만 한다'(「제1성찰」)라고 결의하기 이전의 어느 시점에 겁먹음도 전율도 으스러뜨리고 있었을 것이다. 그러나 다른 사람들은 어떠할까? 데카르트는 불우함을 한탄하는 팔츠가의 공주 엘리자베트에게 다음과 같이 말한다(1645년 11월 3일자의 서간).

> 신의 존재를 인식함으로써 우리에게는 자유로운 의지가 갖추어져 있다는 것에 대한 확신을 어지럽혀서는 안 됩니다. 우리는 의지의 자유를 자기 안에서 경험하고 감지하고 있기 때문입니다.

내용만 보면, 『철학 원리』 「제1부」 제41항과 기본적으로 변함이 없다. 그러나 말이라는 것은 눈앞의 개인에게 제출될 때 일반론에는 없는 무서움을 발휘하는 것이다. 앞의 '확신'은 모든 지적 권위를 거부하겠다는 각오를 전제로 하는 확신이다. 그 점을 엘리자베트는 깨닫지 못했다. 깨닫게 될 때 그녀 자신이 이전에 전율을 물리친 데카르트처럼 자신도 물리칠지 아닐지의 기로에 서게 된다. 데카르트는 자신의 말이 눈앞의 상대방에게 그러한 결단을 압박할 가능성을 포함하고 있다는 것을 알면서 그렇게 말했던 것일까? 아니면 바로 상대방이 이 가능성을 감지하는 일은 없을 것으로 예측했기 때문에 말할 수 있었던 것일까? 자신이 말하는 '경험'이 다른 사람들과 그 자신을 데려가는 곳을, 그리고 믿음과 앎이 이후의 세계에서 보여주는 다양한 관계를 데카르트는 어디까지 내다보고 있었던 것일까? — 대답은 보류해두고자 한다.

☞ 좀 더 자세히 알기 위한 참고 문헌

— 클라우스 리젠후버Klaus Riesenhuber, 『중세 사상사中世思想史』, 平凡社ライブラリー, 2003년. 신학과 철학의 관계를 생각할 때는 역시 중세 사상사의 전체상을 떠올릴 수 있도록 해야만 한다. 이 책은 복잡한 개념사를 독해하기보다 믿음과 앎의 관계가 겪어나가는 변천의 대강을 제시하는 것에 중점을 두고 있기 때문에 통독할 만하다.

— 하야미 게이지速水敬二, 『르네상스 시기의 철학ルネッサンス期の哲学』, 筑摩叢書, 1967년. 간행된 지는 상당히 오래되었지만, 기술은 낡은 인상을 남기지 않는다. 특히 앞의 『중세 사상사』에서는 거의 기술되지 않는 16세기의 종교를 둘러싼 사상 상황(제2장)에 관해 너무 상세하지도 않고 너무 소홀하지도 않게 기술하고 있어 오늘날에도 가장 균형이 잡힌 철학사 책 가운데 하나라고 생각된다.

— 안셀무스アンセルムス, 『안셀무스 전집アンセルムス全集』, 후루타 교古田 曉 옮김, 聖文舍, 1980년. 안셀무스의 주요 저작을 한 권에 수록한 위업. 번역 수준의 높음, 각 저작에 붙인 해설의 적확함, 시대 상황과 안셀무스의 사상 및 현실 사회에서의 활동을 함께 짜 넣은 권말 해설의 풍부함, 이 모든 면에서 안셀무스에게 관심을 기울이는 사람에게 있어서는 달리 대체하기 어려운 정보 원천이다.

— 오니시 요시토모大西克智, 『의지와 자유 — 하나의 계보학意志と自由 — 一つの系譜学』, 知泉書館, 2014년. 이 장의 집필자 저작으로 몰리나와 수아레스의 사상을 일본어로 논의한 책이 달리 없는 까닭에 제시한다. 전체로서는 아우구스티누스로부터 데카르트에 이르는 자유 의지론의 계보를 '악'의 개념에 주목하여 재구성하는 것을 목적으로 하고 있다.

칼럼 3

활자 인쇄술과 서양 철학

아가타 마리安形麻理

1455년경에 독일의 마인츠에서 요한네스 구텐베르크가 발명한 활판 인쇄술은 책의 대량 생산으로 나아가는 길을 열고 정보·지식의 유통 방식을 변화시켜 서유럽 근대 사회의 성립에 커다란 영향을 주었다. '인쇄 혁명'으로 불리는 까닭이다. 활판 인쇄술의 발명은 고려가 앞섰지만, 동양에서는 인쇄의 주류는 그 후에도 오랫동안 정판 인쇄로 서양만큼의 사회적 영향을 가져오지 못했다. 하나의 모형으로부터 같은 형태의 금속 활자를 대량으로 주조하고, 그 활자를 한 문자씩 조합시켜 반복해서 사용하는 이점은 알파벳 문화권에서 크다. 활판 인쇄술은 50년이 채 안 되는 사이에 유럽의 거의 전역에 보급되고, 15세기 말까지 4만 판—다만 같은 작품이 여러 판 출판되기도 했다—, 2,000만 부 정도가 인쇄되었다고 추정되고 있다.

활판 인쇄술의 등장이 그리스·로마 철학의 서유럽에서의 발전에 중요한 역할을 한 것은 의심할 수 없다. 아리스토텔레스 철학은 서유럽 중세에서는 보에티우스의 저작을 통해 알려질 뿐이었지만, 12세기에 이슬람 세계를 거쳐 서유럽에 전해지고 인문주의자에 의해 라틴어로 번역되고 있었다. 인쇄술은 그러한 번역과 교정 성과의 입수를 사본 시대보다 현격히 쉽게 만들었다.

15세기 인쇄본의 종합 목록 Incunabula Short Title Catalogue에 따르면,

아리스토텔레스의 저작은 15세기에 175판이 간행되었다. 그 가운데 다수는 라틴어판으로 그리스어판은 베네치아의 알도 마누치오Aldo Manuzio(1450년경~1515)가 출판한 한 판뿐이다. 마누치오는 학장学匠 인쇄가로 불리는 인문주의 인쇄업자로 읽기 쉬운 그리스어 활자를 완성하고, 그리스 고전 작품의 출판에 열심히 몰두했다. 무역 도시 베네치아는 가장 큰 출판 도시이기도 하며, 1453년의 동로마 제국 붕괴 후에는 많은 그리스인이 망명해 왔다.

이어지는 16세기에 인쇄된 철학을 주제로 하는 책을 서지 데이터베이스 Universal Short Title Catalogue에서 조회하면, 4,550판이 등록되어 있으며, 그 가운데 30%가 채 안 되는 것이 이탈리아(그 가운데 반수 이상은 베네치아), 20%가 조금 넘는 것이 프랑스(그 가운데 반수 이상은 파리)에서 인쇄되었다. 저자 별로는 아리스토텔레스가 833판으로 가장 많고, 에라스뮈스 39판, 보에티우스 34판, 안토니오 데 게바라Antonio de Guevara(1481년경~1545) 28판, 토마스 아퀴나스 20판으로 이어진다. 그리스·로마 철학과 스콜라 철학, 동시대 인문주의자의 저작 등, 폭넓다.

이 사이에 책에는 표제지와 쪽 매김이 일반화하며, 목차와 색인 등의 참조 도구가 덧붙여지고, 활자체도 고딕체를 대신해 로마체가 주류가 되어갔다. 책의 물리적 특징과 독자의 기대와 읽는 방식은 서로 영향을 준다. 철학 저작의 내용에 더하여 그 매체의 구체적인 물리적 특징을 검토하는 것도 하나의 관점으로서 유효할 것이다.

칼럼 4

르네상스와 오컬트 사상

이토 히로아키伊藤博明

조반니 피코 델라 미란돌라Giovanni Pico della Mirandola(1463~1494)의 인간론은 이탈리아 르네상스를 대표하는 것으로서 명성이 높다. 그는 인간을 신에 의해 미리 정해진 지위와 본성이 주어져 있지 않은 존재로 생각하고, 인간 존엄의 근거를 자기의 지위와 본성을 자유 의지에 의해 선택하는 점에서 찾았다.

피코가 이와 같은 인간의 예로서 언급한 것이 마구스magus이다. 그에 따르면 마술magia이란 본래는 마구스라는 조로아스터교의 사제 계급이 소유하는 최고의 지혜이며, 대단히 깊은 신비로 가득 차 있고, 가장 비의적인 것의 관점과 전 자연의 인식을 가져오는 것이다. 그것은 이 세계에 숨어 있는 힘들을 불러냄으로써 놀라운 일을 행하기보다 오히려 자연에 이바지하는 것이며, 이런 의미에서 자연 마술이라고 불린다.

아그리파 폰 네테스하임Heinrich Cornelius Agrippa von Nettesheim(1486~1535)은 『오컬트 철학』에서 피코의 논의를 발전시킨다. 그에 따르면 자연 마술은 자연적 사태와 천계적 사태의 모든 힘에 관해 숙고하고, 그 질서를 주의 깊게 탐구하며, 하위 사물과 상위 사물의 조응 속에서 자연의 숨겨진(오컬트) 힘을 인식하는 것이다. 이리하여 믿기 어려운 기적이 인간의 기술이 아니라 자연에 의해 자주 야기된다.

아그리파가 이야기하는 마술이란 성자에 의한 기적, 악마에 의한 요술 또는 자연법칙의 위반이 아니라 자연계의 사물들과 힘들에 대한 심원한 해명을 의미하며, 피코의 표현으로는 '자연 철학의 완성'이었다. 이 견해는 르네상스 시기에 마술에 관심을 지니고 있던 사상가 모두에게 공통으로 보이는 것이다.

잠바티스타 델라 포르타Giambattista della Porta(1538~1615)는 마술적 조작의 실제적인 구현에 대해 높이 평가했지만, 한편으로 주문과 같은 조작은 비판하고 있다. 마술적 조작은 기적적으로 보인다고 하더라도, 자연의 한계를 결코 넘어서는 것이 아니며, 관찰자는 그것을 충분히 이해하고 있어야만 한다. 마술은 세계에 작용하는 실천적 활동이며, 화약과 인쇄 등의 발명도 그것이 이해되고 공통의 지식이 되기까지는 마술로 보였다.

영국 경험론의 비조인 프랜시스 베이컨Francis Bacon(1561~1626)의 기술관도 이들 르네상스의 마술론을 이어받고 있다. 그에 따르면 마술이란 숨겨진 형상의 지식을 놀라운 조작에 적용하고, 능동적인 것을 수동적인 것에 결합하여 자연의 놀랄 만한 작업을 해명하는 학문이다. 그는 마술 전통으로부터 자연의 하인으로서 그 조작을 돕고, 남모르게 그리고 교묘하게 자연을 인간의 지배에 복종하게 한다는 착상, 그리고 또한 힘으로서의 지식의 관념('아는 것은 힘이다')을 획득한 것이다.

신성 로마 제국의 경계
스코틀랜드 왕국
에든버러
북해
잉글랜드 왕국
암스텔담
런던
네덜란드
대서양
파리
베르사이유
낭트
프랑스 왕국
포르투갈 왕국
마드리드
리스본
스페인 왕국
안도라
지중해

유럽(17세기 중엽)

스웨덴 왕국
스톡홀름
발트해
러시아 제국
프로이센
폴란드
왕국
브란덴부르크
베를린
바르샤바
헝가리 왕국
빈
오스트리아
부더
베네치아
흑해
교황령
베네치아 공화국
오스만 제국
콘스탄티노폴리스
로마
나폴리
나폴리 왕국
레반트

제7장

포스트 데카르트의 과학론과 방법론

이케다 신지池田眞治

1. 바로크적 방법의 시대

들어가며

17~18세기의 유럽은 예술과 건축의 관점에서는 바로크 시대, 역사학적으로는 '근세' 내지 '초기 근대'로 구분된다. 철학에서는 르네상스 이후의 과학 혁명과 종교 혁명이 이루어진 16세기부터 계몽주의와 칸트가 등장하는 18세기 후반까지를 하나로 묶는 경우가 많으며, 프랑스에서는 '고전기l'âge classique'라는 호칭이 정착해 있다. 바로 이 시기에 데카르트로부터 칸트까지의 근대 철학의 고전적 저작들이 등장하기 때문이다. 이 시대는 그때까지의 전통적 철학의 한계가 드러난 시대이기도 하다. 스콜라 철학 대신에 새롭게

일어난 과학과 결부됨으로써 정신과 자연을 포함한 우주를 인간 이성의 관점에서 근본적으로 다시 파악하고자 하는 새로운 철학이 융성했다. 그것은 자아 내지 주체의 문제가 세계 내지 객체 이해의 근원에 있다고 하는 이른바 근대 철학의 여명이다.

이 시대에는 아직 현대에서 말하는 '과학'이라는 말은 없었다. 실험·관찰과 수학적 방법을 사용하여 자연을 탐구하는 학문은 '자연학physica' 내지 '자연 철학'이라고 불리며, 그것들은 대개 '철학'과 같은 뜻이다. 라틴어의 스키엔티아scientia를 어원으로 하는 사이언스science가 '과학'의 의미를 지니는 것은 19세기 후반에 이르러서부터이다. 실제로 17세기의 과학자는 자신을 '철학자'로 칭했다. 따라서 이 장에서는 과학론이라는 것으로 넓은 의미에서는 학문론 내지 지식론, 좁은 의미에서는 개별 자연 철학과 자연관을 의미하기로 한다.

이 장에서는 고전기의 과학론과 방법론이라는 것에서 포스트 데카르트 세대에 해당하는 토머스 홉스Thomas Hobbes(1588~1679), 바루흐[베네딕투스] 데 스피노자Baruch de Spinoza(1632~1677), 고트프리트 빌헬름 라이프니츠Gottfried Wilhelm Leibniz(1646~1716)의 수학적 방법론과 기계론적 자연관에 주목하고자 한다. 기계론이란 물리 현상을 물체의 형태·크기·운동으로 환원하여 수학적으로 설명하는 학문이다. 그들은 데카르트의 수학적 방법에 커다란 영향을 받아 수학을 확실한 지식을 획득하는 모델로 하는 방법론을 채택했다는 점에서 공통된다. 또한 자연관과 관련해서도 전통적인 스콜라의 자연 철학에서 벗어나 데카르트로부터 기계론적 자연관을 직접적 내지 간접적으로 계승하고, '코나투스conatus'('노력' 내지 '경향'으로 옮겨진다)라는 역학적 개념을 자기의 철학 체계로 받아들여 근본 원리로 삼았다는 점에서도 공통된다. 그러나 각각의 철학 체계는 각자 독자적인 다른 입장을 표명하고 있다. 그래서 이 장에서는 우선 그들의 사상적 맥락을 확인하기 위해 스콜라의 학문 방법론의 한계와 그것을 부각한 데카르트 이후의 새로운 철학의 방법론을 스케치하고자 한다. 그러고 나서 홉스와 스피노자 그리고 라이프니츠의 방법론과 자연관을 각각 개설한다.

스콜라 철학의 한계와 새로운 방법

'새로운' 방법과 학문을 그들이 스스로 제창한 것은 첫째는 그때까지의 스콜라 철학의 방법과 학설에서 한계를 보았기 때문이다. 당시 학교에서 사용된 교과서 『코임브라 주해』를 참조해 보면, 아리스토텔레스의 텍스트와 그 주해에 완전히 매몰되어 있는 것을 볼 수 있을 것이다. 그러나 17세기에는 이미 여러 '새로운 방법'의 싹이 있으며, 이탈리아 르네상스에서 꽃피운 새로운 대수학이 이미 알려져 있었다. 예를 들어 젊은 데카르트는 크리스토퍼 클라비우스Christopher Clavius(1538~1612)의 『대수학』(1608년)을 라 플레슈 학원에서 배웠다고 한다. 또한 스콜라적 방법을 내던져 버린 이후, 네덜란드에 체재할 때는 이삭 베크만Isaac Beeckman(1588~

1637)과 수학과 자연학을 공동으로 연구하며, 나아가 독일을 여행할 때 그곳의 최신 수학을 공부했다. 이러한 새로운 학문의 세례를 받은 젊은 철학자가 그때까지의 이를테면 사변적이고, 실험적 검증이 지니는 실재성도 수학적 논증이 지니는 엄밀성도 견딜 수 없는 스콜라의 철학 교육에 대해 비판적으로 된 것은 상상하기 어렵지 않다. 학문적 지식으로서 단순한 사변적이 아닌 경험적 내지 수학적인 확실성이 요구된 것이다. 데카르트와 스피노자 모두 페리파토스학파의 철학, 즉 아리스토텔레스-스콜라의 철학이 확실한 논증에 의한 방법에 기초하지 않는다고 인식하고 있었다.

또한 프랜시스 베이컨Francis Bacon(1561~1626)은 『노붐 오르가눔』(1620년)에서 아리스토텔레스의 자연 철학이 이치 추론만의 거의 쓸모없는 학문이라고 비판했다. 베이컨은 소수의 실험과 관찰만으로부터 결론을 도출하는 지금까지의 화학을 비판하고, 참된 철학으로서 '귀납법'에 기초한, '경험적 능력과 이성적 능력 사이의 언제까지나 변함없는 참으로 합법적인 혼인'을 제창한다. 실제로 새로운 실험적 방법과 수학적 논증에는 전통적인 논리학의 삼단논법으로는 다룰 수 없는 유형의 논증이 놓여 있었다. 예를 들어 경험적인 귀납법과 원리 내지 가설의 형성과 그것들의 수학적 검증 및 대수방정식을 포함하는 해석 내지 발견술이 그것들이다. 새로운 과학들의 여명에 의해 스콜라적 학문 방법의 한계가 드러나기 시작한 것이다.

바로크는 '방법의 시대'인가?

17세기는 자주 '방법의 시대'라고 말해진다. 확실히 바로크 시대에는 새로운 방법을 받아들인 새로운 학문이 탄생했지만, '과학 혁명'이나 '수학 혁명'과 마찬가지로 이러한 일반화는 위험을 수반한다. 왜냐하면 이미 바로크 이전부터 새로운 방법의 싹은 보이기 때문이다. 중세에서의 아라비아 수학의 유입과 르네상스에서의 그리스 수학·과학의 방법이나 고대 회의론의 부흥, 그리고 예수회 내부에서의 학문론에서의 수학의 자리매김을 둘러싼 수학의 확실성 논쟁이 없다면, 데카르트 이후 수학이 이렇게까지 학문의 중심적 방법으로 될 수는 없었을 것이다.

다만 중세와 르네상스에 배태되어 있었다고 하더라도, 바로크 시대는 방법이 대단히 중시된 시대라는 점도 확실하다. 특히 17세기는 전통적인 스콜라학과 특수한 해법·실험에 한정된 이런저런 '술術'이 일정한 한계에 도달하고, 좀 더 보편적이고 좀 더 응용 범위가 넓은 새로운 '방법'이 탐구된 시대이다. 예를 들어 자연철학과 관련해서는 적어도 두 개의 방법이 있다. 하나는 연금술과 마술로부터 발전한 것으로 베이컨의 경험적 귀납법 및 로버트 보일Robert Boyle(1627~1691) 등에게 계승되는 실험·관찰을 그 주요한 방법으로 하는 실험 철학이다. 또 하나는 전통적인 기하학과 산술이라는 종래의 순수 수학 부문에 새롭게 덧붙여진 대수학과 해석과 같은 새로운 수학적 방법을 운동론을 비롯한 자연 현상의 기계론적 탐구에 응용한 수학적 자연학(갈릴레오, 데카르트 등)이다. 그 밖에도 뉴턴의 무한소 방법이나 라이프니츠의 보편적 기호법 등, '새로운 방법'을 주제로 하는 저작은 일일이 다 열거할 겨를이 없다. 그런 의미에서 17세기는 예부터의 학문 방법이 새로운 그것으로 대체되는 "'새로운' 방법의 시대'라고 부를 수도 있을 것이다.

이러한 '바로크적' 방법의 시대를 이끈 것은, 인간이 모두 이성을 지니지만, 만약 그 이성을 올바로 이끌 수 있게 된다면, 자연을 올바르게 인식할 수 있다고 하는 신조이다. 역으로 만약 방법을 결여하게 된다면, 진리를 탐구하려고 생각해서는 안 된다(데카르트, 『정신 지도의 규칙』, 규칙 4). 또한 인간은 올바른 방법을 갖고 있지 못한 까닭에 올바른 길에서 벗어나 버린다(홉스, 『물체론』, 제1장 제1절). 이리하여 방법이 개별적인 학문들에 앞서 있으며, 그 방법을 아리아드네의 실로 삼아 각 철학자가 체계적인 철학을 구축해 가게 된다. 베이컨과 데카르트 이후의 철학자들은 참된 인식을 얻기 위해서는 무엇보다도 정신을 올바르게 인도하는 방법이 없으면 안 된다고 하여 방법을 중시했다. 특히 17세기에 특징적인 것은 학문들의 체계적 연관을 가능하게 하는 일반적·보편적인 방법의 탐구이다.

그러한 가운데 수학적 방법이 그 자신의 철학에서 주요한 자리를 차지하는 철학자들이 있었다는 것도 사실이다. 데카르트는 자기의 해석기하학 또는 비례론으로부터 방법을 추출하고, 그것을 좀 더 일반적인 방법으로 만들어냈다. 데카르트와 동시대의 홉스나 뒷세대의 스피노자에게서는 그 철학에 기하학적인 방법이 채택되고, 그로부터 정리들이 연역되는 바의 원리와 정의가 중요한 자리를 차지하게 된다. 더 나아가 그 뒷세대의 라이프니츠는 그들에게서 커다란 영향을 받아 좀 더 보편적인 방법을 탐구한다. 거기서도 공리와 정의로부터 엄밀한 논증에 의해 명제를 끌어내는 방식이 앎의 규범이 되고 있다는 점에 변함이 없다. 그리하여 이하에서는 실험 철학의 방법에 맞서 왜 그들이 수학적 방법을 중시했는가 하는 측면에 주목하면서 홉스와 스피노자 그리고 라이프니츠의 방법론과 자연관을 살펴보고자 한다.

2. 홉스의 방법과 자연 철학

홉스의 자연 철학은 그의 정치 철학만큼 알려지지 않았지만, 동시대의 철학자들에 커다란 영향을 주었고, 또한 그의 정치 철학의 원리적 부분을 형성한다는 점에서 좀 더 주목받아야 한다. 홉스는 보일과 공기 펌프를 둘러싸고 논쟁하고, 진공의 존재에 대해서도 회의적이었다. 그리고 홉스는 원리적 고찰과 이성적 추론을 중시하고, 보일 등 실험적 방법에서 지식을 획득할 수 있다고 간주하는 실험 철학자를 비판했다. 파리의 메르센 서클과도 연계가 있는데, 마랭 메르센Marin Mersenne(1588~1648) 자신을 포함하여 피에르 가상디Pierre Gassendi(1592~1655)와 질 페르손 드 로베르발Gilles Personne de Roberval(1602~1675), 그리고 영국에서 나와 있던 토머스 화이트Thomas White(1593~1676)와 케넬름 디그비Kenelm Digby(1603~1665) 등과 자연 철학을 둘러싸고 교류했다. 특히 유명한 것은 메르센을 매개로 하여 데카르트와 『성찰』을 둘러싸고 논쟁한 일이다. 또한 홉스는 방법론과 수학 이론, 특히 운동론과 무한소 개념을 둘러싸고 수학자인 존 월리스John Wallis(1616~1703)와도 논쟁했다. 홉스에게는 보일과 월리스를 비롯하여 런던 왕립 협회에 많은 논적이 있었지만, 그의 정치적·종교적 입장도 위험시되어 결코 왕립 협회의 펠로우가 되지는 못했으며, 협회로부터도 제외되었다. 홉스의 자연 철학은 갈릴레오와 데카르트, 보일이 도달한 정도의 명성을 얻지는 못했지만, 스피노자와 라이프니츠 철학의 핵심적 부분에 영향을 주었다는 점에서 철학사적으로 대단히 중요하다.

홉스의 갈릴레오 숭배

홉스는 한때 베이컨의 비서를 했지만, 그의 귀납주의에는 감명을 받지 못했다. 오히려 최초의 참다운 자연학자로서 갈릴레오Galileo Galilei(1564~1642)를 숭배했다. 『철학 원론』의 제1부 『물체론』(1655년)에서는 인간 신체에 대한 새로운 학설을 확립한 윌리엄 하비William Harvey(1578~1657)와 함께 일반적 자연학으로의 최초의 문, 즉 운동의 본성에 이르는 길을 개척했다고 하여 갈릴레오를 높이 평가한다. 또한 젊을 때 토머스 화이트의 『우주론』을 비판하는 포괄적인 자연학(생전에는 출간되지 못했다)을 썼는데, 거기서도 갈릴레오를 전 시대를 통해 가장 위대한 철학자라고 상찬하고 있다. 이탈리아 여행 때는 갈릴레오 본인을 찾아가기도 한다.

또한 홉스는 철학이 우주라는 책에서 말해지고 있으며, 그것은 수학의 언어로 쓰여 있고, 수학이 없으면 어두운 미궁을 헤맨다고 하는 갈릴레오의 수학적 세계상을 지지했다. 그리고 갈릴레오 운동론의 영향으로 모든 현상이 물체의 운동에서 생겨난다고 생각했다. 홉스가 수학에 눈떠 기하학 연구에 착수한 것은 40세로 뒤늦었지만, 에우클레이데스 『원론』의 확실하고 참된 종합적 논증법에 마음을 빼앗겼다. 그리고 자연계에서의 관찰 가능한 변화와 감각 경험도 모두 운동의 결과라고 생각했다. 이리하여 『물체론』에서 '자연 철학을 문제로 하는 사람들은 묻는 일의 단서를 기하학에서 빌려오는 것이 아니라면, 물음을 세우더라도 무의미하다'라고 명확한 기하학주의를 표명한다. 철학에서 데카르트가 확실한 원리의 확립을 목적으로 하는 분석적 방법을 특징으로 한 데 반해, 홉스의 방법이 원리로부터의 종합적 방법을 특징으로 하는 것은 이 영향이다. 다만 『원론』의 내용에 관해서는 점의 정의를 중심으로 자기의 유물론적 관점으로부터 통렬하게 비판하고 있다.

그러나 원리나 방법의 관점에서는 홉스가 갈릴레오와 다른 부분도 있다. '홉스의 계획은 전통적인 아리스토텔레스의 철학을 그 기초에서 갈릴레오식의 과학적 범주에 의해 완전히 다시 하는 것으로서 볼 수 있다. 그러나 동시에 운동의 수학적 자연학에 관한 갈릴레오의 계획은 홉스의 그것과는 근본적으로 다르다.'(대니얼 가버) 갈릴레오가 혼합 수학으로서 자연 철학을 수행하는 데 반해, 홉스는 아리스토텔레스적인 의미에서 참된 자연 철학을 제시하고자 한다. 요컨대 제1원인에 궁극적으로 근거 지어진 방식으로 세계의 현상을 설명하고자 한다. 그러나 홉스가 궁극적 원인을 본 것은 스콜라 철학의 소재(질료)와 형상 내지 결여가 아니라 운동하고 있는 물체 그 자체였다.

홉스의 철학과 방법

홉스의 계획은 그의 '철학'의 정의로 거슬러 올라간다. 『리바이어던』(1651년)에서 철학은 '과학, 즉 귀결들에 관한 지식'의 말 바꿈이다. 좀 더 엄밀한 정의는 『물체론』에 놓여 있다.

> 철학이란 이런저런 결과 내지 현상의 알아낸 원인 내지 발생 방식으로부터 올바른 추론에 의해 획득된 이러한 결과들 내지 현상의 인식 및 이것과 반대로 인식된 이런저런 결과로부터 올바른 추론에 의해 획득된 있을 수 있는 발생 방식의 인식이다. (『물체론』, 제1장 제2절)

이러한 철학의 정의로부터 철학의 방법이 도출된다. 즉, 철학하는 방법이란 '기지의 원인에 의한, 결과들의 극히 간편한 탐구, 또는 기지의 결과에 의한, 원인들의 극히 간편한 탐구'이다. 지식이란 원인에 관한 인식이다. 원인에 관한 인식은 추론으로 이루어진다. 추론은 합성과 분할(분해)로 이루어진다(『물체론』, 제6장). 추론은 또한 사칙 연산의 계산으로서도 파악된다. 실제로 홉스에게 있어 운동론은 물체가 차지하는 공간과 시간의 부분−전체 관계에 대해 그 합성과 분해를 추리 계산하는 학문이다. 이리하여 철학의 요건은 원인으로부터 결과의 인식이 올바른 추론에 의해 획득되는 것이다. 따라서 감각과 상상·기억 등 다른 인식은 철학이 아니며, 예견 역시 철학이 아니다. 홉스는 정념보다 이성에 기초하여 원리적 기반으로부터 자연법상의 진리들을 수립하고자 한다(『법의 원리』, 1640년). 또한 홉스는 '모든 사람은 나면서부터 똑같이 추리하며, 그들이 좋은 원리를 가진 경우에는 좋게 추리한다'라고 하여 이성적 추론의 능력이 모든 사람에게 생득적으로 갖추어져 있다고 간주한다(『리바이어던』, 제5장).

홉스에게 철학의 주제는 물체이다. 따라서 물체를 주제로 하지 않는 신학은 철학에서 배제된다. '철학은 천사에 관한 학설과 물체로도 물체의 상태로도 간주될 수 없는 모든 것에 관한 학설도 포함하지 않기' 때문이다(『물체론』, 제1장 제8절). 또한 철학은 역사도 포함하지 않는다. 역사는 철학에 대해 대단히 유용하지만, 역사는 경험이나 권위이지 추론이 아니기 때문이다. 이처럼 홉스 철학의 유일한 대상은 물체이며, 유일한 방법은 추론 즉 계산 외에 다른 것이 아니다. 따라서 추론의 여지가 없는 경험·권위·신앙에 의한 인식은 철학에는 포함되지 않는다.

홉스의 방법과 체계에 본질적인 것은 '정의론定義論'이다. 홉스는 발견된 원리로부터 지식이 형성되는 방식을 묘사한다. 그것은 보편적인 것과 그 원인의 인식에서 출발하여 그것들의 정의에 대한 앎이 획득되고 보편적인 것의 발생 내지 기술이라는 단계를 밟아나간다. 철학은 정의에서 시작된다. 그리고 보편적인 정의에 가장 가까운 사항에서부터 처음으로 논증해야만 한다. 그것은 제1철학이라고 불리는 부분으로, 거기에 기하학이 존립하는 바의 단순한 운동을 통해 논증될 수 있다. 이리하여 운동에 관한 일반적 진리는 기하학의 정리와 같으며, 정의로부터 직접적으로 도출되는 것으로 간주되었다. 실제로 홉스는 자신의 자연 철학 계획을 그 제1철학에서 공간·시간·물체·운동의 정의로부터 시작한다.

홉스의 반데카르트주의

홉스는 갈릴레오를 숭배하는 한편, 강력한 반-데카르트주의자였다. 그러나 그 숭배에도 불구하고 홉스의 자연 철학은 갈릴레오의 계획에서 벗어나며, 얄궂게도 데카르트의 계획에 접근한다.

데카르트의 『철학 원리』와 홉스의 『물체론』의 유사성은 두드러진다. 갈릴레오와는 대조적으로 데카르트와 홉스는 둘 다 원리

즉 궁극 원인의 관점에서 자연을 설명하는 아리스토텔레스의 방법에 따른다. 요컨대 그들은 원인을 기계론적인 것으로 치환했지만, 궁극 원인에 기초한 자연 설명이라는 형태로 여전히 아리스토텔레스적인 학문론의 양식을 채택하는 것이다. 또한 홉스와 데카르트에게 있어 물질세계는 물체와 그 운동만을 포함하며, 물체는 연장의 관점에서 이해된다. 양자는 자연 현상을 물체의 크기, 형태, 운동으로 환원하는 기계론 철학을 취한다. 그들은 스스로의 계획을 물리 세계의 구성 요소에 관한 일반적인 정의로부터 시작한다(물체와 공간의 정의, 공허의 부정, 운동의 정의, 운동 법칙 등). 일반적인 정의와 명제 뒤에 특수한 현상의 설명으로 향하는 것도 똑같다.

그러나 다양한 점에서 양자의 의견이 어긋나는 것도 사실이다. 홉스는 신과 세계의 창조에 관한 데카르트의 생각은 철학을 넘어서는 것으로 신학이라고 비판한다. 데카르트의 자연 철학 체계에서는 운동 법칙과 수학적 진리를 포함하는 영원 진리를 신의 창조로 하고, 또한 운동을 포함하는 물리 세계의 존속을 신에 의한 연속 창조에 기초 짓는 등, 신이 수학적 자연학의 근거 짓기에서 결정적인 역할을 담당한다. 홉스도 신이 세계의 초월적인 제1원인이라는 것을 부정하지 않는다. 그러나 홉스의 물리 세계 속에서 신은 어떠한 직접적인 역할도 담당하지 않으며, 신학은 철학으로부터 명시적으로 배제된다.

또한 데카르트가 심신이원론자인 데 반해, 홉스는 고전기를 대표하는 유물론자·유명론자이다. 홉스는 모든 변화가 물리 운동의 결과라고 본다. 정신의 내적 변화도 예외가 아니다. 요컨대 심리 현상은 물질적 변화에 지나지 않는다. 홉스는 물체의 표상에 지나지 않는 사고와 감정 그 자체를 물질적인 것으로 간주하는 것은 아니지만, 그 원인은 물질적인 것에 한정된다고 생각한다. 홉스는 데카르트의 『성찰』에 대한 제3반론에서 사유하는 사물을 물체로 남긴다. 데카르트는 '나는 사유한다'(cogito)라는 명제의 앎으로부터 '나는 존재한다'라는 명제를 도출했다. 이에 반해 홉스는 '나는 사유한다'라는 명제의 앎은 사유(작용)를 사유하는 물질로부터 분리할 수 없는바, 사유하는 사물은 비물질적인 것이 아니라 물질적이라고 주장한다. 물론 데카르트는 사유하는 사물이 물질적이라는 것을 인정하지 않으며, 사유의 기체가 물체라는 관점에서만 이해된다고는 생각하지 않는다. 데카르트는 사유가 사유하는 사물 없이는 있을 수 없다는 것을 인정하지만, 데카르트에게 있어 사유하는 사물이란 다름 아닌 '정신'이다.

홉스에게는 정신 활동도 운동일 뿐이며, 사고나 의욕 등 정신 활동 일반은 인간 신체 내부에서 일어나는, 그것의 단서가 되는 작은 운동에서 유래한다. 또한 인간은 무엇보다도 우선 하나의 신체로서 다른 사물들 사이에 물리적으로 존재하는 것이다. 의지도 이 신체와의 관계에서 파악될 수 있다. 신체는 다른 물체와 마찬가지로 외적 장애가 부재하는 경우에 자유롭다. 신체 운동의 미세한 단서가 '노력'(코나투스) 내지 '상상'이다. '노력'이란 명시에 의해 결정되거나 수에 의해 지정되거나 하는 공간·시간보다 작은 공간과 시간을 통한 운동', 요컨대 '점에 걸친 순간에서의 운동이다.'(『물체론』, 제15장 제2절) 즉, 노력이란 걷는다거나 이야기한다거나 하는 등의 가시적인 의지적 행위의 시초를 구성하는 신체 내의 지극히 작은 운동이다(『리바이어던』, 제6장). 다른 한편으로 상상은 신체 내부에서의 일종의 '추리 계산'이라는 형태로 이어서 일어난다. 또한 홉스에게 있어 의지적 행위는 필연적으로 생겨난다. 따라서 '자유 의지'는 아니며, 행위가 종결되지 않은 가운데는 아직 선택의 자유가 있을 수 있다는 의미에서만 자유가 놓여 있다.

이처럼 홉스는 갈릴레오로부터 물체의 운동에 기초한 수학적 세계상을, 그리고 데카르트로부터 원리에 기초한 철학 체계를 계승하고, 운동의 요소를 코나투스로 하는 유물론적 자연관을 그려낸다.

3. 스피노자의 방법과 자연 철학

스피노자의 과학적 탐구

스피노자는 '신을 자연에서 분리하여 생각하지 않았다.'(올덴버그에서 보낸 서간, 1662년) 이렇게 말했다고 하더라도 그의 방법론과 자연 철학이 신에 의존한 신학적인 것이라는 것은 아니다. 오히려 역으로 자연 탐구야말로 신의 본성의 직관적 인식을 얻는 유일한 수단이 된다. 스피노자는 모든 것은 자연의 법칙(즉 신)에 따른다는 자연관을 지닌다. 거기에는 인위와 자연의 사태적 구별은 없다(『에티카』, 제3부 서언). 만약 구별이 있다고 한다면, 그것은 단순한 사고에서의 구별일 뿐이다.

스피노자에게 있어 인간이 그 학문에 의해 획득을 목적으로 하는 본성 내지 최고선은 '정신과 자연의 합일 인식', 즉 '정신이 가장 완전하게 자연을 재현하는 것'이다(『지성 개선론』). 행복이란 이러한 인식의 획득을 위해 노력하는 것을 말하며, 그것은 신을 아는 동시에 사랑한다는 것과 같은 뜻이다. 완전성에 도달하기 위한 최상의 지각 양식은 '사물이 전적으로 그 본질에 의해서만, 또는 그것의 가장 가까운 원인의 인식에 의해 지각되는 경우'이다. 이것은 『에티카』에서의 직관적 인식에 해당한다. 정신과 신 즉 자연과의 합일이라는 궁극 목적은 심신이원론을 취하는 데카르트 이상으로 기계론적 자연관을 철저하게 할 것을 요구한다. 실제로 스피노자에게서 정신을 담당하는 사유 및 물질을 담당하는 연장은 궁극적으로는 같은 하나의 실체인 신에게 갖추어진 무한한 속성들 가운데 두 가지 속성에 지나지 않는다. 스피노자는 근본적으로는 일원론자인 것이다.

스피노자의 테제로서 유명한 '신 즉 자연'은 『에티카』 제4부에 한 번만 등장한다. '자연'은 자연의 세계를 산출하는 힘 그 자체를 가리킨다. 요컨대 스피노자에게 자연이란 같은 법칙에 구석구석까지 지배된 하나의, 단 하나의 세계를 말한다. 따라서 자연법칙에 따르지 않는 것은 세계에 존재하지 않는다. 자연의 보편적 법칙에 의해 모든 것이 결정된다는 세계관은 『에티카』에 앞서 쓰인 『데카르트의 철학 원리』(1663년)와 『신학·정치론』(1670년)에서도 표명되어 있다.

유일신을 받든다는 점에서는 유대교, 그리스도교, 이슬람교의 신과 공통되지만, 스피노자는 자연 속에서 기적을 인정하지 않는다. 기적이란 신이 자연의 법칙을 왜곡하는 것이지만, 스피노자에게 있어 자연의 법칙은 신의 법칙인 까닭에, 기적을 일으키면 신은 자기에게 모순된다(『신학·정치론』, 제6장 3절). 스피노자의 신은 자기의 힘을 과시하기 위해 기적이 필요하지 않다. 오히려 신의 힘은 언제나 이미 자연의 세계를 성립시키는 법칙 그 자체에 표현되어 있다. 스피노자의 철학은 인격신에 의지하지 않는 세계 이해·인간 이해에 기초하며, 기계론적인 세계 이해와 인간 이해 사이에서 전적인 친화성을 보고 있다.

자연의 과학적 탐구야말로 진리 인식에 이르는 길이며, 나아가 그것이 인간의 행복으로도 이어진다고 하는 스피노자의 철학은 세계에 관한 우리의 인식을 크게 변혁하는 활력을 지닌다. 그 영향은 그 후의 프랑스 유물론과 독일 관념론 등의 철학에 한정되지 않고 정치와 사회·종교 사상과 현대 과학에도 미치고 있다.

스피노자 자신의 과학적 탐구는 광학과 운동론에 이르지만,

그것들을 포괄하는 명확한 과학론이 있는 것은 아니다. 또한 유고가 된 주저 『에티카』에서는 기하학적 방법을 응용했지만, 스피노자는 수학자가 아니다. 당시 평판이 높았던 광학 렌즈에 관한 연구를 제외하면, 그가 수학·자연 과학의 역사에 남아 있는 특별히 언급할 만한 공헌을 한 것은 아니다. 그러나 스피노자는 최신의 학문 발전에 관심을 지니고, 당대 일류의 수학자와 자연 철학자들과 서간과 만남을 통해 교류하고 있다. 예를 들어 왕립 협회의 비서 헨리 올덴버그Henry Oldenburg(1619~77)나 그를 매개로 하여 보일 등과도 교류하고, 최신의 자연 철학 정보를 얻고 있었다. 그 왕복 서간으로부터는 스피노자가 당시의 자연 철학에 대해서도 정통했다는 것이 엿보인다. 라이프니츠와도 광학 렌즈를 둘러싸고 서간을 교환하며, 스피노자 만년인 1676년에는 운명적인 만남을 이루고 있다.

『지성 개선론』에서의 참된 방법의 탐구

스피노자는 '방법'과 '철학'을 명확히 구별한다. 후자는 원인과 원리, 진리 내지 참된 관념을 탐구하는 데 반해, 전자는 원리나 진리가 질서 바르게 찾아지도록 우리를 지도한다.

그러면 스피노자에게 있어 원인이나 진리를 이해하는 방법이란 어떠한 것인가? 스피노자는 초기의 미완성 작품 『지성 개선론』에서 '참된 방법'이 '순수 지성 및 그 본성과 법칙들의 인식에만 존립한다'라고 한다(방법의 이론적 측면). 그리고 이러한 인식을 얻기 위해 지력과 표상력이라는 인식 능력의 구별 및 참된 관념과 그 밖의 관념(허구나 허위, 기억)을 구별할 필요를 인정한다(후데에게 보낸 서간, 1666년). 언어와 기호는 그것들이 표상 일부를 이루는 한에서 허구나 오류의 원인이 된다. 사물의 본성에 관한 인식이 없는 한에서, 참된 인식은 있을 수 없다. 그리하여 스피노자는 인식의 분류와 질서를 중시하고, 순수 지성에서 생기는 명석·판명한 관념, 즉 『에티카』에서 말해지는 타당(완전)한 관념에 의해 참된 인식을 지향한다. 이로부터 또한 참된 방법을 위해서는 '못함이 없는 사유와 확고한 정신과 흔들리지 않는 결심이 필요'하며, 이것을 지니기 위해서는 일정한 생활 규칙과 목표가 필요하다고 한다(방법의 실천적 측면).

『지성 개선론』에서 스피노자는 자주 방법이란 반성적 인식이라고 말한다. 다시 말하면 방법이란 '우리가 인식해야 하는 것을 이러한 인식에 의해 인식하는 길'이다. 그 길이란 '무언가의 주어진 참된 관념의 규범에 따라 정확한 법칙들에 의해 탐구의 길을 계속해 가는 것이다.' 그리고 '이 방법은 우리가 최고 완전자의 관념을 가진 경우에 가장 완전해진다.' 따라서 완전자의 인식이야말로 궁극 목적이 된다.

그러나 방법은 추론 행위 자체나 사물의 원인을 이해하는 것에는 존립하지 않는다. 이것들은 철학의 과업이다. 오히려 방법은 참된 관념을 다른 지각으로부터 식별하여 이해하고, 이해해야 할 것을 규범에 따라 이해할 수 있도록 정신을 제어하며, 이를 위해 필요한 규칙을 부여하는 것에 존립한다. 즉, '방법이란 반성적 인식 또는 관념의 관념 이외의 아무것도 아니다.' 스피노자는 관념의 무한 소급을 부정하고, 개념 형성의 시점이 되는 생득적 관념을 인정한다. 그리고 지성에 놓여 있는 생래적인 힘 내지 도구로부터 진리의 탐구를 한층 더 진척시킬 능력을 얻는다고 주장한다. 주어진 참된 관념의 존재 방식에 따라서 정신이 어떻게 이끌려야 하는지를 보여주는 방법이 올바른 방법이다. 이리하여 '가장 완전한 방법은 주어진 최고 완전자의 관념의 규범에 따라서 어떻게 정신이 이끌리는지를 보여주는 방법이게 된다.'

스피노자는 자연 이해를 더욱더 잘하면, 정신 이해도 점점 더 잘하게 되고, 그 역도 참이라고 한다. 그리고 정신이 최고 완전자 즉 신의 인식을 반성할 때, 가장 완전해진다고 한다. 여기에 스피노자의 방법이 존재한다.

스피노자의 기하학적 방법

스피노자의 자연 철학이 주로 전개되는 것은 『데카르트의 철학 원리』와 『에티카』의 일부분이다. 전자는 에우클레이데스의 논증법에 입각하여 기하학적 질서에 따라 데카르트의 『철학 원리』(제1부·제2부 전체 및 제3부의 일부)를 재구성하고 주해를 베푼 것이다. 데카르트의 『철학 원리』는 자기의 철학을 분석적으로 논증한

『성찰』에 맞서 그 원리들을 밝히고 근거가 이해되도록 종합적인 순서로 다시 쓴 것이었다. 따라서 우선 명제들이 세워지고, 그 후에 그 설명 내지 논증이 이루어지는 스콜라적 스타일이 취해진다. 그러나 공리나 정의로부터의 기하학적 논증으로 된 것은 아니다. 스피노자는 그러한 데카르트의 『철학 원리』에 기하학적 질서의 체재를 부여하려고 한다.

『에티카』가 기하학적인 서술 방식을 채택한 것은 어떤 의미에서 필연적이다. 이미 『지성 개선론』에서 제시되었듯이 그의 방법론·인식론 그리고 정의론의 관점에서 신으로부터 개물을 연역해가야만 하기 때문이다. 스피노자는 『에티카』 제3부 서언에서 감정에 대해서도 기하학적 방법으로 논의한다고 하고, 인간의 행동과 충동을 선·면 및 입체를 연구하는 경우와 마찬가지로 고찰한다고 하고 있다. 거기서는 기하학적 방법을 사용하는 이유에 대해서도 언급하고 있다. 그는 자연 속에서는 자연의 잘못으로 인해 생기는 것은 아무것도 일어나지 않는다고 말한다. 왜냐하면 자연은 언제나 동일한바, 다시 말하면 만물의 생성 변화를 생기게 하는 자연의 법칙은 동일하기 때문이다. 따라서 만물의 본성을 인식하는 양식도 동일해야만 한다. 그것은 자연적 보편적 법칙에 의한 인식이어야만 한다. 증오나 분노 등의 감정도 그 자체로 고찰하면, 그 밖의 개물과 마찬가지로 자연의 필연성과 힘으로부터 생긴다. 이리하여 스피노자는 신 및 인간 정신에 관한 형이상학과 자연 철학에 더하여 윤리학의 기하학화를 시도한다. 윤리학 영역은 전통적으로는 인간의 의지와 행위가 작용하는 우연적인 영역으로 생각되었지만, 스피노자는 윤리학도 필연적 추론에 기초한 기하학적 방법에 의해 다루고자 했다. 이 점에서 그는 아리스토텔레스-스콜라적 전통에서 일탈하고 있다.

데카르트와 홉스의 스피노자에 대한 영향

스피노자의 자연 철학은 모종의 데카르트파 기계론이다. 그러나 무비판적으로 데카르트를 수용한 것은 아니다. 데카르트가 자연 철학, 특히 운동 법칙을 끌어내는 것에 초월적인 신을 이용한 데 반해, 또한 홉스가 자연 철학으로부터 초월적인 신을 배제한 데 반해, 스피노자는 모든 의미에서 초월적인 신을 거부한다. 스피노자의 신은 자연 그 자체이며, 내재적인 신이다.

홉스의 스피노자에 대한 영향은 특히 자연법칙을 취급하는 데서 보인다. 홉스와 마찬가지로 스피노자에게 있어 자연법칙은 물질과 운동의 본성으로부터 귀결하는 것이며, 그것들은 기하학적 진리와 마찬가지의 지위를 지닌다. 따라서 기하학적 방법을 채택하는 홉스와 마찬가지로, 스피노자에게서도 정의가 중요해진다. 다만 자연법칙에 대해 홉스가 이유율이라는 다른 원리에 의존한 것과는 달리, 스피노자는 완전한 정의가 사물의 내적 본질을 밝혀 주며, '그것 자체를 통해 알려진다'라고 한다(『지성 개선론』).

또한 스피노자는 자연에 관한 지식을 성서로부터 독립시키고

자연 철학과 신학을 분리했다는 점에서 베이컨 등의 실험 철학을 높이 평가하고 있다(『지성 개선론』). 그러나 스피노자는 보일의 자연 철학을 검토한 올덴버그에게 보낸 편지에서는 그러한 실험적 방법이 수학적인 증명이 아닌 까닭에 절대적 설득력을 갖지 못하며, 왜 본래 실험적 방법에 의해 결론을 짓고자 하는 것인지 불명확하다고 한다. 이것은 홉스의 실험 철학 비판과 겹치는 논점이다. 스피노자는 실험적 방법을 새로운 사태의 인식을 가져다주는 것으로서 평가했지만, 사물의 본성을 해명하지 않는 것이라고 했다. 감각적 지식은 상상력에 속하는 데 반해, 본질과 원인의 지식은 지성에만 속하기 때문이다. 다른 한편으로 스피노자는 데카르트야말로 이성적 논증에 의해 사물의 본성을 해명한 철학자라고 생각하고, 그 이성적 방법을 계승한다.

이처럼 스피노자의 방법과 자연 철학은 데카르트와 홉스의 영향을 크게 받았지만, 양자와도 다른 독자적인 것이다.

4. 라이프니츠의 방법과 자연 철학

라이프니츠의 과학 방법론

라이프니츠는 전통적인 방법과 새로운 방법을 비판적으로 계승하면서 미적분학 등, 자신이 발명한 수법을 더하여 보편적인 방법을 추구한다. 라이프니츠가 방법의 모델로 삼은 과학 이론은 결합법과 대수학 등 다양하다. 분석과 종합, 삼단논법과 스콜라의 논리학 등의 전통도 존중하고 학문을 개정해간다.

라이프니츠도 홉스나 스피노자와 마찬가지로 수학을 모델로 하여 학문 방법론을 고찰했다. 그것은 좀 더 소수의 단순한 가정으로부터 좀 더 많은 복잡한 명제들을 연역적으로 끌어내는 모델이다. 라이프니츠의 사상은 수학을 자연의 지적 탐구의 모범으로 하는 서양 철학의 전통으로 연결된다. 머지않아 그의 사상은 이전에 데카르트도 계획한 '보편 수학'으로서 그의 방법론의 대명사가 된다. 그러나 데카르트와 라이프니츠의 수학적 모델은 각각 내용도 본성도 다르다.

데카르트는 『기하학』에서 산술과 기하학을 대수에 의해 결합하고, 해석기하학을 발명했다. 그러나 그 내용은 고대 그리스 수학의 범위에 머물며, 무한을 배제했다. 다른 한편 라이프니츠는 무한급수와 무한소 계산에 의해 무한을 포함하는 해석기하학을 확립했다. 데카르트는 논리학이나 삼단논법이 진리의 발견에 있어 무용하다고 하여 자기의 방법으로부터 배제했다. 그에 반해 라이프니츠는 형식논리학을 기초로 하여 보편 수학을 결합법·기호법에 종속된 것으로서 구상한다. 더 나아가 데카르트파의 학문론은 절대적인 확실성을 중시하는 나머지 개연성을 경시했지만, 라이프니츠는 개연적 지식도 쓸모가 있다고 하여 확률론과 개연성 논리의 선구가 된 연구를 수행한다. 개연성이란 대강 확실한 참됨의 정도를 말한다. 경험 과학에서는 경험과의 일치에 의한 실천적 확실성으로 만족해야 한다고 하며, 아 포스테리오리한 방법도 평가한다.

라이프니츠는 데카르트가 『방법서설』 제2부에서 제시한 네 가지 규칙을 비판한다. 특히 중요한 것이 '명증성의 규칙'의 거부이다. 라이프니츠에게 있어 우리 인간이 요구할 수 있는 확실성은 직관적인 '명증성'에서가 아니라 논리학적인 '형식성', 즉 정의와 공리로부터 명제들로의 연쇄에서 진리를 보존하여 논증하는 그 기계적 알고리즘에서다. 데카르트의 명석·판명의 규준은 주관적인 동시에 심리적인 모호한 것이지 논리적인 진리 규준이 아니다. 데카르트가 제1원리로 삼고, 인식에서 존재로 향하는 것을 인정하는 '코기토'도 라이프니츠는 어디까지나 경험적·심리적인 원리라고 하여 필연적·논리적 진리로는 인정하지 않는다. 라이프니츠가 취하는 것은 존재로부터 인식으로 향하는 전통적인 개체적 실체의 실재론이다. 따라서 데카르트의 방법적 회의는 취하지 않는다. 이리하여 라이프니츠는 데카르트파가 비판한 전통적 논리학을 옹호하고, 논리학의 '형식성'을 진리 규준으로 하여 수학을 논리 위에 구축하고자 한다. 데카르트의 '명증성'이란 순수한 동시에 단순한 사고 작용에 의해 참된 관념을 자기 속에서 직접 지각하는 것을 말한다. 그러나 라이프니츠는 데카르트의 요구가 지나치게 강하다고 한다. 참된 관념의 직접적 인식은 우리의 이해를 넘어서 있다. 우리는 어떤 것의 관념을 정신을 매개로 하여 표현할 수 있는 데 지나지 않는다. 그러한 관념은 형상적으로는 신의 정신

속에in mente Dei 있으며, 그것의 직접적 파악의 특권은 신에게 놓인다. 이리하여 라이프니츠는 확실성을 명증성으로부터 분리하고, 논리의 형식성에서 본다.

또한 라이프니츠는 데카르트의 분석·종합·매거의 규칙을 비판한다. 분석이 길어지면 논증 전체를 우리는 단번에 직관할 수 없다. 사물의 본성을 가르치는 실재적인 정의가 필요하지만, 우리의 사고는 오히려 잠정적·가설적·기호적인 명목적 정의에 의존한다. 참된 종합을 위해서는 출발점이 되는 단순한 요소가 분석되어 있을 필요가 있다. 기억력을 보완하는 기호법과 결합법이 있어 비로소 완전한 매거도 가능해진다. 데카르트는 새로운 지식의 발견을 중시했지만, 라이프니츠는 그 이전에 발견법이 중요하다고 생각한다. 분석, 종합, 매거를 인간에게 가능하게 하는 형식적인 기호법과 결합법이 참된 발견술에는 필요하다.

데카르트가 명석·판명한 직관을 진리 기준으로 삼은 데 반해, 스피노자는 판명한 인식에서도 더 나아가 적합한(직관에 의한) 인식과 부적합한(표상이나 이성에 의한) 인식을 구별했다. 라이프니츠는 적합한 인식을 더 나아가 직관적 인식과 기호적 인식으로 나누고, 전자를 완전한 인식, 후자를 맹목적 사유에 의한 인식이라고도 불렀다. 라이프니츠는 홉스가 월리스와의 논쟁에서 기호대수학을 비판한 것에 맞서 '판명하게 추론하기 위해서는 맹목적 인식에 호소하면 충분'하다고 한다. 또한 스피노자가 기호적 표상을 오류적인 인식이라고 한 데 맞서 라이프니츠는 기호적 사고에 의해 수학적 추상의 세계가 열리며, 자연 본성의 인식에 관한 어떤 단념에 의해 자연학이 발전한다는 것을 적극적으로 인정한다.

라이프니츠는 인간의 본성적 인식이 직관이 아니라 오히려 기호적 인식에 놓여 있다고 한다. 대수학과 산술에 한정되지 않고 사람은 곳곳에서 기호적 사고를 사용한다. 따라서 모든 학문은 기호법의 한 부문에 지나지 않는다. 기호법은 사물 대신에 기호를 놓음으로써 상상력과 기억력의 부담으로부터 해방하고 추론을 쉽게 만든다. 자연 현상의 질서에 대응하도록 언어를 질서 짓는 기호법을 구축할 수 있다면, 기호적 관계의 질서로부터 실재성을 끌어낼 수 있다. '맹목적 인식cognitio caeca'은 기호적 인식으로도 판명한 인식을 얻을 수 있고 지식을 증대할 수 있다고 하는 보편 계획의 한 부분에 놓여 있다. 이리하여 라이프니츠는 분석을 대수화하는 '보편적 기호법'을 구상한다. 또한 논증을 정의의 연쇄, 분석을 정의되는 것의 정의로의 분해로 간주한다. 그리고 증명을 자기 동일 명제로의 환원으로 생각하고, 추론의 대수화를 추진한다. 이리하여 모든 추론이 대수 계산으로 되면, 우리는 다만 '계산하라!'라고 말할 수 있을 것이다.

데카르트가 비례론과 대수방정식을 학문의 모델로 한 데 반해, 라이프니츠에게서는 결합법이 학문들의 기초로 간주된다. 결합법이란 사물과 개념을 기호에 의해 대표하고, 그 기호들의 배치와 관계와 같은 질서를 수학적으로 탐구하는 질質 일반의 학문이다. 그것은 기호화에 의해 관계를 추상하는 '추상적 관계의 일반적

이론'(루이 쿠튀라)이며, 사물의 형식을 보편적으로 취급하는 기호적 학문이기도 하다. 라이프니츠는 결합법을 사용하여 방정식의 양적 관계에 한정되어 있던 데카르트의 해석기하학을 닮음 등의 질적 관계로까지 확대하는 '위치 해석Analysis Situs'을 구상했다. 결합법은 수학에서의 순열 계산을 포함하는 조합의 이론이다. 그것은 삼단논법에서의 명제의 조합과 확률론 등에 응용된다. 또한 소수에 의해 자연수 모두가 형성되듯이 소항素項(근원적 개념)에 대해 기호수를 할당하여 수로써 명제를 표현하는 이른바 '인간 사고의 알파벳'의 착상도 얻었다. 즉 결합법이란 모든 개념이 단순한 기본적 개념의 조합으로부터 합성된다는 생각에 기초하여 그 개념들의 조합을 망라하고 새로운 개념을 발견하는 기술이다.

라이프니츠의 보편 수학

17세기 후반은 보편 수학에 관한 자료로 넘쳐났으며, 그것들의 영향을 받은 라이프니츠의 보편 수학도 다의적이다. 라이프니츠의 보편 수학은 데카르트주의적 전통을 강하게 이어받고 있음과 동시에 젊은 시절 독일에서 공부한 비-데카르트주의적 전통도 계승하고 있다. 보편 수학의 데카르트주의적 전통으로부터는 대수학을 진리의 발견술로서 자리매김하고, 그것을 보편적 방법으로서 파악하는 측면을 계승한다. 이쪽 진영에는 월리스와 데카르트 『기하학』의 상세한 주석을 쓴 프란스 판 스호텐Frans van Schooten

(1615~1660), 오라토리오 수도회의 사제로 데카르트파인 니콜라 드 말브랑슈Nicolas de Malebranche(1638~1715)와 그의 제자 장 프레스테Jean Prestet(1648~1690), 그리고 데카르트를 숭배하고 대수학을 보편 수학으로 파악했지만, 라이프니츠의 결합술이나 무한소 해석을 과소평가한 에렌프리트 발터 폰 치른하우스Ehrenfried Walther von Tschirnhaus(1651~1708) 등이 있다. 다른 한편 비-데카르트주의적 전통으로는 사물을 평가하는 방법으로서의 보편 수학 개념을 스승인 에어하르트 바이겔Erhard Weigel(1625~699)과 그의 제자 요한 크리스토프 슈투름Johann Christoph Sturm(1635~1703)으로부터 받아들인다. 또한 개념 분석에 의한 새로운 논리학을 탐구한 요아힘 융기우스Joachim Jungius(1587~1657)의 영향도 있다. 융기우스는 보편 수학을 '근원 수학'이라고 불렀는데, 그 근원 수학의 명제는 상상력과 기억, 도형의 도움에 의하지 않는다고 하고 있다.

또한 라이프니츠의 보편 수학은 시기와 텍스트에 따라 정의가 다르다. 파리 시기 이전에 갖고 있던 것은 기호 대수로서의 보편 수학과 바이겔의 보편 수학 개념이다. 처음에는 보편적 기호법을 발전시키기 위해 대수학을 모델로 삼았지만, 중기(1679~1686년)에는 기호적 기능에서 가치를 보고, 형식과 수식에 관한 학으로서의 결합술로 보편 수학을 확장한다. 보편 수학은 상징을 다루는 상상력을 옹호하고, 양뿐만 아니라 질, 요컨대 형태도 다루는 '추상적 관계의 일반학' 즉 '상상력의 논리학'으로서 결합술에 종속하는 학으로서 생각된다. 데카르트파와 같이 '양에 관한 보편 수학'이라고 좁은 의미에서 말하기도 하지만, 위치 해석을 포함하는 '양과 질에 관한 보편학'으로 불리기도 한다. 1690년대는 동역학動力学의 촉진 및 미적분의 연구를 하고 있던 시기이지만, 거기서는 보편 수학을 힘을 평가하는 학으로 확장하는 무한학으로서 구상한다. 18세기 이후 보편 수학은 다시 양에 한정된 좁은 의미의 정의로 돌아가며, 수학의 기초적인 개념과 조작의 해명으로 나아간다. 그러나 라이프니츠의 보편 수학은 미완성의 프로젝트로 끝났다. 보편 수학의 이념은 19세기에 이르러 볼차노Bernhard Bolzano(1781~1848)와 후설Edmund Husserl(1859~1938) 등에게서 부활한다.

라이프니츠의 자연 철학

라이프니츠는 아직 젊었던 시절에 스콜라 철학을 내던지고 기계론 철학을 채택했다. 그가 이 새로운 철학에 관심을 가진 것은 적은 존재자의 전제로 많은 현상을 설명할 수 있다는 유명론적 관점에 놓여 있다. 이리하여 초기 라이프니츠는 기계론을 수용하지만, 이미 독자적인 생각도 싹트고 있다. 기계론은 물체적 현상을 설명할 때 신이나 형상·질에 호소하는 것을 배제하고 모든 것을 물체의 크기나 모양·운동이라는 물체의 본성으로부터 끌어내는 학이다. 그러나 물체의 강성 내지 응집의 원인이나 왜 이 물체가 이 크기와 모양을 가지는가 하는 이유 등, 물체의 본성만으로는 설명할 수 없는 것이 있다. 이리하여 라이프니츠는 물체적 현상의 설명을 위해서는 비물체적 원리로서 형상이나 신이 필요하다고 주장한다. 라이프니츠의 자연학 연구는 1671년의 『추상적 운동론』과 『신자연학 가설』로 열매 맺는다. 거기서는 라이프니츠도 정의로부터 명제를 논증하는 기하학적 방법을 채택했다. 『추상적 운동론』에서는 기본적인 운동 법칙을 밝히고, 『신자연학 가설』에서는 그것들로부터 도출되는, 우리가 관찰하는 현상을 낳는 가설적인 세계를 그렸다.

『추상적 운동론』은 분명히 홉스로부터 원리에 의한 방법과 착상을 얻고 있다. 실험·경험이 기하학적 추론으로부터 배제되어야만 하듯이, 운동의 추상적 이유의 학으로부터도 배제되어야만 하며, 사실과 감각으로부터가 아니라 명사의 정의로부터 논증되어야만 한다고 하고 있다. 나아가 라이프니츠는 운동의 생성 원인으로서 코나투스가 없으면 안 된다는 것에 동의한다. 그러나 운동의 비연장적이고 불가분한 단서인 코나투스를 홉스처럼 물체적인 것으로 간주하지 않고 오히려 '순간적 정신'과 결합한다. 라이프니츠는 물체의 통일 및 물체의 운동이 지니는 불가분성은 궁극적으로 비연장적인 정신의 불가분성에 의해서만 설명할 수 있다고 해석한 것이다. 그리고 사멸 불가능한 정신은 불가분한 기하학적 점에 존재한다고 했다. 이것은 운동론의 전제로서 참으로 동일한 것이 없으면, 운동 변화가 의미를 지닐 수 없다는, 라이프니츠가 생애 내내 유지한 개체화(동일성)의 원리 이외에 다른 것이 아니다. 이리하여 라이프니츠는 홉스의 코나투스 개념을 '정신화'하여 수용했다. 라이프니츠는 물체 그 자체를 정신화한 것은 아니지만, 이것은 다름 아니라 홉스의 유물론적 자연 철학을 관념론으로 전환하는 노선이다.

그 후 1672년부터 1676년까지 파리에 체재하는데, 1674년에는 변환정리를 발견하고, 늦어도 다음 해까지는 그 정리를 증명하여 미적분학이라는 새로운 방법을 확립했다. 그 사이에 라이프니츠는 기계론의 한계를 인식하고, 어느 시점부터 기계론 철학과 아리스토텔레스 철학 사이의 화해를 시도하고자 한다. 그것은 기계론의 원리에 아리스토텔레스의 '실체적 형상'을 덧붙임으로써 이루어진다. '실체적 형상'이란 물체 내지 '물체적 실체'가 본래적으로 지니고 있어야 할 목표 지향적인 본성을 설명하기 위해 사용되는 아리스토텔레스 철학의 용어이다. 그렇다면 그것은 식물이 빛에 닿고자 하는 경향, 무거운 물체가 지구로 낙하하고자 하는 경향 등을 지시한다. 1676년, 파리를 떠난 라이프니츠는 운동의 본성을 논의한 대화편 『파키디우스로부터 필랄레투스에게로』를 쓴다. 거기서는 데카르트와 갈릴레오의 수학적 자연학의 문제점을 토대로 하여 아리스토텔레스의 제1철학 즉 형이상학의 방법을 계승한다. 그리고 자연 철학의 실증적 방법은 아직 성숙해 있지 않으며, 원리적 고찰도 무용하지는 않다고 보았다. 이리하여 라이프니츠는 일단 내던져 버린 아리스토텔레스의 '실체적 형상'의 생각을 부활시킨다. 다만 그리함으로써 기계론의 프로젝트를 방기한 것은 아니다. 기계론에 물체의 통일의 기원을 보증하는 정신적 원리로서

'실체적 형상'을 도입하는 한편, 물체와 그 현상의 설명에 관해서는 기계론을 적극적으로 전개하는 것이다.

1670년대에는 홉스적인 자연학을 내버리고 새로운 동역학을 확립해간다. 거기에서는 물체가 지니는 연장과 불가입성이 순수하게 수동적인 것으로, 능동의 기원은 물질의 변양일 수 없다고 한다. 그렇다면 운동도 사유도 무언가 다른 것에서 유래할 것이다. 그리하여 라이프니츠는 물체적 현상의 기계적 설명을 지지하면서 물체가 무언가의 능동적 힘을 지닌다고, 엄밀하게 다시 말하자면 물체가 형상 즉 근원적인 능동적 힘(활동의 원리)과 질료 즉 근원적인 수동적 힘(저항의 원리)이라는 두 개의 본성으로 복합되어 있다고 한다(「동역학 제요」, 1695). 이리하여 물질적 사물에서 모든 것은 기계적으로 설명될 수 있다—다만 역학의 원리 그 자체는 제외하고. 이에 의해 라이프니츠는 독자적인 동역학적 세계상을 제출하는 것이다.

1700년 이후, 라이프니츠는 모나드론·단자론monadology을 전개한다. 모나드란 정신적이고 불가분한 하나인 단순 실체이다. 물체적 실체는 다름 아닌 구체화된 모나드의 복합이며, 그 신체는 어떤 지배적 모나드에 종속하는 다른 모나드들의 모임이다. 물체적 실체는 그 속에서 시간을 통해 기능과 목적의 통일을 부여하는 실체적인 원리, 즉 형상 덕분에 하나인 것이 된다. 통시적 동일성을 보존하는 물체는 그 실재성을 실체로부터 끌어내지만, 그것 자체는 실체가 아니라 지각된 현상적 통일을 지닐 뿐이다. 마찬가지로

운동은 각 순간에 존재하는 순간적인 힘으로부터 그 실재성을 끌어낸다. 라이프니츠는 데카르트파가 물체의 본성을 연장으로만 한정하고, 연장 실체를 주장했다는 점을 집요하게 비판한다. 라이프니츠는 연장이란 무언가 어떤 것에 대한 연장이어야만 한다고 주장한다. 그리고 그 어떤 것이 무엇인가에 대해서는 최종적으로는 새로운 '힘' 개념으로 설명한다. 즉, 연장이란 저항이 지니는 수동적 힘의 확산이다. 수동적 힘은 능동적 힘에 의해 보완된다. 능동적 힘은 아리스토텔레스가 물체에서의 완전성의 능동적 원리로 삼았던 '실체적 형상' 또는 '제1엔텔레케이아'를 라이프니츠의 동역학에서 재해석한 것이다. 이러한 능동적 힘과 수동적 힘이 하나가 되어 물체적 실체가 구성된다.

나가며

지금까지 개괄적으로 설명해온 홉스, 스피노자, 라이프니츠의 과학론과 방법론에 대해 '세계철학사'의 관점에서 무엇이 말해질 수 있을까? 우선 그 어느 것이든 데카르트적인 새로운 기계론 철학, 즉 수학적 방법에 기초한 자연 철학의 구축이라는 프로젝트를 좀 더 철저한 방식으로 이어받고 있다는 점이다. 그리고 흥미로운 점은 3자 모두 스콜라 철학에 대해 비판적이었음에도 불구하고, 원리로부터 세계상을 세워 올리는 제1철학에 관한 아리스토텔레스적 전통을 강하게 이어받고 있다는 점이다. 이것은 그들이 그린

수학적 세계상이 단지 수학을 사용한 형식적인 현상의 설명에 그치지 않고, 그 실재적 근거를 분명히 하는 방식으로 전개되어야만 한다는 공통의 철학적 요청에 따른 결과 이외에 다른 것이 아니다. 그러나 각각은 전적으로 독자적인 자연 철학의 체계를 보여주었다. 홉스는 물체와 그 운동에 기초한 유물론적 세계상을 제시했다. 스피노자는 데카르트의 방법을 『원론』의 기하학에 따라 충실한 방식으로 철저화하여 정신과 자연이 신 안에서 일치하는 일원론적 세계상을 그렸다. 그리고 그 후의 세대인 라이프니츠는 선구자들의 수학적 방법보다 훨씬 더 보편적인 방법을 추구하고, 전통적인 철학과 새로운 철학을 종합하여 정신과 자연이 조화를 이루는 새로운 동역학적 세계상을 그렸다.

☞ 좀 더 자세히 알기 위한 참고 문헌

— 고바야시 미치오小林道夫 편, 『철학의 역사 5. 데카르트 혁명哲学の歴史 5. デカルト革命』, 中央公論新社, 2007년. 이 장에 등장하는 17세기의 주요한 철학자들을 상당히 자세한 내용까지 포괄하는, 입문자로부터 전문가까지 반드시 참조해야 할 책.

— 홉스, 『물체론物体論』, 혼다 히로시本田裕志 옮김, 京都大学学術出版会, 2015년. 홉스 자연 철학의 주저로서 그 철학 체계의 원리적 부분에 관한 라틴어 원전으로부터의 기념비적인 일역.

— 스피노자, 『지성 개선론知性改善論』, 하타나카 나오시畠中尚志 옮김, 岩波文庫, 개역판, 1992년. 스피노자 자신의 방법론과 인식론을 짧게 정리한 것. 원전이지만 다른 책과 비교해 읽기 쉬우며, 스피노자에 이르는 가장 좋은 입문서라고 할 수 있다.

— 이본 벨라발Yvon Belaval, 『라이프니츠의 데카르트 비판ライプニッツのデカルト批判』, 오카베 히데오岡部英男 · 이즈쿠라 요시미伊豆藏好美 옮김, 法政大学出版局, 상 2011년, 하 2015년. 데카르트 비판의 관점에서 라이프니츠의 철학 체계를 상세히 설명한 기본서.

— 다가미 고이치田上孝一 · 혼고 아사카本郷朝香 편, 『원자론의 가능성. 근현대 철학에서의 고대적 사유의 반향原子論の可能性. 近現代哲学における古代的思惟の反響』, 法政大学出版局, 2018년. 라이프니츠 자연 철학에 대한 좀 더 상세한 전개에 관해서는 이 책 제4장, 이케다 신지池田眞治, 「라이프니츠와 원자론 — '아톰'으로부터 '모나드'로ライプニッツと原子論 — 'アトム'から'モナド'へ」(111~152쪽)를 참조할 수 있을 것이다.

제8장

근대 조선 사상과 일본

오구라 기조小倉紀藏

1. 조선·한국의 철학적 위치

인간주의·지성주의·도덕주의

이 시리즈와 같은 세계철학사의 종합적 서술 속에 조선 철학(사상)의 한 장을 마련하는 것은 이례적이라고 할 수 있을 것이다.

세계철학에 대해 조선 철학은 어떠한 충격을 주었을까? 유감스럽게도 지금까지 충격은 거의 없었다고 할 수 있을 것이다. 하지만 그것이 조선 철학에 가치가 없다는 것을 의미하는 것이 아님은 물론이다. 조선이라는 고유명사의 수수함에 의해 그 가치가 숨겨져 버렸다는 측면이 있으며, 또 하나는 조선의 철학적 사유의 특성으로서 현재의 곤경을 벗어나 미래를 지향하는 성질을 지닌다는 점이 적지 않다. 특히 근대라는 현상에 대한 격렬한 애증을 내장한 사상은 장래의 세계에 충격을 주게 될 것으로서 자리매김할 것이다. '토착적 근대'라든가 '또 하나의 근대'라는 관점에서의 조선 사상의 재해석도 이루어지고 있으며, 또한 포스트모던 계열의 관점도 근간의 한국에서 커다란 영향력을 지니고 있다.

조선 철학(사상)의 특징을 전반적으로 극히 단순화하여 말하자면, '인간 및 인간성, 그리고 그 지성과 도덕성에 대한 끝없는 긍정과 추구'라고 할 수 있을 것이다. 이것은 유교(주자학)가 지니는 기본적인 성격이지만, 조선 불교와 조선 샤머니즘, 나아가 조선 문화와 조선 문학도 같은 경향을 지닌다. 강렬한 인간 중심주의이자 정통적인 인문주의이다. 초월성과 그 내재라는 관념이 철저하게 일상화되어 있다. 인간의 본질적 선성善性에 대한 강한 신앙이 있고, 그 도덕적 능력에 대한 애처로울 정도의 귀의가 있다. 외부로부터의 거듭되는 침략과 위정자에 의한 압정과 사회의 혼란 등이 그것들에 절대로 굴복하지 않는 강인한 '인간'에 대한 신앙을 단련시켜왔다고 생각된다. 역으로 말하면, '지성적·이성적인 동시에 도덕적인 인간' 이외의 존재자(동물과 '사물' 등)에 대한 감성은 일본 사상보다 훨씬 약하며, 민중(비이성적 인간)의 문화·사상이 억압되었던 까닭에 풍부하게 남아 있지 않고, 문자 텍스트의 편중—예를 들어 현존하는 세계에서 가장 오랜 금속 활자본 『백운화상초록불조직지심체요절白雲和尙抄錄佛祖直指心體要節』은 1377년의 고려 시대의 것이고, 아름다운 조선 활자는 일본에서도 총애받았다 — 의 이면으로서 시각 예술(특히 회화)이 빈약한 것 등의 특징도 지닌다. 전반적으로 계몽적·지성적·'근대'적이라고 말할 수 있다. 그런 까닭도 있어 탈근대의 사상은 병합 식민지 시대에 일본의 영향으로 싹텄지만, 해방 후에 끊어지며, 한국의 사상 조류는 계몽 이성적인 근대주의 일변도가 되었다. 1980년에는 좌파 사상이 활성화하여 민중 사상·민중 예술이 반근대의 방향성을 강하게 내세웠지만, 거기서도 강조되고 있었던 것은 근대라는 '반인간적인 악'에 대해 대항하는 도덕적 민중으로서의 강인한 '인간'이었다. 인간 해체의 방향성으로 쉽게 향해버리는 일본의 포스트모던과는 전혀 다른 사상 경향이다.

다만 주류가 아닌 사상·문화에는 위와 같은 도덕 지향과는 다른 데카당스나 니힐리즘 지향도 존재했다. 하지만 일본과의 차이는 그러한 반주류·반도덕의 사상·문화가 조선에서는 계속해서 철저하게 멸시되고, 세련화되지 않은 채 방치되었다는 점이다.

반도로서의 사상적 형성

데리다는 유럽을 '곶'이라고 말했지만, 반도라는 지리적 조건은 다종다양한 사상의 다량의 유입을 촉진함과 동시에 대륙의 정치권력과의 관계에서 그 다종다양성을 그대로 병존시키지 못한 채 정리·통합하는 방향성도 촉진한다. 특히 조선 반도는 서쪽으로 중국이라는 문명적·군사적으로 강대한 지역이 인접해 있는 까닭에, 언제나 그것과의 긴장 관계에서 사상을 영위해야만 했다. 당나라 시대에 신라가 한문 문명화를 적극적으로 행한 것과 명·청의 탈주자학화(양명학·고증학의 등장 등)에 대처하기 위해 조선이 한층 더한 주자학화를 추진한 것 등은 중국과의 문명적·군사적 긴장 관계가 없으면 일어나지 않았을 것이다.

그뿐만이 아니다. 반도의 동쪽에는 군도群島 문명으로서의 왜(일본)가 있어 이 '반문명성'을 어떻게 다룰 것인가 하는 것도 조선에 있어서는 전통적으로 중요한 과제였다. 유럽에서 예를 들어 스코틀랜드의 군도 문명성이 흄의 회의론과 '지각의 다발'이라는 유별난 인간 규정을 낳은 것과 마찬가지로, 동아시아에서도 일본이 탈대륙적·탈합리주의적·탈본질주의적인 유별난 세계관을 내세우는 지역(화이華夷 질서에서의 이)인 점에 대한 문명적 우월성의 자기 규정으로서 초월적 선성이 인간에 내재한다는 것에 대한 신뢰, 이성과 지성과 도덕성의 근거에 대한 탐구 등이 조선에서는 철저하게 행해졌다고도 말할 수 있다.

조선 반도라는 '곳'은 대륙(계몽 이성적 문명)과 군도(비이성주의적 문명) 사이에 놓인 인간주의적인 장소인 것이다.

이 '곳'은 다종다양한 사상이 뒤섞이게 했지만, 통사적으로 말하면, 절충화·혼효화라는 방향성보다는 순수화·배타화라는 방향성이 강했다. 사상이 정치권력과 대단히 밀접한 관계를 지닌다고 하는 경향이다. 고려 시대 이후의 공식적 불교에서 화엄과 선의 압도적 우위 — 물론 민중 차원에서는 정토·미륵·법화경 신앙도 강했다—, 조선 시대의 유교에서 주자학의 절대적 우위—양명학은 가학으로서 간신히 계승되었다—등은 일본의 불교·유교의 이종 병존적 성격과 비교하면 대단히 명료한 특징을 나타내고 있다. 물론 그뿐만이 아니다. 19세기에는 샤머니즘·애니미즘·유교·도교·불교를 융합한 동학과 같은 사상적·종교적 아말감도 등장한다.

일본에 대한 영향

고대부터 조선 반도가 문명적·문화적·사상적으로 일본 군도에 대해 강한 영향을 주었다는 것은 당연하며 상식이다.

백제의 와니기시和邇吉師(왕인을 말한다)가 오진応神 천황 대에 『천자문』과 『논어』를 가져왔다는 기록이 『고사기』에 있다. 또한 552년, 요컨대 긴메이欽明 천황 13년 때에 백제로부터 불교가 공식적으로 전해진다(불교의 전래 자체는 좀 더 일찍일 것으로 생각된다).

신라와의 사상적 연결도 깊으며, 특히 신라 최대의 불교 철학자인 원효元曉(617~686)는 일본 불교에 커다란 영향을 주었다. 그의 제자이자 중국의 법장法藏(화엄종 제3조)의 제자이기도 한 심상審祥(審詳이라고도 한다)은 736년에 일본에 화엄 사상을 전했다.

가마쿠라 시대 초기의 묘우에明惠(1173~1232)는 '화엄종 중흥의 선조'라고 말해지지만, 그러한 그가 존숭한 것은 신라 화엄 사상의 대가인 의상義湘(625~702)이었다. 의상은 중국 화엄 사상에는 없는

'이리무애법계理理無礙法界'(이리상즉理理相卽)라는 개념을 수립한 인물로 이즈쓰 도시히코井筒俊彦(1914~1993)도 주목했다.

또한 일본의 독자적인 것이라고 말해지는 한문 훈독법도 신라 계통 불승의 경전 읽기 방식과 그 근저에서 통하는 점이 있다고 한다(이에 관해서는 김문경金文京, 『한문과 동아시아漢文と東アジア』, 岩波新書, 2010년을 참조).

일본의 슈겐도修驗道나 무사(사무라이)의 기원이 신라의 화랑에 있다는 지적도 반드시 황당무계한 논의는 아니다. 화랑이란 신라의 청년 귀족 전투 집단(화랑도)의 장이며, 현세에 몸을 나타낸 미륵이라는 신앙이 있었다. 신라의 깊은 산을 돌아다니며 유교적·불교적·도교적인 사상을 뒤섞은 탐미적 집단이며, 더 나아가 '싸움에 임해서는 물러남이 없다'(임전무퇴臨戰無退), '죽이고 살리는 데에는 가림이 있다'(살생유택殺生有擇)라는 삶과 죽음을 초월한 무인의 계율에 의해 결속했다.

주자학(성리학)

그런데 이 장에서는 조선의 사상·철학을 말하는 것이지만, 그 시대적 범위는 주로 근대로 되어 있다. 서술은 근대를 중심으로 하여 그것에 직접적인 영향을 미친 조선 시대(1392년부터 1895년까지의 조선왕조 시대를 조선 시대라 한다)로부터 시작하기로 한다.

조선 사상사의 경우 고려 이전이라면 불교에 관한 기술을 두껍게

해야만 한다. 특히 신라의 원효·의상과 고려의 지눌知訥(1158~1210) 등에 초점을 맞추어야만 한다. 하지만 조선왕조 이후에 초점을 맞추게 되면 역시 우선하여 언급해야만 하는 것은 주자학(근간에 한국에서는 주자학이라는 호칭보다 성리학이라는 이름이 선호되는 경향이 있지만, 이 장에서는 주자학이라고 부른다)일 것이다. 조선의 대표적인 주자학자로서는 이퇴계李退溪(1502~1571)와 이율곡李栗谷(1536~1584) 등이 있다.

조선에서는 중국의 주자학을 치밀하게 다듬고 정합성을 도모하며 형식화하고 정치화하며 영성화하고자 했다. 치밀하게 다듬은 것의 예로서는 '사단칠정四端七情 논쟁', '인물성 동이人物性同異 논쟁' 등이 있으며, 정합성을 도모하는 것의 예로서는 치밀한 문헌학적 연구가 있고, 형식화의 예로서는 '예론禮論'이 있으며, 정치화의 예로서는 이율곡을 원류로 하는 노론파(가장 큰 당파)의 흐름이 있고, 영성화의 예로서는 이퇴계를 원류로 하는 남인파(4대 당파의 하나)의 흐름이 있다. 영성화의 흐름으로부터 18세기 후반에 조선 최초의 가톨릭 신자가 출현하고, 또한 후세에 '실학實學'이라고 불리게 되는 사상 경향이 크게 성장한다.

'실학'에 대해서는 뒤에서 서술하기로 하고 여기서는 철학적 논쟁을 두 가지만 소개하고자 한다. 하나는 '사단칠정 논쟁'이다. 이것은 '사칠 논쟁'이라고도 하는데, 사는 4단을, 칠은 7정을 가리킨다. 사단은 『맹자』에 나오는 중요한 개념으로 측은惻隱·수오羞惡·사양辭讓·시비是非라는 네 가지의 정情이며, 각각 인仁·의義·예禮

·지智라는 네 개의 도덕성(성性)의 단초라고 맹자가 규정했다. 칠정은 『중용』과 『예기』에 나오는 희喜·노怒·애哀·구懼(락樂)·애愛·오惡·욕欲이라는 일곱 가지의 정이다. 사단도 칠정도 정(기氣)이라는 점에는 변함이 없다. 그러나 주자학에서 사단은 도덕성(성즉리性卽理)과 직결되는 정인 데 반해, 칠정은 인간의 욕망에 빠질 가능성이 있는 정이라고 하는 차이가 있다.

'사단칠정 논쟁'이란 이퇴계와 기고봉奇高峯(1527~1572) 사이에서 펼쳐진 커다란 철학 논쟁이었다.

이퇴계는 '사단은 이理가 발한 것이고, 칠정은 기氣가 발한 것이다'라고 생각했다. 이것은 '이기호발설理氣互發說'(이도 발하고 기도 발한다)이라고 불렸다. 하지만 젊은 기고봉이 이에 대해 사단과 칠정을 이와 기로 이항 대립적으로 나누어버리면, 칠정은 성(이)과는 관계없는 것이 되고, 사단은 기와 관계없는 것으로 되어버리는바, 올바르게는 칠정도 성이 발한 것인 까닭에 성(이)과 관계가 있으며, 사단도 정인 까닭에 기인 것이라고 주장했다. 이에 대해 이퇴계는 유명한 '사단리발이기수지, 칠정기발이리승지四端理發而氣隨之, 七情氣發而理乘之'(사단은 이가 발하여 기가 이것에 따르고, 칠정은 기가 발하여 이가 이것을 탄다)라는 테제를 내세웠다. 이것은 이후의 조선 유학사가 이퇴계의 이 테제를 둘러싼 논쟁의 역사라고 해도 지나친 말이 아닐 정도로 중요한 명제가 되었다. 움직이지 않아야 할 이가 '발한다'라는 것은 주자학자로서는 간단히 긍정할 수 없다. 하지만 이퇴계는 '이발理發', '이동理動', '이도理到'라고 하는 약동적인 이를 주장했다.

이에 반해 이율곡은 기고봉의 논의를 지지하고, '이는 발하지 않는다'는 것, '기가 발하고 이는 그것을 탄다(기발리승설氣發理乘說)'는 것을 명확히 주장했다.

이후 조선 유학계는 이퇴계 계통(영남학파)과 이율곡 계통(기호학파)의 2대 학파로 분단하게 된다. 16세기 이후의 조선은 당쟁의 시대이다. 사대부가 우선 동인과 서인으로 분열하고, 전자가 남인과 북인으로 분열한다. 이 가운데 남인이 이퇴계 계통이다. 후자의 서인이 이율곡 계통이지만, 이것은 후에 노론과 소론으로 분열한다. 남인, 북인, 노론, 소론이 4대 당파이다.

또 하나의 중요한 철학 논쟁은 '인물성 동이 논쟁'이라는 것으로 집권당파인 노론파 내부에서 오랫동안 전개되었다. 여기서 '인'은 인간을 가리키고, '물'은 주로 동물을 가리킨다. 인간의 본성과 동물의 본성은 같은 것인가 다른 것인가 하는 논의였다.

논쟁은 이간李柬(1677~1727)과 한원진韓元震(1682~1751)이라는 동문 사이에서 일어났다. 둘 다 노론파의 거두 권상하權尙夏(1641~1721)의 문인이었다. 이간은 인물성 동일人物性同一(사람과 동물의 성은 같다)을 주장하고, 한원진은 인물성 상위人物性相違(사람과 동물의 성은 다르다)라고 주장했다. 이 두 사람을 이어받아 근기近畿(수도 근교)와 충청도에 각각 거주하는 노론파 사대부들 사이에서 사람과 동물의 성의 같음과 다름, 마음이 발하지 않은未發 상태에서 선악의 문제, 그리고 마음의 중층성 등에 관해 끝없이 정교하고 치밀한 논의를 하게 된다.

이 논쟁은 18세기 후반까지 오랫동안 계속되며, 북학 사상과 위정척사 사상, 나아가 개화사상이라는 그 후의 중요한 사상·이념에까지 커다란 영향을 주게 되었다.

덧붙이자면, 조선 주자학은 일본에 커다란 영향을 주었다. 특히 이퇴계를 존숭하는 유학자는 구마모토, 도사 등을 중심으로 하여 수많았다. 구마모토에서는 이퇴계를 최고의 유자라고 생각하는 구마모토 실학파가 활약하고 인재를 배출했다. 에도 막부 말기의 요코이 쇼난橫井小楠(1809~1869)도 그 가운데 한 사람이었다. 또한 메이지에 들어서 메이지 천황의 시강侍講이 되고 후에 추밀 고문관에까지 오른 모토다 나가자네元田永孚(1818~1891)도 있는데, 그는 이노우에 고와시井上毅 등과 함께 '교육칙어'를 만든 유학자였다. 이퇴계를 존경하고 그의 학문을 배운 일본의 유학자가 '교육칙어'를 만들고 그것이 이번에는 병합 식민지 조선을 지배해 가는 강력한 사상이 된 것은 참으로 얄궂다고 해야 할 것이다.

2. 근대와의 관계

이른바 '실학'의 문제

병합 식민지 시대(이 말에 관해서는 뒤에서 언급한다)에 '실학'

이 '발견'된 것은 명확히 일본인에 의한 조선 사상 해석에 대한 반동이었다. 실학이라는 말은 본래 주자학의 용어였다. 과거 수험 등을 위해 시문을 익히는 학문(기송사장記誦詞章의 학이라고 한다)에 반해 인간의 도덕적인 본체인 마음을 순수화하는 학으로서 주자학이 자기 규정한 말이다.

일본에서도 메이지 이전에 실학이라는 이름은 그렇게 사용되었다. 구마모토 실학파의 실학은 바로 그와 같은 의미이며, 주자학과 이퇴계를 실학으로서 존숭했다.

하지만 메이지 이후 일본에서는 예전의 주자학적 패러다임에서 '공리', '사공事功'의 학이라고 불리며 경멸당했던, 현실의 경제 발전과 사회 개혁의 학문을 실학이라고 부르는 세력이 힘을 증대시켜 나갔다. 그와 동시에 주자학을 '고루', '공리공론'이라고 규정하는 담론이 세를 늘리고, 나아가 그 담론은 조선이 바로 병합 직전까지 '주자학 일변도'였다는 '사실'과 만나 병합 식민지화를 정당화하는 논리로서 강력하게 기능하며, 신형 바이러스처럼 맹위를 떨쳤다.

조선 측은 이에 대응하여 다양한 사상적 움직임을 보였다. 일본적 '실학'을 그대로 실천하는 개화파나 친일파가 있었고, 역으로 실용으로부터 멀리 떨어져 영성화하는 신흥 종교도 있었다(동학, 천도교, 증산교, 원불교 등). 그러나 이러한 종교적 영성화는 단순한 현실 부정이 아니라 새로운 세계의 개벽이라는 사명을 짊어지고 있는 것이 많았다.

여기에 또 하나의 커다란 조류로서 '조선은 주자학 일변도가 아니다. 조선에도 주자학적인 의미가 아닌 비형이상학적인 실학은 있었다. 아니 그것은 동아시아 최고 수준의 것이었다'라는 주장이 등장했다. 정인보鄭寅普(1893~1950)라는 제1급의 역사학자(양명학자이기도 했다)가 주도하여 이 담론을 강력한 것으로 다듬어갔다. 이 장에서는 주자학에서 주장되고 있던 본래의 실학(도덕적 실천의 학)과 구별하기 위해 병합 식민지 시기부터 새롭게 주장된 비형이상학적인 '실학'을 작은따옴표(' ')를 붙여 표기하기로 한다.

'실학'자의 계보 분류와 관련해서는 '경세치용經世致用학파'와 '이용후생利用厚生학파'의 두 파로 분류한다거나 아니면 '경세치용학파', '이용후생학파', '실사구시實事求是학파'의 세 파로 분류하는 것이 한국에서의 주류이다.

'실학'적 학문의 효시는 이수광李睟光(1563~1628)이며, 그 후 유형원柳馨遠(1622~1673)으로 이어진다. 하지만 무어라고 해도 남인파의 성호星湖 이익李瀷(1681~1763)이 백과전서적인 '실학'의 거성으로서 중요하다. 이성호의 계통으로부터 안정복安鼎福(1712~1791), 이가환李家煥(1742~1801), 정약용丁若鏞(1762~1836) 등의 '실학'자들이 배출되었기 때문에, 이것을 성호학파라고 부르며, 그 학문 경향으로부터 경세치용학파라고 부른다. 이 학파는 조선에 가톨릭이 들어왔을 때 최초의 수용자가 되었다는 점에서도 중요하다. 특히 정약용은 호인 다산茶山으로 더 유명한, 조선 후기 최대의 유학자였다.

그러나 성호학파(남인파)는 정계에서는 어디까지나 비주류였다. 이와 대립하는 당파인 주류파 노론파로부터도 '실학'이 등장했다. 조선이 멸시하는 청나라로부터 최신 문물을 배울 것을 주장한 북학파北學派(북은 청을 말한다)가 그것인데, 그들이 주장하는 것의 중심이 이용후생(『서경』의 말)을 충실하게 하는 것이었기 때문에, 이것을 '이용후생학파'라고 부른다. 홍대용洪大容(1731~1783), 박지원朴趾源(1737~1805), 박제가朴齊家(1750~?) 등이 이 계통의 대표적 인물이다(다만 박제가의 가계는 소론파).

그러나 이들 두 계통은 1800년의 정조正祖 사후, 일망타진당했다. 그 후에 겨우 명맥을 유지한 것이 청조 고증학의 영향을 받은 김정희金正喜(1786~1856), 이규경李圭景(1788~1850) 등의 '실학'자로 이것을 '실사구시학파'라고 한다. 이 계보는 세력으로서는 강하다고 할 수 없었지만, 조선 말기의 개화파로 계승되었다는 의미에서 대단히 중요한 계보이다. 김정희 계통으로부터 조선에서 거의 최초의 경험주의 논자인 최한기崔漢綺(1803~1879)가 나왔다. 그는 기氣를 중시하고 이理의 선험성을 부정하며 서양 자연 과학을 받아들였다.

'실학'은 병합 식민지 시기에 주창되기 시작했지만, 그것을 가장 높이 평가한 것은 해방 후의 북조선이었다. 북조선에서는 주자학을 반동 봉건사상으로 규정하고, 이理라는 반동 이념을 사수한 유학자들(특히 이퇴계)을 철저하게 비방했다. 그에 반해 '실학'자들이야말로 반봉건주의·반사대주의·반관념론의 유물론적 사상가라고 높이 평가했다. 한국에서도 1970년대부터 90년대까지는 '실학'이 높이 평가되었지만, 그러한 가운데서도 이퇴계와 이율곡 등의 주자학자도 높이 평가되었기 때문에, 북조선과 같은 완전한 이분법으로는 되지 않았다.

북조선에서도 한국에서도 또한 일본에서도 근대화 시기에는 조선 '실학'을 실태 이상으로 반주자학적인 학문이라고 파악하고 기술하는 경향이 두드러졌다. 마치 조선 시대에는 주자학(허학)과는 전혀 다른 '실학'이라는 학문 분야가 있고, 그 학문을 받드는 '실학파'라는 학파가 존재했던 것처럼 생각하게 하는 담론이 유포되었다. 그러나 이것은 사실이 아니다. '실학파'라는 학파는 존재하지 않았으며, '실학'이 완전히 반주자학적이라고 이해하는 것도 잘못이다.

근대라는 문제

근간에는 한국에서도 탈근대의 담론이 주류로 되어가고 있기 때문에, 근대를 둘러싼 진지한 논의라는 것은 거의 그림자를 감추었다. 하지만 해방 후 2000년대까지는 한국의 사상적 영위 대부분은 근대라는 아포리아를 둘러싼 논의였다고 해도 지나친 말이 아니다. 앞항에서 다룬 '실학' 담론 역시 당연히 '조선도 내발적으로 근대화를 할 수 있었다'라는 인식의 틀이었다. 본래 일본의 메이지 유신에 있어 사츠마·영국 전쟁(1863년)과 시모노세키 전쟁

(1863, 1864년)을 경험하고 일본 측이 커다란 위기감을 지녔던 것이 급진적 서양화의 한 계기가 되었다고 한다면, 조선의 개국이 늦어진 것은 역으로 흥선대원군興宣大院君(1820~1898)의 집권 때인 1866년에 강화도에서 프랑스군을 격퇴하고(병인양요), 같은 해에 평양에서 미국의 범선을 불태워 버리며(제너럴셔먼호 사건), 나아가 1871년에는 미국 함대를 강화도에서 격퇴했다(신미양요)고 하는 '전승의 자부심'에서 큰 영향을 받았다. 그 후 일본이 문명개화의 길로 치달아 나가고 '뒤처진' 조선을 물리쳤다고 하더라도, 일본과 조선 사이에 '근대화할 수 있다/할 수 없다'라는 본질적인 능력 차이가 있었던 것은 아니라는 것이 한국의 기본적인 견지이다. 일본이 대한제국을 병합하지만 않았다면 조선도 내발적으로 근대화할 수 있었다는 인식이다.

그렇다면 그 내발적 근대화의 사상적 자원은 무엇일까?

북조선의 사상사에서는 '실학'과 동학이다. 어느 쪽이든 이와 기의 두 항 가운데 기를 중시하기 때문에 유물론이라고 여기며, 또한 동학은 민중의 사상이고, '실학'은 민중 또는 적어도 소규모 토지 소유자의 이익을 대표하는 사상이라고 생각한다. 이들이야말로 조선이 자랑해야 할 근대 사상이라고 평가한다.

한국에서는 '실학'이었다. 하지만 북조선과 달리 동학은 오랫동안 주류의 학문 세계(아카데미아)에서는 진지하게 다루어지지 않았다. 예전에 '동학당의 난'으로 불렸던 1894년의 '갑오농민전쟁'의 주도 진영이 동학의 신봉자들이었다는 것은 주류의 아카데미아도 물론 인정했지만, 그 동학에 근대 사상이 배태되어 있다는 것을 인정하지는 않았다. 하지만 1980년대부터 한국에서는 좌파의 민중 사관이 세력을 얻고, 그 결과 동학과 근대의 관계도 점차 인식되기에 이르렀다. 나아가 북조선과는 달리 한국에서는 동학에서 탈근대의 사상을 발견하고 그 부분을 높이 평가하는 움직임이 활발해졌다.

북학의 축

수많은 조선 '실학'의 계보 가운데 근대와의 관계에서 가장 중요한 것은 북학파일 것이다. 동학이 '서양의 학에 대해 동(조선)의 학'이라는 의미인 데 반해, 북학은 '북(청)에서 배운다'라는 의미이다. 다만 19세기 후반에 나타난 동학에 반해 북학은 18세기 후반에 나타난 것인 까닭에, 이 북학이라는 말은 동학에 대한 대항인 것이 아니다. 북학은 17세기 중엽 이후, 중앙 정계에서 아주 커다란 힘을 휘두르고 있던 노론파의 기본 방침인 '북벌'에 대한 대항 축이었다. 명을 멸망시킨 여진족의 청나라를 타도하고, 도덕적 정통성을 부활시킨다는 것이 북벌이다(다만 조선은 청에 신하로서의 예를 갖추고 있었기 때문에, 공적으로 '청의 타도'를 구호로 내걸 수 있었던 것은 아니다). 노론파의 북벌은 조선이야말로 명나라의 적통을 계승하는 중화라는 소중화 사상과 직결해 있었다.

하지만 그 노론파 가운데서 나온 것이 북학파였다. 앞에서 언급한 홍대용, 박지원, 박제가가 그 대표적인 논객이다. 현실과 동떨어진 환상적인 국제 관계 인식에 사로잡혀 있던 정권 중추부를 비판하고, '청은 야만'이라는 인식을 버리고서 이제 문명적으로 최첨단을 달리고 있는 청나라의 문물을 배워야만 한다는 것이 북학파의 주장이었다. 그들의 인식에서 중요한 것은 '인종(그 당시에 이 말은 없지만, 말하고 있는 내용은 바로 인종이다)과 문명은 일치하지 않는다'라는 것이었다. 집권 노론파는 '명은 한漢민족이기 때문에 문명, 청은 여진족이기 때문에 야만'이라고 생각했다. '그 야만이 문명을 지닐 리가 없으며, 이미 충분히 문명 측에 있는 조선은 청나라보다 상위에 있다'라고 그들은 생각했다. 그러나 북학파는 연행사의 일원으로서 청에 다녀온 견문을 토대로 하여 '청의 선진적인 문물을 배워야만 한다'라고 부르짖었다. 인종과 문명의 관계는 '어떤 인종(예를 들어 여진족)은 야만이기 때문에, 문명을 지닐 수 없다'고는 생각할 수 없으며, 실제로 여진족의 국가인 청은 이미 조선보다 훨씬 높은 수준의 문명을 실현하고 있다. 이것을 보고 익히지 않고서 조선의 사대부들이 무위도식하고 있는 것은 절대로 가소롭다. 이것이 북학파의 주장이며, 문명과 인종을 분리한 것이다.

북학파는 1800년에 그들을 감싸준 정조가 급사하자 철저하게 탄압당하고 말았다. 그러나 이 사상은 수십 년의 태동 시간을 거쳐 조선 말기의 개화사상으로 계승되었다. 만약 조선이 참된 의미에서 내발적인 근대화를 했더라면, 이 '북학의 축'을 확고히 하는 것 이외에 달리 수단은 없었을 것이다. 그러나 조선은 그 길을 걷지 않았다. 한국에서는 자국의 19세기를 일반적으로 '암흑'으로 파악하고 있다. 이용후생의 급진적 개혁의 싹은 짓밟히고, 왕의 외척에 의한 권모술수의 시간을 헛되이 보냈다고 하는 역사관이다.

동학의 축

그리하여 재평가되는 것이 동학이다. 동학은 1860년, 최제우崔濟愚(1824~1864)가 경주에서 열어젖힌 새로운 사상·종교이다. 동학은 1894년에 전라도에서 몰락 양반과 농민들이 주체가 되어 일으킨 갑오농민전쟁(예전에는 동학란이라고 불렸다)의 계기가 되고, 이 봉기에 참여한 많은 사람이 동학을 받들고 있었기 때문에, 한국 근대사에 있어 특히 중요하다. 이 봉기는 제1의적으로는 조선왕조 지방 관료의 수탈과 부패에 대한 항의였지만, 이것과 외국(일본 및 서양)의 제국주의적 침략에 대한 저항과 결부된 것이었다. 그리고 이 봉기가 결국은 조선 반도를 무대로 한 청일전쟁으로 이어진다.

동학은 제국주의적인 침략과 부패한 정치를 타도하고자 한 사상이자 실천이었다. 이러한 높은 도덕성의 계보가 식민지 시대의 항일운동, 그리고 해방 후의 군인 출신 정권 시대에 대한 민주화

투쟁으로 계승되었다고 한국에서는 인식되고 있다.

근대화가 끝났다고 인식된 시점에서 한국인은 자민족의 사상적 자원 가운데서 '반근대', '탈근대', '또 하나의 근대'를 찾아내야만 했다. 그리고 한국인이 '근대는 악의 시대'라고 인식하기 시작하는 한에서, 동학이라는 사상·종교는 한없이 매력적인 것이 되었다. 따라서 근간의 한국에서는 '동학이야말로 탈근대의 참된 사상'이라는 규정이 힘을 얻고 있다.

하지만 또 하나, 한국에서는 주자학을 '반근대', '탈근대', '또 하나의 근대'의 사상으로 보는 견지가 1990년대부터 사회의 표면으로 빠르게 떠올랐다. 이 점이 북조선과의 차이이다. 근대화를 추진한 시대에는 한국에서도 북조선에서도 일본의 식민 사관(조선 정체론)의 영향도 받아 주자학에는 '정체성', '수구성', '종속성', '비주체성', '반자유', '반평등', '공리공론'의 사상으로서 나쁜 꼬리표가 붙여졌다. 하지만 한국에서는 근대화와 산업화를 이미 달성했다고 인식되었을 때, 주자학이야말로 도덕적·문명적인 동시에 자연과 조화를 이루는 인간적인 사상이라고 재인식하게 되었다. 조선왕조의 유교적 통치야말로 도덕적으로 올바른 이상적 정치의 시대였다고 하는 이야기가 한국 사회에 침투했다. 유교적 문인 통치의 정수를 실현한 이상적인 모습으로서 '18세기 후반의 영조·정조의 시대야말로 유교적 이상주의가 농익은 조선왕조의 절정기였다'라는 역사관이 한국에서는 흔들림 없는 정설이 되었다.

동학이나 주자학이 탈근대로 이어지는 것은 이해할 수 있다.

한국의 포스트모던은 '재-프리모던화'라는 성격을 띠고 있기 때문이다.

어떠한 것일까?

앞에서 말했듯이 한국에서 근대란 빛나는 시대임과 동시에 암흑의 시대이기도 했다. 그것은 내발적 발전의 실패, 제국주의의 침략, 식민지로의 전락, 이데올로기에 의한 분단, 군사 독재, 개인주의, 자연 파괴, 자본주의의 폐해 등, 마이너스 유산이 산적한 시대였다. 이러한 점들에 대해 도덕 지향적인 판정을 내리는 것이 한국 포스트모던의 성격 가운데 하나이다. 탈도덕 지향적인 성격을 지니고 있던 일본의 포스트모던과는 상당히 다른 경향이라고 할 수 있다.

3. 근대에서의 일본과의 관계

병합 식민지라는 성격

1910년의 한국 병합으로부터 1945년의 일본의 패전, 조선의 해방까지의 시간을 필자는 '병합 식민지 시기'라고 부르고 있으며, 그사이의 조선을 '병합 식민지'라고 부른다. 왜냐하면 한편으로 이 기간의 조선은 단순한 일본의 식민지가 아니라 일본과 병합했기 때문이다. 또한 다른 한편으로 단순한 합병·병합이 아니었다는 점도 확실하며, 식민지적인 성격을 다분히 지니고 있었다. 이상의 이유에 따라 필자는 '병합 식민지'라는 새로운 말을 사용하고 있다.

조선은 이 시기에 '병합 식민지'라는 이중성을 띤 지역이었다. 이 점은 조선이 순수한 객체로서 수탈과 폭력적 지배만을 받았다는 역사 기술이 허위라는 것을 의미한다. 또한 동시에 마치 일본과 조선이 대등한 관계로 '합병 상태'에 있었다고 하는 역사 기술도 허위이다. 어디까지나 지배자 측은 일본이었다. 조선은 정치적 지배라는 의미에서는 완전한 객체였다. 하지만 인간은 열악한 정치적 권력관계 속에서도 자기의 주체성을 희구하여 사상을 산출하는 것이다. 병합 식민지 시기에는 일본인과 조선인 사이에서 적대와 융합의 관계가 복잡하게 작동했다.

항일·독립·연대

조선이 일본의 병합 식민지로 전락해가는 과정 및 전락한 후에 일본에 대한 저항 및 일본으로부터의 독립이라는 사상운동이 조선에서 고양된 것은 말할 필요도 없다. 하지만 의외로 철저한 동시에 일방적인 배일사상은 주자학 원리주의의 위정척사 사상과 초기의 동학사상 등, 오히려 소수파였다. 동학도 병합 식민지화를 전후하여 일본과의 '타협'을 도모했고, 동학에서 파생한 일파는 완전한 친일 단체가 되었다.

이것은 물론 일본에 의한 강권 지배와 폭력적 통치에 대응하는 움직임이긴 했지만, 해방 후의 한국에서 생각되었던 것과 같은 전면적인 항일은 아니며, 또한 '부득이한 타협'이라고도 말할 수 없는 모호한 입장의 사상이 많았던 것은 사실이다. 그 근간은 서양 세력의 동점과 중국의 약체화라는 현실을 눈앞에 두고서 일본과 조선(내지 대한제국)이 새로운 동아시아 및 세계를 창조해 가기 위해 '연대'해야 한다는 사상이다. 이 사실을 현재의 일본인도 한국인도 북조선인도 조금 더 정확히 인식하는 것이 좋을 것이다.

1909년에 하얼빈역에서 이토 히로부미伊藤博文를 암살한 안중근安重根(1879~1910)도 실은 메이지 천황을 존숭하고 있던 아시아주의자였다. 세계 평화의 실현을 위해서는 한국과 일본이 연대해야만 한다는 것이 그 주장의 근간이지만, 단순한 반일 사상이라기보다는 동아시아 연대론인바, 일본 측에도 그의 철학에 공명하는 자가 많이 있었다는 것도 당연한 일일 것이다.

다음 항에서 보는 독립선언서 역시 한일 연대론이었다.

독립선언서

병합 식민지는 애초에 '무단 통치'라고 불리는 가혹한 지배로 시작되었다. 이에 반대하여, 그리고 또한 미국 우드로 윌슨의 「14개조 평화 원칙」(1918년)에서의 민족 자결 사상의 영향도 받아 조선에서는 1919년 3월 1일에 독립운동이 일어났다.

이때 발표된 「3·1 독립선언서」에서는 '울분과 원한이 쌓이고 쌓인 이천만 국민을 힘으로 붙잡아 묶어둔다는 것은 다만 동양의 영원한 평화를 보장하는 노릇이 아니다'라고 하여 '우리 조선이 독립된 나라인 것과 조선 사람이 자주적인 국민인 것을 선언하노라. 이것을 세계 모든 나라에 알려 인류가 평등하다는 큰 뜻을 밝히며, 이것을 자손만대에 알려 겨레가 스스로 존재하는 마땅한 권리를 영원히 누리도록 하노라'라고 했다.

대단히 격조 높은 명문인 까닭에 조금 상세하게 읽어보고자 한다.

> 낡은 시대의 유물인 침략주의, 강권주의에 희생을 당하여 역사 있은 지 여러 천 년에 처음으로 다른 민족에게 억눌려 고통을 겪은 지 이제 십 년이 되도다. 우리가 생존권마저 빼앗긴 일이 무릇 얼마며, 정신의 발전이 지장을 입은 일이 무릇 얼마며, 겨레의 존엄성이 손상된 일이 무릇 얼마며, 새롭고 날카로운 기백과 독창성을 가지고 세계 문화의 큰 물결에 이바지할 기회를 잃은 일이 무릇 얼마인가!

> 오늘 우리의 조선 독립은 조선 사람으로 하여금 정당한 삶과 번영을 이루게 하는 동시에, 일본으로 하여금 잘못된 길에서 벗어나 동양을 버티고 나갈 이로서의 무거운 책임을 다하는 것이며, 중국으로 하여금 꿈에도 피하지 못할 불안과 공포로부터 떠나게

하는 것이며, 또 동양의 평화가 중요한 일부가 되는 세계 평화와 인류 복지에 꼭 있어야 할 단계가 되는 것이라. 이것이 어찌 구구한 감정상의 문제이겠느냐!

병자수호조약(1876년의 조일수호조약) 이후, 시시때때로 굳게 맺은 약속을 저버렸다 하여 일본의 신의 없음을 탓하려 하지 아니하노라. 학자는 강단에서, 정치인은 실생활에서 우리 조상 때부터 물려받은 이 터전을 식민지로 삼고, 우리 문화 민족을 마치 미개한 사람들처럼 대하여 한갓 정복자의 쾌감을 탐낼 뿐이요, 우리의 영구한 사회의 기틀과, 뛰어난 이 겨레의 마음가짐을 무시한다고 하여, 일본의 옳지 못함을 책망하려 하지 아니하노라. 자기를 일깨우기에 다급한 우리는 다른 사람을 원망할 여가를 갖지도 못하였노라. (…) 오늘 우리의 할 일은 다만 나를 바로잡은 데 있을 뿐, 결코 남을 헐뜯는 데 있지 아니하도다. 엄숙한 양심의 명령을 따라 자기 집의 운명을 새롭게 개척하는 일일 뿐, 결코 묵은 원한과 일시의 감정을 가지고 남을 시기하고 배척하는 일이 아니로다. 낡은 사상과 낡은 세력에 얽매인 일본 위정자의 공명심의 희생으로 이루어진 부자연스럽고 불합리한 이 그릇된 현실을 고쳐서 바로잡아, 자연스럽고 합리적인 올바른 바탕으로 되돌아가게 하는 것이다.

또한 울분과 원한이 쌓이고 쌓인 이천만 국민을, 힘으로 붙잡아 묶어 둔다는 것은 다만 동양의 영원한 평화를 보장하는 노릇이 아닐 뿐 아니라, 이것이 동양의 평안함과 위대함을 좌우하는 사억 중국 사람들의 일본에 대한 두려움과 미움을 갈수록 짙어지게 하여, 그 결과로 동양 전체가 함께 쓰러져 망하는 비운을 초래할 것이 뻔한 것이다.

아아 새 하늘과 새 땅이 눈 앞에 펼쳐지누나. 힘의 시대는 가고 도의의 시대가 오누나. 지나간 세기를 통하여 깎고 다듬어 키워온 인도적 정신이 바야흐로 새 문명의 서광을 인류의 역사 위에 던지기 시작하누나. (…) 우리가 본디 타고난 자유권을 지켜 풍성한 삶의 즐거움을 마음껏 누릴 것이며, 우리가 넉넉히 지닌바 독창적 능력을 발휘하여 봄기운이 가득한 온 누리에 겨레의 뛰어남을 꽃피우리라.

☞ 좀 더 자세히 알기 위한 참고 문헌

— 후루타 히로시古田博司 · 오구라 기조小倉紀蔵 편, 『한국학의 모든 것韓国学のすべて』, 新書館, 2002년. 유교와 불교만이 아니라 조선의 사상·문화·사회의 전반을 알기 위한 입문적이고 모든 것을 망라하는 책으로서는 이것을 추천한다. 사상과 철학을 좀 더 입체적이고 다각도로 이해할 수 있게 된다.

— 오구라 기조, 『조선 사상 전사朝鮮思想全史』, ちくま新書, 2017년. 조선 사상을 통사적으로 이해하기 위한 입문적인 책이 지금까지 일본에는 없었기 때문에 쓴 책이다. 우선은 이 책으로 조선 사상사의 대략적인 흐름과 중요한 이슈를 머리에 입력할 수 있을 것이다. 다만 '등장하는 인명이 모두 비슷해서 익히기 어렵다'라는 독자의 목소리가 있다. 이는 조선의 성씨가 많지 않은 이유에서 비롯되는 것인데, 우리가 조선 사상에 접근하기 어려운 이유의 하나라고 말할 수 있을지도 모른다. 조선인의 인명에 익숙해질 필요가 있다.

— 강재언姜在彦, 『조선 유교 2000년朝鮮儒教の二千年』, 講談社学術文庫, 2012년. 조선 사상 연구의 태두가 쓴 조선 유교의 통사이다. 이른바 '실학'을 중시하는 입장의 저자이지만, '실학'이 아닌 주자학에 대해서도 깔끔한 이해를 얻을 수 있다. 또한 같은 저자에 의한 조선 그리스도교·서학과 조선 근대 사상에 관한 책도 추천한다.

— 한형조韓亨祚, 『조선 유학의 거장들朝鮮儒学の巨匠たち』, 박복미朴福美 역, 가타오카 류片岡龍 감수, 春風社, 2016년. 한국에서 유학 연구의 새로운 물결의 기수가 쓴 읽기 쉬운 책. 전통적인 실증 연구를 넘어서 '조선 유학을 현대적 수법으로 철학하면 어떻게 될 것인가'라는 실험을 눈부시게

펼치고 있는 저자는 조선 주자학과 '실학' 등에 관해 당연히 읽어야 할 창조적인 논의를 전개한다.

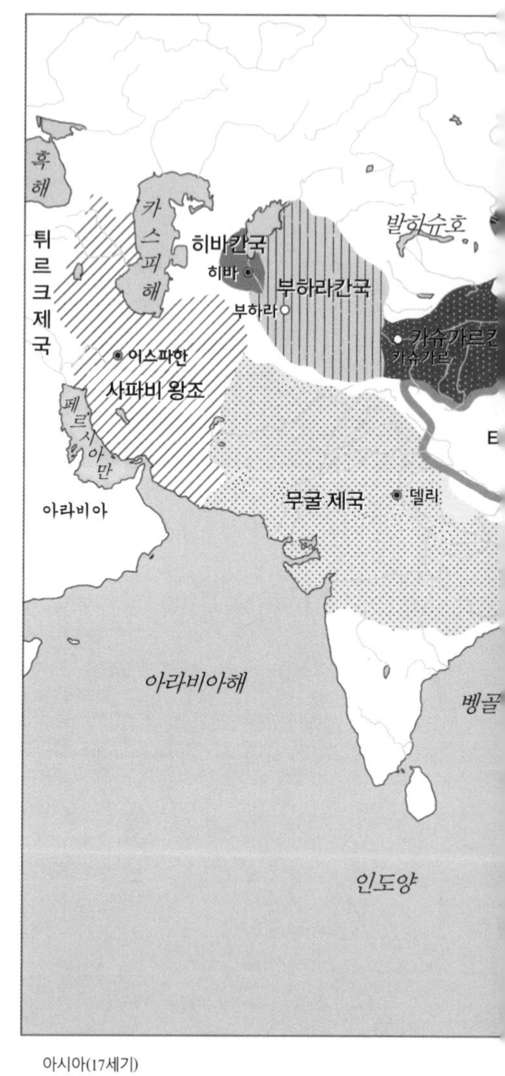
흑해
카스피해
튀르크 제국
히바칸국
히바
부하라칸국
부하라
발하슈호
카슈가르칸
카슈가르
이스파한
사파비 왕조
페르시아만
아라비아
무굴 제국
델리
아라비아해
벵골
인도양

아시아(17세기)

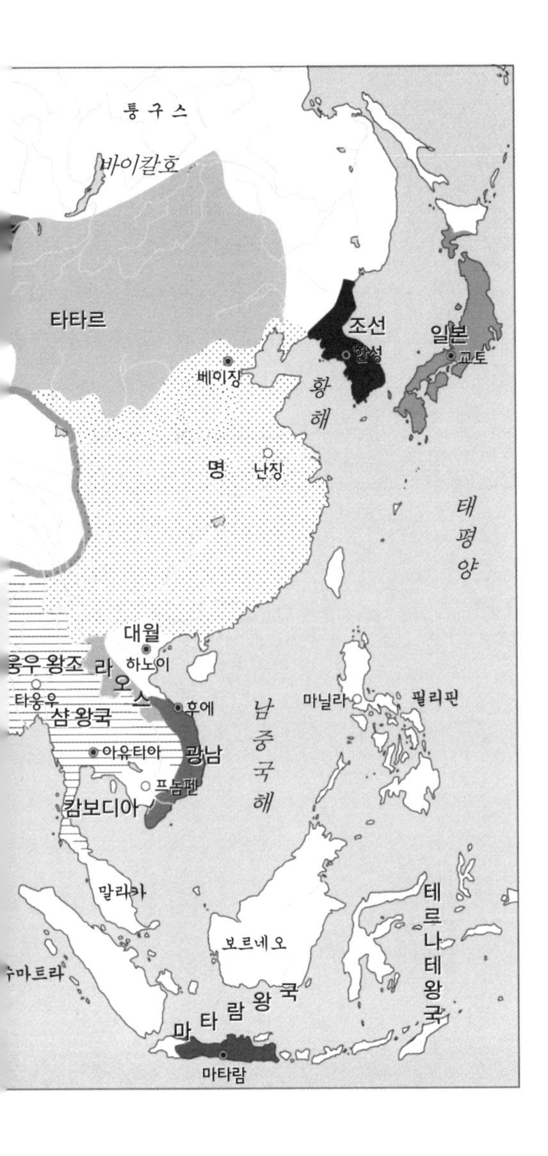

퉁구스
바이칼호
타타르
조선
한성
일본
교토
베이징
황해
명
난징
태평양
대월
하노이
라오스
타웅우
샴 왕국
후에
광남
아유타야
프놈펜
캄보디아
남중국해
마닐라
필리핀
말라카
보르네오
마타람 왕국
마타람
테르나테 왕국

제9장

명나라 시대의 중국 철학

나카지마 다카히로中島隆博

1. 원나라에서 명나라로

13세기에는 유라시아에 걸친 제국이 성립했다. 몽골 제국이다. 대칸 지위에 오른 쿠빌라이는 몽골 제국의 동방에 세력의 중심을 두며, 1271년에 정식 국호를 대원大元으로 정했다. 그것을 중국 왕조의 관례를 따라 한 글자로 표현한 것이 원元이라는 왕조인데, 나중의 명과 청 역시 스스로를 대명大明과 대청大淸이라고 부르는 식으로 되어갔다. 원은 1279년에 남송南宋을 완전히 멸망시킴으로써 당唐 이래의 중국 통일 왕조가 되었다. 이 사이에 몽골 제국이 유라시아에 걸쳐 있었기 때문에, 그리스도교와 이슬람과 같은 서방의 종교와 철학이 중국에 전해져왔던 것에는 주의해두고자 한다.

원의 중국 지배는 길게 계속되지는 않았다. 지배자층 내부에서의 주도권 다툼에 더하여 1330년경부터 자주 발생한 기근에 의해 사회 불안이 증대됨으로써 통치가 흔들리기 시작한 것이다. 그 시기에 민중 사이에 퍼진 것이 백련교白蓮教이다. 이것은 루산廬山의 혜원慧遠(제2권, 제6장을 참조)이 시작한 백련사白蓮社라는 정토교 결사에서 유래한다고 하며, 7세기 말의 당나라 때에 중국에 들어온 마니교(제2권 제7장을 참조)와도 융합하여 남송 시대부터 널리 퍼져 있던 종교 운동이다. 따라서 그 특징은 정토교 측으로부터는 '미륵불 하생弥勒仏下生', 즉 구제의 부처로서 미륵불이 이 세상에 출현한다는 메시아 신앙과 마니교 측으로부터는 명왕明王이 세계의 어둠에 대해 승리한다는 이원론을 아울러 지니게 된다. 요컨대 명왕으로서의 미륵불이 이 세상에 정토를 실현한다는 종교적인 동시에 정치적인 운동이 된 것이다.

그러한 백련교도의 난인 홍건의 난紅巾之亂(1351~1366년)에서 두각을 나타낸 것이 주원장朱元璋(1328~1398)이다. 원을 북방으로 몰아내고 중국 전토를 통일해가는 가운데 1368년에 황제의 자리에 오르고 국호를 대명으로 삼았다. 마니교가 '명교明教'라고도 불렸기 때문에, 명은 마니교에서 유래하는 국호라고 하는 의견도 있지만, 실제로 주원장은 후에 백련교를 사교라고 하여 물리치고 유교에 기초한 국가 형성을 이루어 나갔다.

2. 양명학의 전개

원에서도 과거는 실시되었으며, 그 중심은 계속해서 주자학朱子學이었다. 명에서는 주자학의 체제화가 좀 더 진전되어 과거에서는 주자학의 해석만이 채택되기까지 하였다. 당나라의 『오경정의五経正義』를 본떠 주자학에 기초한 해석을 집성한 『오경대전五経大全』, 『사서대전四書大全』, 『성리대전性理大全』이 편찬된 것이 1415년이며, 이것들이 그 후 과거의 표준적인 해석이 되었다. 이렇듯 주자학 하나만이 강하다고 해야 할 상황에 변화를 가져온 것이 15세기 말에 등장한 왕수인王守仁, 陽明(1472~1528/1529)이 개척한 양명학陽明學이다.

약한 유아론

양명학의 특징을 한마디로 말하자면 유아론唯我論이라는 것이 될 것이다. 그렇지만 그것은 상당히 독특한 유아론이다. 예를 들어 다음의 인용을 살펴보자.

> 선생께서 남진南鎭에 놀러 가셨다. 한 친구가 바위 사이의 꽃나무를 가리키면서 여쭈었다. '천하에는 마음 밖의 사물이란 없다고 하셨습니다만, 이 꽃나무처럼 깊은 산속에 있으면서 스스로 피었다가 스스로 지고 있다면, 저의 마음과 무슨 관계가 있는 것입니까?'

선생께서 답했다. '네가 이 꽃을 보지 않았을 때는, 이 꽃은 너의 마음과 함께 적막 속으로 돌아가 있었다. 네가 와서 이 꽃을 보았을 때는, 곧 이 꽃의 빛깔들이 일시에 분명해졌을 것이다. 결국 이 꽃은 너의 마음 밖에 있지 않은 것임을 알 수 있을 것이다.' (왕양명, 『전습록傳習錄』)

'이 꽃은 너의 마음 밖에 있지 않다.' 양명학은 다른 명칭 '심학心學'이라고도 불리지만, 이 인용을 보는 한에서 바로 마음에 기초한 유아론이 전개되고 있는 것으로 보인다. 그러나 어떤 유아론도 그러하듯이, 그 주장은 반드시 누군가에게로 향해져 있다. 만약 순수한 유아론이 있다고 한다면, 그것은 누군가에게 무언가를 주장하는 것 따위를 필요로 하지 않을 것이다. 여기서 양명은 친구와 대화를 하고 있지 홀로 말을 중얼대고 있는 것이 아니다. 두 사람은 함께 깊은 산속에서 나무에 피는 꽃을 보면서 이 논의를 하는 것이다. 도대체 이 두 사람의 마음은 어떻게 되어 있는 것일까?

'이 꽃은 너의 마음 밖에 있지 않다'라고 말할 때, 양명은 친구의 마음을 무언가의 방식으로 이해하고 있다. 마음에는 다른 사람에 의한 이해 가능성이 갖추어져 있는 것이다. 만약 양명이 강한 의미에서의 유아론자라면, '이 꽃은 나의 마음 밖에 있지 않다'라고 말하는 쪽이 오히려 낫다. 그러나 양명은 '너의 마음'과 '너의 마음 밖'이라는 방식으로 유아론의 한계를 이미 언급하고 있다.

그렇다면 양명의 입장은 모종의 약한 유아론이라고 말하는 쪽이 좀 더 적절할지도 모른다. 실재의 인식이 각각의 마음에 강하게 의존하고 있고, 마음이 성립하면 그 인식을 통해 실재가 성립한다. 다른 각도에서 말하자면, 이 구조는 누구나에 대해서도 보편적으로 타당한 것이며, 게다가 이 구조 자체는 마음에 의존하고 있지 않다.

사람의 양지

그러나 왜 실재의 성립이 마음의 성립에 의존하고 있다는 구조가 누구에게나 보편적으로 타당하다고 말할 수 있는 것일까? '너의 마음'과 '너의 마음 밖'이라는 난문이 반드시 난문으로 되지 않는 장치는 도대체 무엇일까? 다음의 인용을 살펴보자.

> 사람의 양지良知는 바로 풀, 나무, 기와, 돌의 양지이다. 풀, 나무, 기와, 돌에 사람의 양지가 없다면, 풀, 나무, 기와, 돌로 될 수 없을 것이다. 풀, 나무, 기와, 돌만이 그러한 것이 아니다. 하늘과 땅도 사람의 양지가 없다면, 하늘과 땅으로 될 수 없다. 생각건대 천지 만물과 사람은 본래 일체이다. 그 감각 기관의 가장 정묘한 것이 사람의 마음의 영묘하고 밝은 작용靈明이다. (같은 책)

'천지 만물과 사람은 본래 일체이다.' 만약 그렇다면 '너의 마음' 역시 '나의 마음'과 '일체'일 것이기 때문에, 각각의 마음에서 성립하는 실재라는 구조는 보편적이라고 하는 것이 된다. 요컨대 '나의 마음'의 외부란 무엇인가라는 문제를 이 '일체'라는 개념으로써 소거하는 것이다. 그리고 그 '일체'를 뒷받침하는 것이 '양지'라는 앎이다. 이것은 본래는 『맹자』의 개념인데, 양명은 그것을 지성적인 판단의 자기에게 놓여 있는 앎으로서 이해하고, '풀, 나무, 기와, 돌'과 '천지'에도 갖추어져 있다고까지 주장한 것이다. '풀, 나무, 기와, 돌에 사람의 양지가 없다면, 풀, 나무, 기와, 돌로 될 수 없을 것이다'라고 말해지듯이 '양지'는 개개의 사물에 대한 존재 근거이다. 그렇다면 만물과 사람이 일체인 것은 '양지'가 모든 것을 꿰뚫고 있고, 개개의 사물에 '이理'(의미)를 준다는, 즉 '그것으로서' 있게 하기 때문이라는 것이 된다.

그렇지만 양명은 '사람의 양지'라고 말하는 것이며, '풀, 나무, 기와, 돌'이 그것으로서 성립하기 위해서는 '사람의 양지'가 필요하다고 생각한다는 점에 주의해두고자 한다. 다르게 표현하면, '사람의 양지'를 떠나 '풀, 나무, 기와, 돌'이 그것으로서 성립한다고는 생각하지 않는 것이다. 만약 '풀, 나무, 기와, 돌'에 '사람의 양지'가 아닌 '풀, 나무, 기와, 돌의 양지'를 인정하는 것이라면, 조금 전의 '바위 사이의 꽃나무'의 논의도 변화하여 인간 쪽이 '바위 사이의 꽃나무'의 마음 안에 성립한다고 논의하더라도 상관없게 될 것이다. 그러나 양명이 이 방향으로 가는 것은 아니다. 어디까지나 양지는 '사람의 양지'이어야만 한다.

외부를 소거하라

양명에게 양지는 '자지自知' 즉 '자기 앎'이라는 자기 재귀적인 것으로 밖의 타자에 관계하는 방식을 취해서는 안 되는 것이었다. 그것은 양명의 주자학 비판의 근본에 관계되는 문제였다. 주자학은 '궁리窮理' 즉 이라는 의미를 완전히 파악하고자 하는 욕망에 기초하고 있었다(상세한 것은 제4권 제8장에서의 '격물궁리格物窮理'의 논의를 참조). 따라서 주희朱熹는 그 '격물치지格物致知'를 논의하는 데서 밖에 있는 사물의 의미를 다 알고자 했다. 게다가 그 사물에는 텍스트도 포함되기 때문에, 주희는 전력을 다해 사서오경과 같은 카논(경전)의 의미를 해석해 보이고자 했다.

그렇지만 이러한 주희의 사고방식에는 어려움이 놓여 있었다. 바깥 사물의 의미를 다 알았다고 하더라도, 그것이 '성의誠意'나 '정심正心'과 같은 안에서의 자기 계몽을 과연 뒷받침할 수 있을 것인가 하는 어려움이다. 주희는 이가 마음 안과 바깥의 양쪽에 동시에 속한다는 것을 이용하여 이 어려움을 극복하고자 했지만, 양명은 그것에 만족할 수 없었다. 양명은 주자학을 비판하여 그것은 마음 바깥에 이를 세우는 것, 밖에 힘써서 안을 잊는 것이라고 단정했다. 그 대신 양명은 이의 근거가 어디까지나 마음 안에 있어야만 한다고 생각했다. 마음이 곧 이라고 하는 '심즉리心卽理'를 강조한 것은 그 때문이었다.

그리고 그 마음 안에서의 의미 근거의 존재 방식이 양지였다.

따라서 양명에게 양지는 밖에 호소하지 않는 '자기 앎'이어야만 한다. 또한 밖은 어디까지나 안의 확대로서 나타나야만 하며, 이理라는 의미는 내 마음의 양지를 사물에 가져온 것, 즉 안에서 근거 지어진 의미를 사물에 부여하는 방식에서의 '격물치지'로 이해되어야만 했다.

그러나 이처럼 양지를 통한 '만물일체萬物一體'를 일단 인정한다면, 주희가 격투하고 있던 외부가 소거되고, 이라는 의미가 내부에서 쉽게 충전되기 때문에, 주자학이 짊어지고 있는 정치와 윤리의 근거 짓기가 본래 필요하지 않게 된다. 양명학은 결국은 모습을 바꾼 선禪이 아닌가 하는 비판이 자주 이루어져 왔는데, 거기에는 불교적인 선악의 피안에 이를지도 모르는 구조가 붙어 있는 것이다.

무선무악

이러한 양명학의 문제 함축의 구조가 명확한 형태로 나타난 것은 전덕홍錢德洪(1496~1574)과 왕기王畿, 龍溪(1498~1583)라는 양명의 제자 두 사람에 의한 무선무악無善無惡 논쟁에서였다. 그 발단은 양명이 그 가르침을 정식화한 '선도 없고 악도 없는 것은 마음의 본체이고, 선도 있고 악도 있는 것은 의념意의 발동이며, 선악을 아는 것은 양지이고, 선을 행하고 악을 떠나는 것은 격물이다'라는 사구교四句教의 해석에 놓여 있었다.

전덕홍은 이것을 그대로 이해하여 마음의 본체는 선도 없고 악도 없다고 하더라도, 의념 즉 생각 속에는 선악이 나타나는 것이기 때문에, 선을 이루고 악을 떠나기 위해서는 '격물치지'와 '성의', '정심', '수신修身'과 같은 실천적인 노력이 필요하다고 생각했다.

그에 반해 왕기는 이것이 '권법權法' 즉 상황에 따라 변화하는 사고방식인바, 본래적으로는 심心·의意·지知·물物은 하나일 것이기 때문에, 의에는 본래 선악 등이 없다고 주장했다. 양명의 마음 개념을 철저히 해나가면, 선악의 저편에 이른다는 것을 분명히 한 것이다.

이 논쟁에 대해 양명은, '이근利根의 사람'과 '상근上根의 사람'에 대해서는 왕기의 견해가 어울리며, '중근中根 이하의 사람'에 대해서는 전덕홍의 견해가 어울린다고 판정했다(「천천증도기天泉證道紀」). 양명에게는 두 논의가 서로 반대하는 것이어서는 곤란한 것이었기 때문이다. 그럼에도 불구하고 여기에는 뿌리 깊은 문제가 남는다. 중국 불교는 '점오漸悟'(단계를 따라 깨닫는다)인가 '돈오頓悟'(일거에 깨닫는다)인가를 계속해서 물어왔는데, 송대 이후에 선이 중국 불교의 전경을 차지하게 되자 이 물음은 점점 더 중시되게 되며, 깨달음의 방식만이 아니라 '점수漸修'(단계를 따라 수행한다)인가 '돈수頓修'(일거에 수행한다)인가라는 실천의 방식에도 커다란 관심을 기울여가고 있었다. 전덕홍과 왕기의 대립은 이와 같은 불교의 문제도 계승한 것이었던 까닭에, 양명의 판정은 단지 사구교에 대한 해석의 타당성에 그치지 않고 불교와 유교가 지향해야 할 방향성에 관계되어 있었다.

아라키 겐고荒木見悟는 이 문제를 일찍이 『불교와 유교』에서 다음과 같이 말하고 있었다.

> 양지설이 당하當下 일념의 전체 초탈만을 표방하여 여러 가지 점수의 공부를 경멸 거부하게 되면, 그 높이는 표명되더라도 그 넓이는 제한되고, 이윽고 역사적 현실로부터 떠오른 고고독선孤高獨善, 방일하여 기탄없는 편벽을 산출하기에 이르며, 마침내는 양지의 본래적 생명을 죽이게 될지도 모른다. (아라키 겐고荒木見悟, 『신판. 불교와 유교新版. 仏教と儒教』, 研文出版, 1993년, 420쪽, 강조는 아라키)

양지에 호소하는 양명학은 그 탐구의 장소를 사물이 아니라 마음에 자리매김함으로써 이에 대한 접근을 현격히 쉽게 만들고자 했다. 그것은 주자학의 '이를 궁구하는' 방식이 요청하는 복잡하고 시간이 걸리는 과정에 대한 비판이었을 것이다. 그러나 그 양지에는 도리어 타자를 결여한 '고고독선'에 빠지는 경향이 놓여 있으며, 무선무악이라는 '높이'에 자기 만족해버리면, 주자학 이상으로 엘리트주의에 갇혀버리게 되지 않는다고 말할 수 없다. 따라서 양명학은 '점수의 공부'를 어떻게든 유지해야만 한다. 왕기와 전덕홍의 입장이 동시에 성립해야만 하는 까닭이다. 그렇게 함으로써 양명학은 비로소 좀 더 많은 사람에게 수용되는 '넓이'를 획득할 수 있었다.

왕간

그 후 양명학은 왕간王艮, 心齋(1483~1540)에게서 시작되는 태주학파泰州學派에 의해 그 '넓이'를 일거에 확대해간다. 왕간은 소금의 제조와 장사에 관여하고 있던 사람으로 사대부에 속한 이는 아니었다. 그러나 젊은 시절에 꾼 꿈속에서 구세제민救世濟民의 이상에 눈뜨고, '백성' 즉 일반 사람들에게도 다다르는 학문을 구상하게 된다. 그 후 왕양명과 만나 크게 감화받는 한편, 양명과는 자주 충돌하면서 유교의 텍스트를 종래의 해석에 구애되지 않는 자유로운 방식으로 해석하게 된다. 그것을 '강학講學'이라고 말하는데, 거기에는 누구나 참가할 수 있고 자유로운 토론이 이루어졌다.

왕간 철학의 특징은 '백성일용百姓日用의 학' 즉 일반 사람들이 그 일상에서 도道를 실천하는 학을 주장했다는 점에 놓여 있다. 그 근거로서 '우부우부愚夫愚婦(어리석은 백성)와 같은 일반 사람들도 그것을 알고 행할 수 있는 것이 도이다'(『왕심재어록王心齋語錄』)라든가 '성인聖人의 도는 백성에게 다르지 않다'(같은 책)라는 명제를 내걸었다.

그리고 그 철학은 다음과 같은 결론에 이른다.

> 명철보신明哲保身은 양지양능良知良能이다. 깊이 생각하지 않고서 알고, 배우지 않고서 할 수 있는 것이다. 사람은 누구나 이것을

지니며, 성인도 나와 똑같다. 보신을 아는 것은 반드시 자기 자신의 몸을 사랑하기를 보물과 같이한다. 자신의 몸을 사랑할 수 있으면, 타인을 사랑할 수 없는 것이 아니다. 타인을 사랑할 수 있으면, 타인은 반드시 나를 사랑해준다. 타인이 나를 사랑해주면, 자기 자신의 몸을 보전할 수 있을 것이다. (…) 이상이 인仁이며 만물일체의 도이다. (…) 군자의 학은 자기를 기준으로 하여 타인을 헤아린다. (왕심재, 「명철보신론明哲保身論」)

'자기를 기준으로 하여 타인을 헤아린다'라고 하고 있듯이, 여기서는 자기가 분명히 높아지고 있다. 이것은 약한 유아론으로서의 양명학의 하나의 도달점이기도 할 것이다. 그러나 청나라 초에 황종희黃宗羲(1610~1695)가 그것을 '선과 소인이 두려워 거리끼는 것을 알지 못하는 학'(황종희, 『명유학안明儒學案』, 권32 「태주학안泰州學案」)이라고 비판했듯이 독단의 위험도 크게 놓여 있었다.

이지

왕간이 시작한 태주학파의 철학을 좀 더 멀리까지 밀고 나간 사람이 이지李贄, 卓吾(1527~1602)이다. '오늘날의 옳고 그름의 다툼은 나, 이탁오 한 사람의 옳고 그름의 다툼이라고 할 수 있다'(이지, 『장서藏書』)라든가 '내가 천만세의 옳고 그름의 다툼을 전도하여 내가 옳고 그름의 다툼이라고 하는 것을 옳다거나 그르다거나 다투더라도 상관없다'(같은 책)와 같은 주장은 실로 인상적인 것으로, 왕간을 계승하는 것이다. 그러나 이지는 좀 더 나아가 옳고 그름의 다툼에 관해서 정해진 기준 따위는 없으며, '공자의 옳고 그름의 다툼'도 하나의 옳고 그름의 다툼에 지나지 않는다고까지 말했다(같은 책). 요컨대 유아론을 뚫고 나아가 규범의 상대성과 변경 가능성으로까지 발을 들여놓는 것이다.

그렇지만 이지는 단순한 가치 상대주의자가 아니다. '본래 내가 사람의 마음이다. 사람에게는 반드시 내가 있고, 그 후 마음이 나타난다. 만약 내가 없다면, 마음도 없을 것이다'(같은 책)라고 말하고, 사리사욕私利私欲을 갖춘 '나'에게 근거를 두지 않는 논의, 예를 들어 '무심無心의 논의'나 '무사無私의 설'을 '그림의 떡 이야기'인바, 취할 바가 못 된다고 잘라내 버렸기 때문이다(같은 책). 사리사욕으로서의 '나'를 재정의하여 거기서 새롭게 규범의 근거를 발견하는 것, 이것이 이지의 도전이었다.

그러면 사리사욕의 핵심은 무엇이었던가? 이지에게 그것은 옷과 먹을 것에 대한 욕망과 같은 인간의 삶에 관계되는 근원적인 욕망이었다. '옷을 입고 밥을 먹으려고 하는 것이 바로 인륜물리人倫物理이다. 그것을 제외하고 인륜물리 따위는 없다.'(이지, 『분서焚書』) 주의해야 하는 것은 이것이 단순한 욕망 긍정이 아니라는 점이다. '옷을 입고 밥을 먹으려고 하는 것'이라는 옷과 먹을 것에 대한 욕망에 깊이 뿌리박기 위해서는 '참된 공空'을 아는 노력이 필요하다는 것이다(같은 책). 그러한 지성적인 노력이 있어야 비로소

규범에 참으로 따를 수가 있다고 생각한 것이다.

> 밝히 헤아려 참된 공眞空을 얻으면, 인의仁義에 의해 행하게 되지만, 밝히 헤아리지 못하면 인의를 행하게 되고, 지리멸렬에 빠져 스스로 깨닫는 일은 없다. (같은 책)

이것은 비트겐슈타인의 '규칙에 따르는 역설'을 방불케 하는 명제로, '밝히 헤아림'이라는 지성적인 활동을 결여하게 되면, '나'에게서 구성된 인의라는 규범에 따르고 있다고 믿을 뿐이게 되고, 지리멸렬해지지 않을 수 없다는 것이다. 그렇지 않고 '나'로부터 무언가의 방식으로 — 예를 들어 '밝히 헤아림'에 의해 — 나옴으로써 비로소 인의에 따를 수 있는 것이다. 요컨대 이지는 '나'에게 철저히 깊이 뿌리내림으로써 도리어 주자학-양명학적인 안으로의 선회를 돌파하고 모종의 공공 공간을 밖에서 열고자 한 것이다.

동림당과 공공 공간

공공 공간을 어떻게 구상할 것인가? 이 물음은 명나라 말에 중요한 위치를 차지하게 되었다. 그것을 주로 논의한 것이 동림당東林党 또는 동림파의 사람들이다. 그들은 고헌성顧憲成(1550~1612)이 다시 세운 동림서원東林書院에 모여 정권의 중심에 있던 위충현魏忠賢

(1568~1627)과 정치적으로 대립하고 탄압을 당했다.

동림당은 주자학을 회복함과 동시에 전덕홍 계보에 있는 양명학을 계승함으로써 안으로 환원할 수 없는 밖의 문제, 즉 공공 공간에 대해 사고했다. 그 공공 공간에서의 중요한 담지자는 일반 사람들이다. 그들은 태주학파를 비판했지만, 거기서 제출된 일반 사람들이라는 새로운 밖의 차원은 계승했다.

공공 공간론의 중요한 논의는 무창기繆昌期(1562~1626)에 의해 이루어진 '공론公論' 론이다. 무창기는 명나라 말에 고헌성에게서 강학하고 있었지만, 위충현의 탄압에 의해 옥사한 인물이다.

> 본래 천하에서의 논의는 옳은가 아닌가의 양극 이외에는 나오지 않는다. 한 사람이 올바르다고 말하면 한 사람이 아니라고 하고, 한 사람이 잘못이라고 말하면 한 사람이 옳다고 하는 논의는 '이異'라고 말하고 '공公'이라고는 부르지 않는다. 한 사람이 올바르다고 말하면 모두가 옳다고 하고, 한 사람이 잘못이라고 말하면 모두가 아니라고 하는 논의는 '동同'이라고 말하고 '공'이라고는 부르지 않는다. 공론은 인심의 자연스러운 모습에서 발하는 것으로, 그렇게 되지 않아서는 안 되는 경향과 같은 것이다. 따라서 천자라도 고관이나 사대부로부터 빼앗을 수 없으며, 고관이나 사대부도 '우부우부愚夫愚婦'라는 일반 사람들로부터 빼앗을 수 없다. (무창기, 「공론국지원기公論国之元氣」)

나라에서의 올바름만큼은 사람들의 마음의 자연으로부터 발하여 누구나 마찬가지로 발언하는 것에서 형성된다. 그렇다면 군주에게는 쥐어질 수 없고 신하의 손에 쥐어지며, 신하에게는 쥐어질 수 없고 천하의 '필부필부匹夫匹婦' 즉 일반 사람들의 손에 쥐어져 있는 것이다. (무창기, 「국체·국법·국시 유무경중해国体·国法·国是有無輕重解」)

무창기는 옳고 그름의 판단 근거를 일반 사람들의 언론인 '공론'에서 구했다. 이것이 이지의 문제 계통을 다른 방식으로 반복한 것이라는 점은 분명할 것이다. 이러한 '공론'의 논의는 이미 태주학파에 대한 비판에서 언급한 황종희에게도 계승되고 있다.

황종희의 저서인 『명이대방록明夷待訪錄』(1663년)의 서두에 놓인 원군原君 편에는 이렇게 되어 있다.

인간이 이 세상에 태어난 처음에 각각 자사自私 · 자리自利를 꾀하고, 천하에 공리公利가 있어도 그것을 진흥하는 자는 없었으며, 공해公害가 있어도 그것을 없애는 자는 없었다. 거기에 어떤 사람이 나타나 자신의 이利를 이라 하지 않고 천하에 그 이를 받게 하고, 자신의 해害를 해라 하지 않고 천하에 그 해를 벗어나게 했다. (…) 그러나 후세의 군주는 그렇지 않다. 천하의 이해利害 권한은 모두 자신에게 있고, 천하의 이는 모조리 자신의 것으로 하며, 천하의 해는 모조리 다른 사람에게 돌려도 상관없다고 생각한다. 천하의 사람이 결코 자사·자리를 꾀할 수 없도록 자신의 대사大私를 천하의 대공大公으로 간주하는 것이다. (황종희, 『명이대방록』, 「원군」)

이상적인 군주는 사람들이 자사·자리를 추구하는 것을 인정한 다음, 더 나아가 그것을 넘어선 '공리公利'를 실현하는 자이다. 그러나 후세의 군주는 자신의 '대사'를 실현하는 것에 기쓰고 있고, 사람들의 자사·자리를 방해하고 있다. '그렇다면 천하의 대해는 군주 이외에 다른 것이 아니다. 만약 군주를 없애면, 사람들은 자사·자리를 얻을 수 있을 것이다.'(같은 책) 다만 황종희는 군주를 없애버리면 좋다고 결론을 내리는 것은 아니다. 역시 군주가 이상적으로는 수행하고 있었을 기능인 '공리'의 실현을 희망하고 있기 때문이다. 따라서 군주 스스로가 본래의 '군주의 직분'을 분명히 하는 것과 더 나아가 군주의 권력을 제어하는 기구로서 신하와 법, 재상, 학교와 같은 제도를 요청했다. 그중에서도 학교는 중요한데, 천자 한 사람이 옳고 그름을 결정하는 것이 아니라 학교라는 공공 공간에서 '사士'가 옳고 그름에 대해 내리는 '공公'의 판단을 기다려야 한다고 생각한 것이다.

『명이대방록』은 청나라 초에 완성되었지만, 건륭제에 의해 금서로 지정되었다. 그 제목은 『역』의 '명이明夷'라는 괘에서 유래하며, 그 자체는 '밝음이 깨지다'라는 의미이지만, 그 함의는 왕조로서의 명明이 멸망한 후에 도래하는 이상적인 세계를 대망한다는 것이었기 때문이다. 금서로 된 까닭이다. 서두에서 말했듯이 명이라는 국호에서는 마니교와 관련하여 '밝음'을 읽어낼 수도 있어야만 했지만, 청대에도 『역』을 거쳐 다시 회복되어야 할 '밝음'이라는 의미를 지니고 있었던 것이다.

3. 그리스도교와 이슬람

명 시대의 중국 철학의 특징으로서 그리스도교와 이슬람이라는 서방의 종교나 철학과의 대치가 있다는 점에 대해 마지막으로 언급하고자 한다. 태주학파의 이지는 마테오 리치Matteo Ricci(1552~1610)와 면식이 있었기 때문에, 그리스도교에 대해서도 지식과 견문을 지니고 있었으며, 근간에는 무슬림 가계 출신이 아닌가 하고 생각되기도 한다. 바로 그와 같은 배경이 있었기 때문에, 전통적인 유교 규범을 굳게 지키는 것과는 전혀 다른 태도를 취할 수 있었을 것이다.

그러면 구체적으로는 어떠한 대치가 있었던 것일까? 여기서는 마테오 리치와 중국의 불교도와의 논쟁, 그리고 이슬람과 중국 철학을 융합한 '중국 이슬람 철학'에 대해 살펴보고자 한다.

그리스도교와 불교의 논쟁

예수회에 의한 중국 포교에서 철학적으로 중요한 초점 가운데 하나가 된 것은 불교의 살생계殺生戒(살아 있는 것을 죽이는 것을 금지하는 계율)였다. 명에서 불교는 쇠퇴의 한길을 걷고 있었다. 그러한 가운데 운서주굉雲棲袾宏(1535~1615)은 일반 사람들에게 불교를 침투시킴으로써 불교 중흥의 선조 가운데 한 사람이 되었다. 그리고 그 포교의 중심에 놓여 있던 것이 살생계였다. 승려와 독실한 믿음의 불교도에 한정되어 있던 불살생과 방생放生(사로잡힌 살아 있는 것을 놓아주는 것)을 때와 경우에 따라 준수하면 된다고 하며 일반 사람들도 쉽게 지킬 수 있는 규범으로 불교의 민중화를 꾀한 것이다.

그러나 리치는 그 살생계를 비판했다. 예수회의 전략으로서 유교와 도교를 비판하기보다 불교를 비판하여 그것을 그리스도교로 교체하고자 한 것이 그 배경에 놓여 있었을 것이다. 리치의 논거는 아리스토텔레스에서 유래하는 혼의 세 가지 존재 방식에 있었다. 즉 생명을 유지하고 성장을 돕는 '생혼生魂', 감각 기관으로 지각할 수 있는 '각혼覺魂', 사물을 추론하고 이와 의를 변별하는 '영혼靈魂'이라는 서열이다. 각각이 식물, 동물, 인간에 대응한다(리치의 혼론에 관해서는 이 제5권의 제5장을 참조).

중요한 것은 리치가 이러한 혼의 서열은 고정적이라고 주장하고, 그것을 살생계에 대한 비판의 논거로 삼은 점이다. 리치는 '살생을 금하는 도리 따위는 없다'(마테오 리치, 『천주실의天主實義』)라고 말한다. 왜냐하면 동물은 인간과 '혼을 달리하기' 때문에, 재화와 똑같이 취급해도 좋으며, 인간을 위해서라면 죽여도 상관없기 때문이다. 그러나 불교도는 살생계를 옹호하기 위해 윤회를 이야기하고, 서열이 지어져 있는 혼의 장르를 넘어서서 다른 혼으로 변화하는 것을 인정한다.

> 사람의 몸 상태가 조수와 다르다고 알고 있는 이상, 사람의 혼이 어떻게 조수와 같다고 하는 일이 있을 것인가? 따라서 사람의 영혼이 다른 사람의 몸에 머문다거나 조수의 몸에 들어간다거나 해서 세상 속을 전생한다는 등의 불교의 주장이 전적으로 엉터리라는 것을 알 수 있다. 본래 인간은 자신의 혼이 자신의 몸에만 합치하는 존재로, 자신의 혼이 타자의 몸에 합치하는 따위의 일은 없다. 하물며 다른 종류의 몸에서는 말할 것까지도 없다. (같은 책)

여기에 제시되어 있듯이 리치는 혼이 다른 몸에 머문다는 것을 실로 위험한 생각이라고 하고 있다. 게다가 주의 깊게 읽으면, 여기서는 혼이 장르를 넘어서서 혼교混交하는 것만을 물리치는 것이 아니라 인간에 한해서는 타자와 혼교하는 것 역시 물리치고 있다.

이에 대한 불교도 측의 반론은 흥미롭다. 제1권 제4장과 제2권 제6장에서 보았듯이 육조시대의 불교도는 혼의 혼교 가능성에 기초하여 논의를 세우고 있었다. 그러나 명 시대의 불교도는 그와 같은 논의로써 반론을 펼치려고 하지 않았다. 그 대신 살생계를 어떻게든 옹호하는 논진을 펼쳤다.

운서주굉은 '살생은 천하 고금의 큰 잘못이자 큰 악이다. 단연코 행해서는 안 된다'(운서주굉, 『죽창수필竹窓隨筆』)라는 주장을 반복했다. 그 이외로 나천여순羅川如純(나고 죽은 해는 알지 못한다)은 '그 살아 있는 모습을 보면 그것이 죽는 것을 차마 보지 못하고, 그 목소리를 들으면 그 고기를 차마 먹지 못한다'(『맹자』, 양혜왕 상)라는 『맹자』의 구절을 인용하여 '만약 하늘이 짐승을 생겨나게 한 것이 내가 죽여 내가 먹기 위해서라면, 어째서 성현은 이러한 일시적으로라도 차마 하지 못한다는 생각을 받아들였던 것일까'(여순, 「천학초벽天學初闢」)라고 말했다. 마찬가지로 비은통용費隱通容(1593~1661)은 '짐승을 찢어 영혼을 지니고 있지 않다고 말하는 것은 입과 배에 대접하여 사람이 제멋대로 죽이도록 하기 위해서인바, 전적으로 차마 하지 못하는 덕이 없다'(비은통용, 「원도벽사설原道闢邪說」)라고 말했다.

이러한 반론은 리치의 입론에 대해 충분히 유효한 비판이 되지 못했을지도 모른다. 그럼에도 불구하고 리치도 역시 욕망 그대로 행동하고 욕망을 제한하려고 하지 않는 '세인世人'을 긍정하고 있었던 것은 아니다.

> 세인의 재앙은 다름 아니라 마음이 병들어 덕의 좋은 맛을 알지 못하는 것이다. 그 맛을 알면 미식을 경시할 수 있고, 스스로 덕의 즐거움을 얻고자 한다고 말할 것이다. 덕과 미식의 두 가지

맛은 서로 사람의 마음에 출입하는 것으로 동시에는 거처할 수 없는 것이다. 덕의 맛을 마음에 들이도록 생각한다면, 우선은 미식의 맛을 마음으로부터 내보내야만 한다. (『천주실의』)

이지가 그러했듯이 리치도 먹는 욕망에 대해 생각하지 않을 수 없었다. 그리고 이 점에서는 살생계를 통해 육식을 비판한 운서주굉과도 문제 계통을 공유하고 있었다.

중국 이슬람 철학

명 시대의 중국 철학에서 마지막으로 살펴보고자 하는 것은 '중국 이슬람 철학'이다. 이 개념은 호리이케 노부오堀池信夫, 『중국 이슬람 철학의 형성 — 왕대여 연구中国イスラーム哲学の形成一王岱輿研究』(2012년)에서 전개된 것으로, 거기에는 이지를 무슬림으로서 이해하고자 하는 방향도 포함되어 있다. 그럼에도 '중국 이슬람 철학'의 중심에 놓여 있던 것은 부제에서 제시된 왕대여王岱輿(나고 죽은 해는 알지 못한다)였다. 16세기 말부터 17세기 중엽에 걸쳐 활약했기 때문에, 명말 청초 시기의 인물이다.

호리이케는 그 철학의 핵심을 이렇게 표현했다.

그리하여 왕대여가 지향한 것은 우선은 그러한 선행 교리서의 오류를 분쇄하고, 알라는 중국 전통의 형이상학적 개념들과는 다른, 그 이상의 훨씬 초월적·절대적인 것, 말하자면 초-초월적인 것이라는 점을 변증하는 것이었다. 나아가 그럼에도 불구하고 중국 전통의 형이상 개념들은 그 모두가 부정되고 매장되어 버려야 할 것이 아니라 오히려 초월적 알라의 밑에서 이 세계가 구체적으로 존재하기 위한 초월자로서(말하자면 중간적·상대적 초월자로서) 의미를 지닌다는 것, 그 점의 변증도 아울러 중요한 문제였다. (호리이케 노부오, 『중국 이슬람 철학의 형성 — 왕대여 연구』, 165쪽)

요컨대 왕대여는 그 이전의 중국에서 이슬람 철학이 알라의 초월성을 중국의 형이상학이 예상하는 초월성과 뒤섞고 있었다는 것을 비판하고, 그것을 '초-초월적인 것'으로서 다시 정립하는 동시에 중국의 형이상학적인 개념들을 세계에 관계되는 상대적인 초월로서 받아들인 것이다.

'초-초월적인 것'으로서의 알라는 '진일眞一'이라고도 불린다. 이것은 도교에서 유래하는 개념이다. 그에 반해 세계에 관계되는 상대적인 초월은 '수일數一'로 정의된다. 그러면 이러한 두 '일一'은 어떠한 관계인 것일까? 이 물음에 대해 왕대여는 『대학』의 팔조목八條目 개념을 이용하여 설명을 시도했다.

주인과 종이 구별되고, 진일과 수일이 정해지면, 명덕明德의 원천이 이해된다. 명덕의 원천이 이해되면, 명덕을 분명히 할 수

> 있다. 명덕이 분명해지면, 참으로 알 수 있다. 참으로 알면, 자기를 알 수 있다. 자기를 알면, 마음이 바르게 된다. 마음이 바르게 되면, 뜻意이 성誠이 된다. 뜻이 성이 되면, 혀가 일정해진다. 혀가 일정해지면, 몸을 닦을 수 있다. 몸을 닦으면, 집이 가지런해진다. 집이 가지런해지면, 나라가 다스려진다. (왕대여, 『청진대학淸眞大学』)

딩샤오리丁小麗에 따르면, '명덕의 원천'은 '이맘' 즉 신앙이며, '혀가 일정해진다'라는 것은 '샤하다' 즉 신앙고백이라고 한다(딩샤오리, 「회유 사상 연구—'원회유'로서의 왕대여와 『청진대학』回儒思想の硏究—'原回儒'としての王岱輿と『淸眞大学』」, 『도쿄대학 종교학 연보』 36, 2019년, 79~80쪽). 과연 왕대여의 설명이 성공했는지 아닌지는 말하기 어려운 점이 있지만, 여기서 이슬람과 중국 철학, 특히 주자학이 융합되려고 하고 있다는 점은 간취될 것이다. 무엇보다도 『청진대학』이라는 서명에서 그것이 잘 표현되어 있다. 왜냐하면 그 제목은 '청진' 즉 이슬람과 '대학' 즉 주희가 사서의 하나로 삼은 『대학』의 복합어이기 때문이다.

더 나아가 왕대여는 마테오 리치의 『천주실의』를 모방하여 『정교진전正教眞詮』을 저술했다고도 말해지며, 『희진정답希眞正答』에는 유·불·도 3교와 이슬람 그리고 세속의 사람들 사이에서의 문답이 거두어져 있다(같은 글, 75쪽).

그렇다면 명 시대의 중국 철학은 시종일관 개념의 세계적 순환 속에 짜 넣어져 있었다고 말해도 좋을 것이다. 그것은 세계철학으로서의 중국 철학의 하나의 새로운 기원을 여는 시기를 이루고 있었다.

☞ 좀 더 자세히 알기 위한 참고 문헌

— 아라키 겐고荒木見悟, 『신판. 불교와 유교新版 仏教と儒教』, 研文出版, 1993년. 이 책의 바탕이 된 것은 『불교와 유교 — 중국 사상을 형성하는 것仏教と儒教 — 中国思想を形成するもの』(平樂寺書店, 1963년)이며, 저자의 최초 주저였다. 불교와 대비하는 가운데 깊어져 간 그의 양명학 이해는 지금도 신선함을 잃지 않고 있다.

— 나카지마 다카히로中島隆博, 『공생의 프락시스 — 국가와 종교共生のプラクシス — 国家と宗教』, 東京大学出版会, 2011년. 졸작이지만, 양명학의 전개에 관해서는 「제2장: 소인들의 공공 공간 — 명대의 사상」에서, 명 말의 불교와 그리스도교의 대치에 관해서는 「제3장: 혼을 달리하는 것에 대한 태도 — 명 말의 불교와 그리스도교」에서 상세히 논의했기 때문에, 참고가 될 수 있을 것이다.

— 호리이케 노부오堀池信夫, 『중국 이슬람 철학의 형성 — 왕대여 연구中国イスラーム哲学の形成 — 王岱與研究』, 人文書院, 2012년. '회유回儒'(이슬람 유학자)에 대한 연구는 최근 수십 년 사이에 일거에 진전된 느낌이 드는데, 이 책은 그 성과를 보여준다. 왕대여를 정점으로 하는 중국 이슬람 철학의 형성사가 종횡으로 논의될 뿐만 아니라 '빛'과 '창조'와 같은 근본 개념을 둘러싼 철학적인 논의에도 배려가 이루어지고 있다.

第10장

주자학과 반주자학

란 고가쿠藍弘岳

1. 주자학의 탄생과 전개 — 송대 중국에서 도쿠가와 일본으로

들어가며

동아시아에는 철학이 없다고 자주 말한다. 확실히 철학 그 자체는 서양에서 태어난 것이지만, 번역 등을 통해 동아시아 나라들에 수용되고, 그것을 근현대의 동아시아 지식인도 배우고 있다. 그것이 일본어나 중국어, 한국어로 번역될 때 유교 사상의 흔적이 엿보이는 한편, 현대의 아카데미에서는 유교 사상도 철학적인 틀과 개념에 의해 해석·연구하게 되었다. 게다가 라이프니츠, 볼프와 같은 서양의 철학자는 실로 유교 사상에 대해 호의적이고, 그로부터 영향을 받았다(이가와 요시쓰구井川義次, 『송학의 변천宋

學の西遷』). 그것은 유교가 서양 철학과 마찬가지로 자연 그 자체, 자연과 인간 사회의 관계 및 인간의 실존 상태 등에 대해 이리저리 두루 사유해왔기 때문이다.

유교(특히 주자학)는 서양 철학과 공통의 것을 지닌다. 그런 의미에서 동아시아 세계에서 전개된 유교 사상도 세계철학사의 일환이라고 말할 수 있다. 이 장에서는 세계철학사의 일환이 된 주자학뿐만 아니라 반주자학의 전개를 고찰한다.

주자학의 탄생과 그 내용 개략

유교는 중국의 진한秦漢 시대 이전에 쓰인 『시詩』, 『서書』, 『역易』, 『예禮』, 『춘추春秋』와 같은 경서에 대한 해석에 의해 형성된 학문의 체계이다. 이러한 경서들은 한대漢代에 이르러 오늘날 전해지는 형태로 정리되었다. 송대宋代에 이르면 국제 상황과 사회 상황의 변화에 따라 한대부터 당대唐代에 걸쳐 전개된 경서의 훈고학訓詁學(경서의 문언을 고증하는 학) 대신에 불교 등의 영향을 받아 '이理', '기氣', '성性', '정情'과 같은 개념들을 구사하여 유교를 철학적으로 재해석하려고 하는 움직임이 일어나 새로운 유교를 형성했다.

송대 중국은 동시대의 요遼, 서하西夏, 금金 내지 몽골에 대해 똑같이 '적국' 의식을 지니고 있던 국가이자 천자天子라고 생각된 황제가 최고의 권력자인 동시에 권위자로서 통치하는 군주제의 국가였다. 나아가 송대에는 당대까지의 귀족 사회로부터 변화하여 과거 관료 사회가 성립했다. 이에 의해 한정적인 의미에서긴 하지만 개개인이 평등한 기회를 지니고 과거에 참가하여 관료가 될 수 있게 되었다. 바로 이 시대에 새로운 유교 사상으로서의 주자학이 탄생하고, 자연 그 자체, 자연과 인간 사회의 관계, 인간 내부의 마음 구조, 나아가 중국과 주변 국가의 관계를 설명하는 사상 체계로서 성립했다.

이 새로운 유교의 사상 체계에 대해 일본에서는 자주 주자학이라고 부르고 있지만, 중국어로서는 일반적으로 '송명이학宋明理學'이라는 표현을 쓰고 있다. 그리고 동시대 육상산陸象山의 학문 내지 명대의 양명학陽明學(심학心學)과 구별하는 의미에서 '이학理學' 또는 '성리학性理學'이라고도 부른다. 그 밖에도 '도학道學', '송학宋學' 등, 다른 표현도 있다. 일반적으로 말하면 주자학은 주돈이周敦頤, 정호程顥와 정이程頤 형제, 장재張載 등으로부터 발전하고, 나아가 주희朱熹에 의해 대성되어 하나의 완결된 사상 체계가 되었다.

그러나 주희는 이 사상 체계를 위해 하나의 이론서를 쓴 것이 아니다. 그는 한대부터 당대까지의 훈고학이 중요시하는 '오경'보다 '사서'를 특별히 중시했다. 그 철학 사상을 『사서장구집주四書章句集注』(논어 · 맹자 · 대학 · 중용)와 같은 경서 주석을 위해 사용하는 한편, 『주자어류朱子語類』에 수록된 문인과의 문답이나 그의 문집 『회암선생주문공문집晦庵先生朱文公文集』에서, 나아가 다양한 형태로 설명을 덧붙였다. 이렇게 하여 체계화된 주자학은 원대에 이르면, 몽골인이 중국인을 통치할 필요로부터 과거를 재개한 후 서서히 그 표준 해석으로서 채택되었다. 이러한 의미에서 주자학은 국교화되었다.

철학의 관점에서 말하면, 주자학의 특징으로서 우선 들어야 하는 것은 '천天'을 '이理'로 파악하고, 종래 유교에서의 천인상관天人相關(천인합일)의 사상을 '기氣' 외에 '이'의 관점에서도 해석하여 이기이원론理氣二元論의 관점에서 자연과 인간 세계를 해석했다는 점이다. 나아가 그 사상 체계는 '천리인욕天理人欲', '이기', '체용體用', '귀신鬼神' 등의 이항 대립을 많이 사용함으로써 구성되어 있다.

그러나 '이'와 '기'란 무엇인가? 이것들은 간단히 설명될 수 있는 개념이 아니다. 주자학 전문가의 설명에 따르면, '기'에는 넓고 좁은 두 가지 의미가 있다. 좁은 의미의 '기'가 에너지로 파악되는 데 반해, 넓은 의미의 '기'에는 물질로서의 의미도 있다. 또한 '기'에는 '음양陰陽'과 '오행五行'의 두 가지 측면이 있다. '음양'은 동動과 정靜의 두 측면을 의미하며, '오행'은 다양한 종류의 물질이라고 이해할 수 있다. 인간이 살아가는 자연 세계는 '기'로 구성되어 있다. 그에 반해 '이'는 '기'를 운동하게 하는 법칙, 또한 이 법칙들을 통합하는 원리라고 파악된다.

나아가 주자학자는 인간의 마음을 '성'과 '정'으로 나누어 파악하고, '성'과 '정'을 각각 '이'와 '기'에 대응시켰다. 그 이론에 따르면, 인간은 자기의 '기'의 혼란을 수정하고, 그 혼탁한 상황을 개선하여 '이' 그대로 움직여야 한다. 이를 위해 인간은 '격물格物'과 '지경持敬' 등의 방법으로 학문과 수양을 쌓고, 현자, 나아가서는 성인이 될 것을 지향해야 한다. '격물'이란 경서 내지 자연 세계의 연구를 통해 '이'를 파악하기 위한 수양의 방법이다. 그에 반해 '지경'이란 마음을 오로지하여 대상에 집중시킴으로써 마음의 선한 본래의 기능을 발휘하고자 하는 수양의 방법이다(쓰치다 겐지로土田健次郎, 『에도의 주자학江戸の朱子学』).

이처럼 주자학자는 '이'와 '기'에 의해 세계의 구조를 설명할 뿐만 아니라 그것을 인간관계와 마음의 구조에 대한 설명에도 적용했다. 그리고 주자학은 군현제도와 과거제도에 합치하여 송대 이후의 중국 사회에 침투해 갔다.

도쿠가와 일본에서 주자학의 수용과 전개

앞에서 서술했듯이 중국 사회의 상황 변화에 따라 나온 주자학은 가마쿠라 시대에 선승에 의해 일본에 도래했다. 그리고 남북조 전후부터 귀족과 선승이 주자학의 경서 주석(신주)을 이용하게 된다. 무로마치 시대의 5산五山의 승려는 유교와 한문을 교양으로서 배우고 있었다. 이러한 흐름 속에서 에도 시대가 되면, 후지와라 세이카藤原惺窩(1561~1619)처럼 선승인 채로 유학자의 옷을 걸치고서 유학서를 배우고 강의하는 사람이 나왔다. 그러나 세이카의 유교 사상은 주자학 일색이 아니라 3교 일치를 주창한 명 말 중국의 사상을 수용한 것이었다. 그의 제자에는 하야시 라잔林羅山(1583~1657), 마쓰나가 세키고松永尺五(1592~1657) 등이 있다(쓰치다 겐지로, 같은 책).

하야시 라잔은 간에이 7년(1630), 사숙을 에도의 우에노 시노부가오카에 열었다. 후에 하야시 가호林鵞峰(1618~1680) 대에 간분 3년(1663)부터 홍문관弘文館으로 불리게 되며, 나아가 겐로쿠 3년(1690), 쇼헤이자카로 이전되어 막부 직할의 학문소学問所가 되었다. 말할 필요도 없이 이 학문소가 겐로쿠 무렵부터의 도쿠가와 시대에 유교 교육의 중심이었다. 어린 시절의 오규 소라이荻生徂徠(1666~1727)도 이 홍문관으로 불린 하야시가의 글방에 들어가 강의를 들었다(히라이시 나오아키平石直昭, 『오규 소라이 연보고荻生徂徠年譜考』). 그에 반해 이전의 정치와 문화의 중심이었던 교토에서는 좀 더 빠른 간에이 5년(1628)경에 기노시타 준안木下順庵(1621~1699)의 스승인 마쓰나가 세키고가 사숙을 열었다. 이 사숙으로부터 6대 쇼군 이에노부家宣의 시강을 맡은 아라이 하쿠세키新井白石(1657~1725), 무로큐 소室鳩巣(1658~1734) 등이 나왔다. 더 나아가 간에이 12년(1635)에 하야시 라잔을 비판한 나카에 도주中江藤樹(1608~1648)가 오미近江에서 도주서원藤樹書院을 열었다. 그 제자 중에는 구마자와 반잔熊澤蕃山(1619~1691)이 있었다. 그리고 야마자키 안사이山崎闇齋(1619~1682)가 메이레키 원년(1655)에 자기 집에서 강의를 열며, 이토 진사이伊藤仁齋(1627~1705)도 간분 2년(1662)에 자기 집에서 고의당古義堂을 열었다. 호리카와의 양안에 있는 안사이와 진사이의 글방은 대조적이었지만, 양자의 교육 내용과 방법은 도쿠가와 전기의 학문 경향을 대표하며, 오규 소라이가 힘을 들여 비판한 상대방이었다.

이처럼 도쿠가와 전기 사회에서 주자학은 평화의 도래와 인쇄 기술의 진보 등으로 인해 서서히 에도와 교토 등의 도시뿐만 아니라 지방에까지 침투하여 학습되었다. 철학사의 관점에서 말하자면, 가장 주목해야 할 주자학파는 역시 야마자키 안사이를 중심으로 한 안사이학파라고 생각된다. 야마자키 안사이도 본래는 승려였지만, 주자학으로 전향했다. 그는 주자학자로서 불교를 비판한 다음, 중국의 송·원·명대의 일부 주자학자와 이퇴계李退溪 등의 조선 유학자의 사상을 토대로 하여 '경敬'을 중심으로 한 경의학敬義學을 세워나갔다. 그는 '지경持敬'이라는 수양 방법론을 중시하고 엄격한 도덕주의 방향으로 그 사상을 전개해나갔다. 한편으로 그는 「신대권神代卷」에 기술된 일본 신화를 가지고 들어와 경의학의 '경'(쓰쓰시미[삼감])과 신묘하게 새겨진 「쓰쓰시미土金의 전」을 경의経義로 하는 수가신도垂加神道를 창립했다(사와이 게이치澤井啓一, 『야마자키 안사이山崎闇齋』).

2. 도쿠가와 일본에서 반주자학의 전개 — 소라이학을 중심으로

반주자학의 선봉 — 이토 진사이

도쿠가와 전기의 일본 사회에서는 주자학이 서서히 익혀지게 되는 한편, 그에 대해 위화감을 느끼고 고뇌 끝에 반주자학의 기치를 들어 올린 사람이 나왔다. 그가 바로 이토 진사이였다. 진사이는 30대 후반 이후 서서히 주자학에서 빠져나와 교토의 상인 계층 사회의 방식에 근거하여 『맹자』, 『논어』를 존중하는 입장으로부터 유교 고전의 재해석을 통해 '고의학古義學'을 세웠다. 그것은 소라이에게 배우면서도 넘어서야만 하는 학문 대상이 되었다.

덧붙이자면, 진사이의 사상에는 명대의 기氣 사상가와 비슷한 점이 있기 때문에, 명대의 사상가인 오정한吳廷翰(1491~1559)의 영향을 받은 것이 아닐까 하는 논의가 있었다. 그러나 진사이는 기의 사상가처럼 음양오행의 '기'에 근거한 심성론은 말하고 있지 않다(와타나베 히로시渡辺浩, 『근세 일본 사회와 송학. 증보신장판近世日本社会と宋学. 増補新装版』). 오규 소라이는 진사이로부터 배우면서 진사이의 『맹자』를 존중하는 입장을 비판하고, 후에 독자적인 유교의 사상 체계를 수립했다. 그는 이토 진사이와 마찬가지로 이른바 기의 사상가가 아니며, 기 일원론의 관점에서 이기이원론을 비판한 것이 아니다. 소라이는 오히려 '이'와 '기'에 의한 천인상관의 생각을 물리친 것이다.

소라이와 의학

소라이는 청년기에 주자학에서 영향을 받은 이주의학李朱医學

안에서 사유를 다듬고 있었다. 이것은 그의 부친이 마나세曲直瀬 학통의 의학을 익히고 있었던 것과 관계된다. 마나세 학통의 의학은 중국과 일본의 풍토 차이를 중시하여 절충적 의료를 행한 것이지만, 기본적으로는 이주의학에 기초하고 있다(야카즈 도메이矢數道明, 『근세 한방의학사近世漢方医学史』). 소라이는 이러한 주자학 또는 이주의학을 통해 음양·오행 등의 개념을 이해하고 있다. 주자학은 '이'라는 형이상학적인 차원에서 주장되는 천인상관론 아래 구축된 장대한 학문 체계이지만, 그 이전의 재이설災異說과 운기론運氣論을 뒷받침하는 '기'에 의한 천인상관의 자연관을 완전히 물리친 것은 아니고, 이것을 내포하고 토대로 하여 발전해온 것이다(미조구치 유조溝口雄三 외, 『중국이라는 견지中国という視座』).

그에 대해 청년기의 소라이는 『소라이선생 의언徂徠先生医言』을 쓰는데, 음양오행과 '간지干支'라는 개념 장치의 작위성·인식 수단이라는 성질을 강조하고, 자연의 기상氣象을 주로 인체의 병인을 설명하는 비유적인 언어로서 이해하고자 했다. 그러나 그는 인식론의 틀로서의 주자학을 인식하면서도, 그것을 완전히 부정하고 대신하는 패러다임은 아직 발견하지 못했다. 다만 천의 불가지성(활물적活物的 자연관)과 인간의 특수성(심心, 욕欲, 명命을 지니는 것)이라는 후기 사상에 이어지는 생각이 그의 초기 의학설에서는 싹트고 있었다. 이러한 사상은 그의 주자학으로부터의 이탈을 촉진했다. 그리고 소라이는 40세 무렵에 명대 고문사파古文辭派와의 만남에 의해 새로운 유교 사상 체계를 만들어내는 계기를 얻었다.

명대 고문사파는 15세기 후반부터 16세기 전반에 걸쳐 '문은 반드시 진한秦漢, 시는 반드시 성당盛唐'을 모범으로 한 문인의 집단이다. 명대 고문사파의 대표자로 여겨지는 이반룡李攀龍(1514~1570)과 왕세정王世貞(1526~1590)은 동시대의 당송파唐宋派 등의 문학 그룹과 주자학의 영향을 받은 지식인의 문장에 대해 '이'를 지나치게 중시하여 습속에 사로잡혀 있다는 점과 '수사修辭'의 부족함, 고문사의 고유한 '법'을 존중하지 않는 점 등을 비판하고 있었다. 그 대신 그들은 진한 이전의 고문, 성당 이전의 시의 제작·독해 방법 내지 그 시문론의 중요성을 부르짖고 있었다.

이와 같은 명대 고문사파의 저작은 에도 초기부터 다양한 형태로 읽혀 왔는데, 소라이에 의해 결정적인 의미가 부여되었다. 소라이는 『역문전제譯文筌蹄』 등의 한자 한문 연구 성과를 토대로 하여 명대 고문사파의 주자학 비판의 의미와 시문을 바라보는 관점 변화의 의미를 파악하고, 패러다임 전환을 꾀하고자 한 명대 고문사파의 시문론을 정확하게 이해했다. 그런 다음 소라이는 그것을 일본어 훈에 의한 한문 학습의 폐해를 극복하여 뛰어난 한시문을 제작·독해하는 방법으로서 다듬어갔다. 이리하여 소라이는 '이'를 중시하는 문학관에 어떻게든 항상 따라다니는 당송 고문('송조宋調'의 한시문)을 비판적으로 파악하면서 성당 이전의 시와 진한 이전의 '고문사'의 '사' 및 그 '사'를 구성하는 '법'을 모방하고 익히는 것이 필요하다는 생각에 도달했다.

소라이의 고문사학古文辭學은 시문론과 한시문을 제작·독해하는 방법론에 머무는 것이 아니다. 그것은 유교의 경전(경서)을 포함하는 '고문사'의 원전을 독해하여 '고언古言'을 파악하는 것으로, 『변도弁道』, 『변명弁名』, 『논어징論語徵』 등에서 전개되어가는 소라이의 유교 학설을 창출하는 방법으로서의 의의도 지닌다. 이러한 방법은 정태적인 자의字義 해석학으로서의 훈고학과는 달리, 한시 문학으로서의 고문사학에 대한 그의 이해의 심화에 따라 서서히 만들어져간 방법이다. 소라이는 이와 같은 문학적인 방법을 사용함으로써 추상적인 '이' 내지 '인의의 설'에 호소하는 것이 아니라 직접적으로 '고문사'로서의 경서 문장에 기록된 역사적 사실과 성인이 정한 제도와 규범으로서의 중요한 한자 개념(예를 들면 '인' 등)을 독해한다는, 주자학과는 다른 유교 학설을 창출한 것이다.

소라이의 주자학 비판

소라이는 '학문은 역사에서 궁극적인 것을 묻는 물음'(『소라이 선생 답문서徂來先生答問書』)이라고 말하고 있듯이 역사의 관점에서 일본뿐만 아니라 중국도 인식하고 있었다. 소라이의 견지에서 보면, 주자학자는 송대 이후의 '군현', '과거', '법률' 등, 시대의 제도에 구속되어 있다. 그는 이러한 구속된 상황에 놓인 주자학자가 '이'에 호소하고, 고대의 경전·제도를 이해하고 이용하고자 한 시도에 대해 일정한 이해를 보여준다. 그러나 주자학자가 '금언今言으로써 고언古言을 보는' 것, 또한 '이'와 '심'에 호소하여 '언어'에 의해 '성인의 도'를 설명하고자 하는 것을 비판했다. 그것은 실은 불교와 노장의 사상으로부터 영향을 받은 것으로 한유韓愈와 맹자의 사상을 매개로 한 '심'과 '언어'에 의거하는 '심학'적인 방법이라고 생각했기 때문이다.

더 나아가 소라이는 송대 이후 '이학'(주자학)이 '문장 경제로부터 의술과 점술에 관한 잡서들에까지' 침투해 있는 것도 잘 알고 있었다. 그리고 그는 주자학자가 '천리를 보급하여 인욕을 멈추는' 것을 그 수양의 목적으로 하고, '이'를 그들의 학문 목적으로 하는 것을 비판했다. 특히 소라이는 '천리', '인욕'과 같은 이원적 대립 도식으로써 상대방에게 동의를 강요하는 주자학자의 방식에서 강박성을 느끼고, '이학'을 '성인의 도'가 지니는 '문文'의 성질을 잘 못 본 '융적戎狄의 도'라고까지 평가했다(『변도』).

소라이는 분명히 말하고 있지 않지만, '이'에 이와 같은 주관성과 강박성이 있기 때문에, 황제와 관료가 자신들의 말을 '이'에 호소하면, 언어 명령으로서의 법률을 남용할 소지가 언제나 있다고 생각하고 있었다. 소라이의 견지에서 보면, 그것은 정치사상으로서는 '정'(인정)을 이용하는 정치 방식을 알지 못하기 때문에, 한비자韓非子의 법가 사상에도 훨씬 미치지 못한다. 소라이가 생각하기에 주자학자는 맹자에게서 배우고 왕도론의 이상을 말하면서도 현실의 정치에 응용된 주자학 그 자체는 인정을 알지 못하는 강박적인 통치술이 되는 경향을 지니는 것이었다.

소라이의 '성인의 도'론과 그의 정치사상

소라이가 생각하기에 도쿠가와 정치 체제와 다른 군현 과거 체제에서 태어난 주자학은 도쿠가와 정치 체제의 제도 개혁에 직접 이용할 수 없는 것이었다. 그로 인해 같은 '봉건' 체제로서의 고대의 '삼대三代' 제도를 참조점으로 하여 거기서 유용한 사상 자원을 찾아내고자 한 것이다. 이른바 '성인의 도'는 삼대와 그 이전의 중국의 성인들이 만들어낸 역사적인 예악禮樂 제도이다. 성인들이 만든 예악 제도는 각각의 시대 풍속이 다르다는 점에서 성인이 주체적으로 이전 왕조의 제도를 '덜고 더해損益'(수정·보정해)나간 것이다(『변명』).

소라이는 경서의 재해석을 통해 이러한 '성인의 도'의 존재 방식과 그 정치관을 펼쳐 보였다. 예를 들어 『논어』의 '정치를 함에 덕으로써 한다爲政以德'라는 문장에 대해 소라이는 '유덕한 사람을 쓴다'(『논어징』, 갑)라고 파악한다. 이러한 소라이의 파악 방식은 그가 물리친 '유덕한 사람이 나라를 다스린다'라는 '구주舊註'의 해석과는 달리, 군주가 이상적인 정치를 하기 위해 스스로가 도덕적인 성왕이 되어 백성을 교화하는 방향에서 이해하는 것이 아니라, 자신이 아니라 '덕'을 지닌 사람을 써야 한다는 방향에서 파악한 것이다. 소라이에 따르면, '효제孝弟' 등은 인간이 그 '성'에 기초하여 배우지 않고서 얻은 '덕'을 가리킨다(인간으로서의 기본 도덕). 그에 반해 예악과 같이 교육에 의해 그 '몸'의 '성'을 길러 얻어지는 특정한 일로 향한 '덕'도 있다(군자로서의 덕). 이에 대해 소라이는 후문候文 등의 일본어로 쓴 저작에서 '기량器量'이라는 말을 사용하고 있다. '군자로서의 덕' 가운데 가장 중요한 것은 '인仁'이다.

소라이는 '문학과 정사政事는 모두 인에 의한다'(『논어징』, 정)라고도 말한다. 그러나 그는 종래에 '인'을 '천리', '애愛', '성性' 등으로 해석한 후세 유학자의 설을 물리치고 있었다(『변명』). 그가 말하는 '인'의 정치란 천이 만물을 기르듯이 정치 주체로서의 임금·신하(군자)가 천을 경모하면서 백성을 길러야 한다는 자각과 실천에 의해 행해지는 정치이다. 이를 위해 '인'을 몸에 익힌 군자가 행해야 할 행위는 '천을 존경敬하는' 것, '백성을 편안히 하는'('인') 것, 나아가 '사람을 아는'('지智') 것이다.

특히 '천을 존경하는' 것에 관해서는 그것이 '성문제일의聖門第一義'로서 '육경六経'에 실린 모든 '성인의 도'의 근본에 놓여 있다고 소라이는 생각한다. 그에 따르면 '고문사'에서의 '경敬'은 '존중·숭배하는 바가 있고 소홀히 하지 않는다'(『변명』)라는 의미이다. '경'과 '공恭'의 주요한 차이는 주로 '공'이 '자기를 주로 하는' 것인데 반해, '경'은 '반드시 존경하는 바가 있다'라는 점에 놓여 있었다(『변명』). 요컨대 '경'이라는 행위에는 반드시 외면적인 존경해야 할 대상이 있는 것이다. 소라이는 이처럼 '경'을 이해함으로써 '천'을 '이'로 이해하여 '천이 내게 있다'라고 파악한 주자학의 '지경의 설'을 비판하고, 새로운 유교 학설을 전개하기 위한 기축을 지니게 되었다.

앞의 주장과 관련하여 소라이는 '예는 경을 근본으로 한다. 천과 조종祖宗을 존경하는 것이다'(『논어징』, 을)라고 말한다. '도道'의 핵심이 되는 '예'는 군자와 '천', '조종'(귀신) 등, '경'해야 할 대상과의 관계를 규제하는 질서 원리 및 규범·제도로서 파악되고 있다. 이렇게 함으로써 소라이는 '예'를 내면적인 '덕'으로 파악하는 맹자 이후의 유교 학설을 물리치고, 고대 유교의 사상 체계를 다시 구축하고자 한 것이다.

소라이의 정치사상은 후세의 '군현의 세상'에서의 군주제를 지지하는 유가나 법가 사상과 달리, 모종의 '봉건' 체제의 존재를 전제하는 '인정仁政'이라고 말할 수 있을지도 모른다. 거기에서는 정치적 주체성, 정치적 책임을 요구하는 사상이 읽히지만, 백성의 존재가 계급적으로 자리매김되고, 백성에 대해 법에 의한 차별적인 통치가 허용되고 있다. 이 측면에서 보면, 그의 사상은 법가의 권력 정치사상에 가까운 점이 있으며, 반민주주의적인 유교 사상이라고도 말할 수 있을 것이다(와타나베 히로시渡辺浩, 『동아시아의 왕권과 사상東アジアの王権と思想』).

3. 동아시아에서 소라이학의 전개

에도 후기에서 소라이학의 전개

소라이의 사상은 도쿠가와 사회 내부에서 다양한 형태로 비판, 계승되어갔다. 핫토리 난가쿠服部南郭(1683~1759), 야마가타 슈난山縣周南(1687~1752), 다자이 슌다이太宰春台(1680~1747)와 같은 제자들의 활약으로 소라이의 사상은 도쿠가와 후기의 문예와 사상의 전개에서 중요한 역할을 했다. 문인 의식을 지니면서 한시문의 창작을 중시하는 핫토리 난가쿠 일파의 발전에 따라 고문사학은 광가狂歌(풍자와 익살을 주로 한 단가), 희작戲作(통속 소설)과 같은 에도 문예의 발전으로 이어져 갔을 뿐만 아니라 그 표현미를 중시하는 문학론은 국학国学에도 영향을 주었다(히노 다쓰오日野龍夫, 『소라이학파徂徠学派』). 본래 소라이는 역사의 관점에서 '성인의 도'를 파악하고, 경서 연구를 통해 고대 중국의 역사를 파악하고 있었다. 그런 까닭에 그는 『소라이집徂徠集』, 『남유별지南留別志』 등의 저작에서 고대 중국, 조선과 고대 일본의 역사적인 관련도 천착하고 있었다. 이러한 업적들은 국학자들에 의한 고대 일본사 연구로도 이어질 뿐만 아니라 후기 미토학水戸学의 전개와도 관계된다.

그에 반해 경서 연구와 유교 사상의 재구축이라는 관점에서는 다자이 슌다이의 사상을 특히 중요시할 필요가 있다. 왜냐하면 슌다이는 주자학과 맹자에 대한 소라이의 비판과 '성인의 도'론을 토대로 하여 소라이학을 재구성함으로써 자기의 학문을 크게 이루었기 때문이다. 슌다이는 소라이와 달리 '성인의 도'를 이해하기 위해 '육경'과 『논어』 외에 『효경孝経』(특히 『고문효경古文孝経』)을 중시했다. 또한 슌다이는 이러한 생각의 연장선상에서 마찬가지로 공안국孔安國(BC 156~BC 74)이 그 편집자라고 생각되는 『공자가어孔子家語』도 중시했다. 이러한 사상의 입장과 방법에 의해 그는, 소라이와 비교하면, '오륜五倫'(특히 '효')을 좀 더 중시하고, 군신 질서의 절대성과 고대 중국의 봉건 체제에서의 중요한 요소로서의 종족宗族에 관계되는 여러 종류의 제도를 중시해갔다.

슌다이는 소라이와 마찬가지로 봉건 체제로 된 도쿠가와 일본에서 고대 중국의 봉건 체제에 채택된 제도들을 적극적으로 참고하면서 개혁해야 한다고 생각하고 있었다. 그러나 슌다이는 『성학문답聖學問答』, 『변도서弁道書』와 같은 일본어로 쓰인 저작에서는 좀 더 원리주의적인 태도로 고대 중국의 기준에서 일본의 제도와 풍속을 엄격하게 비판하고, 그것을 도쿠가와 일본에 적용하고자 했다. 그런 까닭에 슌다이의 저작은 많은 반론을 불러일으켰다. 가모노 마부치賀茂眞淵(1697~1769)의 『국의고国意考』, 모토오리 노리나가本居宣長(1730~1801)의 『직비령直毘靈』, 히라타 아쓰타네平田篤胤(1776~1843)의 『가망서呵妄書』 등에는 직접적으로 서명을 들고 있는 것은 아니지만, 명확히 다자이 슌다이의 설을 비판한 곳이 있다. 슌다이의 사상은 함축적인 소라이학을 좀 더 명확한 형태로 제시했지만, 왜곡도 있는 것이다. 그런 만큼 역설적인 의미에서 슌다이의 사상은 국학자와 신도가神道家에게 커다란 사상적인 자극을 주었다.

나아가 슌다이는 소라이보다 더 당음唐音을 중시했기 때문에, 그의 제자로서 한자 음운학을 연구하는 몬노文雄(1700~1763)라는 승려가 나왔다. 몬노는 『운경韻鏡』의 연구를 진척시켜 『마광운경磨光韻鏡』을 저술했다. 이런 의미에서 소라이학파는 에도 시대의 한자 음운학의 발전으로 이어져 갔다. 물론 오규 소라이 자신도 『역문전제譯文筌蹄』 등의 한자 연구를 했었다. 난학자蘭学者의 네덜란드어 연구도 그것에서 계발된 점이 있다.

소라이 자신의 학문은 한대의 고주古注에 대한 회귀를 목적으로 하지는 않았지만, 성인의 도의 재구축을 목적으로 했기 때문에, 주자학 이전 고주의 정리와 열람을 장려했다. 소라이의 제자인 야마노이 곤론山井崑崙(1690~1728)과 네모토 손시根本遜志(1699~1764)는 3년 정도의 시간을 들여 아시카가 학교足利学校에서 고적의 정리와 교정에 힘썼다. 야마노이의 노력에 의해 『칠경맹자고문七経孟子考文』(교호 11년, 1726)이 간행되었다. 그 후 소라이의 동생인 오규 홋케이荻生北渓(1673~1754)가 소라이 문하의 우사미 신스이宇佐美灊水(1710~1776) 등의 협력을 받아 좀 더 교정, 보완한 『칠경맹자고문보유七経孟子考文補遺』(교호 16년, 1731)를 출판했다. 야마노이 곤론은 주로 아시카가 학교에 소장된 칠경(『역』, 『서』, 『시』, 『예』, 『춘추』, 『논어』, 『효경』)과 『맹자』의 고초본古鈔本, 송간본, 명간본의 경문에 따라 교정을 행했다. 나아가 네모토 손시는 1750년경, 『논어집해의소論語集解義疏』를 출판했다. 이처럼 소라이 후학은 송대 이전의 고주를 중시하고, 또한 경서의 교정에도 힘쓰고 있었다.

청조 중국과 조선왕조에 전해진 소라이학파의 저작

에도 말기의 쇼헤이자카 학문소 교수였던 아사카 곤사이安積艮齋(1791~1861)는 비록 '망설妄說'이 많긴 하지만, 일본 주자학자의 저작과 비교하면 소라이학파의 저작은 확실히 '서유西儒'(청조 중국의 학자)에게 주목받았다고 평가하고 있다(『남가여편南柯余編』).

앞에서 언급한 『고문효경』, 『칠경맹자고문보유』, 『논어집해의소』는 중국에 전해졌다. 그 밖에 『변명』, 『변도』, 『대학해大学解』, 『중용해中庸解』, 『소라이집』, 『논어징』을 수록한 『논어징집람論語徵集覽』 및 다자이 슌다이의 『논어고훈論語古訓』, 『논어고훈외전論語古訓外伝』, 『시서고전詩書古伝』도 중국에 수입되었다(후지쓰카 치카시藤塚鄰, 『논어총설論語總說』). 이러한 소라이학 관계의 저작들 가운데 주로 『칠경맹자고문보유』, 『논어집해의소』, 『고문효경』 및 소라이의 『논어징』이 많은 청나라 유학자에게 알려졌다.

『사고전서四庫全書』와 포정박鮑廷博(1728~1814)이 편찬한 『지부족재총서知不足齋叢書』에 수록된 『칠경맹자고문보유』는 청조 고증학자에게 높이 평가되었다. 노문초盧文弨(1717~1795)가 그 저작을 읽은 후, '해외의 그 작은 나라에는 아직 독서할 수 있는 사람이 있다'라고 탄식했다. 완원阮元(1764~1849)도 경서 교정에서의 가치 관점으로부터 그 저작을 평가한 일이 있다. 다자이 슌다이가 편찬·교정한 『고문효경』도 『고문효경공씨전古文孝経孔氏伝』이라는 제목으로 『지부족재총서』와 『사고전서』에 수록되었기 때문에, 널리 읽혔다. 그리고 그 책의 진위를 둘러싼 논의도 청조 중기부터 이루어지게 되었다.

그러면 소라이의 『논어징』은 어떻게 청조의 학자들에게 이해되었던 것일까? 오영吳英 『경구설経句説』, 옹광평翁廣平 『오처경보吾妻鏡補』, 적자기狄子奇 『경학질의経学質疑』, 유보남劉宝楠 『논어정의論語正義』, 유월兪樾 『춘재당수필春在堂隨筆』 등에 『논어징』이 인용되어 있다. 전영錢泳이라는 학자는 『변도』, 『변명』을 다시 편찬하고, 자기의 서문과 『선철총담先哲叢談』을 토대로 쓴 「일본국 소라이선생 소전日本国徂來先生小伝」을 덧붙여 『해외신서海外新書』라는 제목으로 출판했다. 소라이의 『논어징』을 열람한 사람 가운데 가장 잘 알려진 사람은 유보남이며, 그는 『논어정의』에서 이를 언급하고 있지만, 두 곳을 인용했을 뿐이었다. 『춘재당수필』은 열일곱 군데를 인용했지만, 평론은 없었다. 가장 힘을 들여 『논어징』을 자기 작품에 인용하여 비평한 것은 오영의 『경구설』이다. 거기서는 열한 곳에서 『논어징』이 인용되었다. 그 내용을 보면, 긍정적으로 인용한 곳은 두 곳뿐이다. 그러나 그는 소라이의 '성인의 도'론을 이해하지 못하며, 소라이의 맹자론을 비판할 뿐이었다.

이처럼 청조 중기에 수입된 소라이학파의 저작은 청조 중국

문사들에게 주목받고 또한 수용되었다. 청말에 이르면, 황준헌黃遵憲(1848~1905), 당재상唐才常(1867~1900), 장태염章太炎(1869~1936)과 같이 일본에 장기 체재한 경험을 지니는 사람이 나왔다. 황준헌은 『일본국지日本国志』에서 소라이의 계보, 고문사학 방법론, 탈-송학적인 유교 사상의 정화와 중요 저작 등을 간결하면서도 거의 정확하게 소개했다. 나아가 장태염은 오규 소라이와 그의 제자인 다자이 슌다이의 경학 연구가 '훈고 고증, 때때로 좋은 말이 있지만', 청조 고증학의 최고봉이라고도 해야 할 대진戴震(1724~1777), 단옥재段玉裁(1735~1815) 등과 비교하면, 그 학문적 수준은 낮으며, 결국은 언어가 다른 까닭에 주진周秦 이전의 음운도 독해할 수 없을 것이다(『태염문록초편太炎文錄初編』)라고 말하고 있다. 장태염의 이러한 소라이론은 중국에서 일본의 한학을 볼 때 자주 보이는 스테레오 타입의 하나라고 말할 수 있다. 이와 같은 견해에는 모종의 화이 의식이 놓여 있으며, 일방적인 것이라고 말하지 않을 수 없다. 실제로 한자 음운학은 도쿠가와 일본에서 이미 발전하고 있었으며, 소라이학파도 그에 관계하고 있었다. 그러나 정밀한 경서 주석을 중시하는 청조 고증학의 관점에서는 소라이 등의 저작은 미숙한 것으로 평가될 수밖에 없었다.

그에 반해 조선왕조에서는 1764년의 갑신통신사절인 원중거元重擧(1719~1790)가 일찍이 『화국지和国志』에서 소라이학파의 학문을 소개했다. 그가 인용한 서적에는 『오규 소라이 문집』이 있는데, 당연히 그것을 읽었을 것이다(하우봉河宇鳳, 『조선왕조 시대의 세계관과 일본 인식朝鮮王朝時代の世界觀と日本認識』). 원중거는 소라이의 고문사학의 입장 및 맹자와 송학을 비판한 학문의 특징 등을 이해하고, 소라이를 '기이하고 위대하며 특출한 재사'라고 칭찬하고, 소라이가 '중국 음으로 운서韻書를 그 제자들에게 가르치는' 것을 평가하고 있다. 또한 다자이 슌다이가 '논의'의 방면에서 소라이보다 뛰어나다고 칭찬하기도 했다. 원중거의 영향으로 이덕무李德懋(1741~1793)는 『청령국지蜻蛉国志』(1778년)에서 소라이와 슌다이에 대해 언급한 일이 있다.

그러나 참으로 소라이학파의 경서 주석과 사상에 깊이 파고들어 읽은 사람은 정약용丁若鏞(1762~1836)이다. 정약용은 「일본론」에서 이토 진사이와 오규 소라이 그리고 다자이 슌다이의 학문에 기초하여 소라이 등이 논의한 '경의經義'는 '찬연한 문장'이기 때문에, 일본으로부터의 침략을 우려할 필요가 없어진다고 주장했다. 그는 확실히 소라이, 슌다이 등의 경서 해석을 읽은 것이다. 또한 그의 주저인 『논어고금주論語古今注』에는 대량의 인용이 있는데, 실제로 사용한 것은 『논어고훈외전』뿐이다. 정약용은 소라이학파와 마찬가지로 주자학의 경서 해석을 비판했지만, 인성론 등의 해석은 달랐다(이기원李基原, 『소라이학과 조선 유교徂徠学と朝鮮儒学』). 그것은 역시 모종의 맹자 존중의 유교 사상이었던 것이다.

조선에서의 청조 문화 이입에 많은 공헌을 한 완당阮堂 김정희도 완원을 통해 『칠경맹자고문』을 읽은 일이 있었다. 또한 김매순金邁淳(1776~1840)은 다자이 슌다이의 『논어고훈외전』에서의 논의가 완원의 『성명고훈性命古訓』의 논의와 비슷한 점이 있다고 지적하고, 맹자에 대한 태도의 차이를 논했다. 나아가 중요한 것은 청조의 매증량梅曾亮(1786~1856)이 김매순의 논의를 읽고 그 비평에 찬동하여, 맹자까지 비판한 소라이와 슌다이는 '이단의 최고가 되는 자'라고 비판한 일이다.

통신사 이외에도 청조 고증학자의 소라이학파론을 실은 서적이 연행사 등에 의해 조선에 들어갔다. 또한 조선 문사의 소라이학파론도 청조 중국에서 읽히고 있었다. 이러한 의미에서 19세기의 한문권에서 소라이학파의 경학은, 대체로 비판적으로 보이긴 했지만, 공유 지식이 되고 있었다. 그러나 맹자까지 비판하며 구축된 그 사상 체계는 다른 주자학 비판자의 사상과 비교하더라도 상당히 독특한 것이었다. 그런 까닭에 일부 소라이학파의 경설의 인용과 그에 대한 논의는 있었지만, 일본 이외에 미친 사상적인 영향력이 어느 정도였는지에 대해서는 좀 더 깊은 검토가 필요할 것이다.

결론을 대신하여

주자학은 맹자 이후의 심성을 중시하는 학문 경향을 계승하면서 송대 이후의 중국의 군현 과거科擧 사회에서 만들어진 사상 체계이다. 그에 반해 소라이는 명대 고문사파의 저작으로부터의 자극을 계기로 하여 맹자를 존중하는 주자학 흐름과는 다른 독창적인 사상 체계를 만들어 내며, 다자이 슌다이 등으로 계승되어갔다.

세계철학사의 관점에서 말하면, 맹자와 주자학(내지 양명학)을 기반으로 하여 형성된 동아시아의 유교 철학사에서 소라이의 사상은 대단히 독창성을 지니는 것으로 보이며 비판되고 있었다. 그것은 순자 내지 법가 계통의 사상으로 보이는 일도 있었지만, 그렇게 간단히 말할 수 없는 점도 있다. 다만 『순자』는 고대 유교를 부흥하고자 한 그의 사상 형성에 영향을 준 중요한 한 권의 책이라고 이해될 수 있다. 소라이학 그 자체는 동아시아 한문권에서 탈-송학을 위해 전개된 고학古学이다. 그것은 아마도 가장 독창성과 체계성을 지닌 고학으로서 파악할 수 있는 것이 아닌가 하고 필자는 생각한다.

'성인의 도'의 내용에 관한 이해는 다르다고 하더라도, 소라이학은 청조 고증학과 마찬가지로 고대의 역사와 언어 문자의 고증을 통해 '성인의 도'를 다시 구축하고자 했다. 그러나 중요한 것은, 사상사적으로 보면, 소라이학이 에도 후기의 한학(특히 후기 미토학)만이 아니라 국학과 난학 등의 전개와도 관계되고, 에도 후기에서의 문예들과 학문의 발전에 크게 이바지했다는 점이다. 이런 의미에서 반주자학의 학문으로서 전개된 소라이학은 반유교(반-권선징악적인 문학관 내지 반-동시대의 중국이라는 학문 자세, 특히 그 제자들인 핫토리 난가쿠의 흐름 및 국학과의 관련)의 학문으로서 받아들여지며, 일본에서의 내셔널리즘의 발전과 서양의 기술 문명의 수용에 대해 간접적인 의미에서 역할을 했다고 말할 수 있을 것이다. 그런 까닭에 그 사상에는 무언가의 근대성

또는 일본적인 것이 있다고 보인 것이다.

게다가 그것은 동시대의 청조 중국과 조선왕조에도 전해졌다. 문학성이 강한 소라이 자신의 고문사학은 청조 고증학자의 견지에서 보면 미숙한 것이다. 그러나 양자에 대해서는 똑같이 심성보다 고대 중국의 경서에서의 한자와 문언을 중시하는 고학이라는 의미에서 한층 더 나아간 비교 연구가 필요하다. 실제로 소라이학파의 교감학校勘学은 크게 청조 고증학자의 교감학 발전을 자극했을 것이다. 또한 여기서 논의할 여유는 없지만, 청조 고증학의 저작은 에도 후기의 일본에 이입되어 읽히고 있었다. 그것이 도쿠가와 후기의 사상 형성에 어떠한 역할을 했던 것일까? 이것도 좀 더 깊이 파고들어 연구할 필요가 있다고 생각된다.

☞ 좀 더 자세히 알기 위한 참고 문헌

— 쓰치다 겐지로土田健次郎, 『에도의 주자학江戸の朱子学』, 筑摩選書, 2014년. 이 책은 중국 주자학에 대해 깊은 지식을 지닌 쓰치다 겐지로에 의한 일본 주자학 개설서이다. 주자학 그 자체와 일본에서의 주자학 전개 등이 명쾌하게 설명되고 있다. 이 주제에 대해서는 와타나베 히로시渡辺浩, 『근세 일본 사회와 송학. 증보신장판近世日本社会と宋学 増補新装版』과 구로즈미 마코토黒住真, 『근세 일본 사회와 유교近世日本社会と儒教』를 아울러 읽을 것을 추천한다.

— 히라이시 나오아키平石直昭, 『오규 소라이 연보고荻生徂徠年譜考』, 平凡社, 1984년. 이것은 오규 소라이의 연구자에게 필수적인 책이다. 이 책에서는 소라이와 관계되는 사람들의 일이 정밀한 고증을 더하여 상세하게 논의된다. 에도 중기의 지식인 사회에 흥미를 지니는 분들에게 추천할 수 있는 책이기도 하다. 히라이시의 근세 사상사론을 좀 더 알고 싶은 사람들에게는 히라이시 나오아키, 『일본 정치사상사 — 근세를 중심으로日本政治思想史 — 近世を中心に』를 아울러 읽을 것을 추천한다.

— 다카야마 다이키高山大毅, 『근세 일본의 '예악'과 '수사'近世日本の'礼楽'と'修辞'』, 東京大学出版会, 2016년. 이 책에서는 오규 소라이의 예악론과 문학론이 어떻게 에도 후기의 문인 유학자들에게 계승되어 전개해갔는지가 명쾌하게 설명되고 있다. 에도 후기에서의 소라이학의 전개라는 주제에 대해 흥미를 지니고 나아가 알고 싶은 분에게 추천할 수 있는 책이다. 이 주제에 대해서는 히노 다쓰오日野龍夫의 『소라이학파徂徠学派』, 고지마 야스타카小島康敬의 『소라이학과 반소라이徂徠学と反徂徠』, 시마다 히데아키島田英明의 『역사와 영원歴史と永遠』, 반도 요스케板東洋介의 『소라이학파

로부터 국학으로徂徠学派から国学へ』를 함께 읽을 것을 추천한다.

— 란 고가쿠藍弘岳, 『한문권에서의 오규 소라이漢文圈における荻生徂徠』, 東京大学出版会, 2017년. 필자의 이 책은 이 장의 내용과 관계되는 연구서이다. 동아시아라는 안목에서 소라이 학문의 형성과 전개를 논의한 것이다. 동아시아의 문학사, 사상사의 관점에서 소라이학을 좀 더 알고 싶은 분에게 추천한다. 동아시아의 학문 세계를 의식하면서 에도 유교를 파악하는 연구로서 와타나베 히로시渡辺浩의 『동아시아의 왕권과 사상東アジアの王權と思想』, 사와이 게이치澤井啓一의 『'기호'로서의 유학'記号'としての儒学』, 고지마 쓰요시小島毅의 『근대 일본의 양명학近代日本の陽明学』과 『유교가 뒷받침한 메이지 유신儒教が支えた明治維新』, 나카무라 슌사쿠中村春作의 『소라이학의 사상권역徂徠学の思想圏』을 아울러 읽을 것을 추천한다.

후기

서양 중세 철학의 전개에서 종말론 사상이 사람들의 마음을 뒤덮는 분위기였다는 점은 중요하다. 피오레의 요아킴이 어느 정도 받아들여졌던 것도 종말이라는 것이 세계의 끝이라는 절망적 위기감과 종말 후에 다가올 새로운 세계에 대한 기대라는 양가적인 감정 위에 구축된 듯하다. 유럽 각지에 끊임없이 생겨나는 이단자의 사상, 이단자에 대한 격렬한 탄압, 십자군, 흑사병, 가혹한 세금 등, 종말의 접근을 미리 알아챈 듯한 긴장감으로 넘쳐난 시대였을 것이다.

21세기를 살아가는 우리도 종말론적인 상황에 놓여 있다. 21세기는 9·11의 동시다발 테러로 시작되며, 철학 역시 '언어론적 전회' 후에 '이슬람적 전회Islamic turn'로써 새로운 철학의 단계가 왔다고 각오할 정도였다. 당연한 일이지만, 세계철학사는 이슬람적인 조류를 짜 넣어야만 한다. 그리고 인도도 중국도 일본도, 그뿐만 아니라 남아메리카도 아프리카도 하나의 철학권으로서 생각해야 하는 시대에 들어섰다.

21세기는 다양하게 종말론적 기미를 풍기며, 21세기의 요아킴을 기다리고 있는 것으로 보인다. 지구 규모의 온난화, 사상 최악의 원전 사고인 후쿠시마, 근간에 보이게 된 핵무기의 위협, 신형 코로나바이러스 등, 암담한 사건 속에서 우리는 살아가고 있다. 이성주의(합리주의) 후에 이성이 미래에 대한 희망을 단념할 것을 가르치고 있는 것으로 보이는 가운데 희망의 원리는 어디에 놓여 있는 것일까?

요아킴이 중세의 사람들에게 희망을 주고, 사람들은 그 실현자로서 아시시의 프란체스코에게서 희망을 발견했다. 현대에 희망은 어디에 놓여 있는 것일까?

근세란 무엇인가? 서양 중세는 인테르·에세(사이 존재, 관계, 관심, 이자, 이해관계)를 정당화하고, 성령과 같이 사람과 사람 사이를 흐르며 유통하는 것으로 파악했다. 인테르·에세를 자신 쪽에 구심적으로 집중하여 축적하는 것이 아니라 투자하고 증식하는 시스템이 근세에 나타난다. 그것은 경제학의 문제에 그치지 않고 존재론, 신학, 윤리학, 법학도 끌어넣는 문제이다. 인테르·에세는 그 작용을 서양에 붙들어두는 것이 아니라 세계 전체로 파급해갔으며, 그것이 근세였다.

철학사 역시 시간적으로 과거로 거슬러 올라감으로써 현실로부터 물러나 과거에 틀어박히는 것이 아니라 야누스처럼 과거와 미래를 동시에 응시하고 앞날을 확정하는 행위이다. 거기에는 동양도 서양도 없다. 그와 같은 구분을 근본으로부터 파괴해버릴지도 모르는 격류 속에서 우리는 살아가고 있다.

그렇지만 다음과 같이 힐난하는 사람도 있을 것이다. 현재에 세계는커녕 좁은 섬나라의 사건마저도 내다보기에 어려움을 겪는 자가 어떻게 해서 500년 전의 일을 권위 있는 자처럼 말할 수 있을 것인가 하고 말이다. 그러나 그것을 피해 다니고자 하는 것은 불가능함을 변명의 명분으로 하여 외투처럼 몸에 걸침으로써 비판을 미리 피하고자 하는 예방적 방어법이 아닐까?

철학이 부엉이처럼 황혼 녘에 날아오르는 것에 만족하는 것이 아니라 닭스처럼 이른 아침에 새벽을 알리는 새와 같은 역할을 망상하는 인간이 나오더라도 좋다. 세계철학사는 역사의 선도자들에 대한 감사의 말, 아니 묘비명인 것이다.

신형 코로나바이러스라는 보이지 않는 악이 세계를 뒤덮고 있고, 14세기의 흑사병을 연상시킨다. 흑사병은 세계적 규모에서 보면 8,000만 명에서 1억 명의 사람이 희생되었다고 한다. 거기까지 극단적으로 창궐할 일은 아니라고 하더라도, 피해는 크며, 일찍 종식되기를 원하지 않을 수 없다.

그러한 엄혹한 시련의 상황 속에서 이 제5권도 치쿠마쇼보 편집부 마쓰다 다케시 씨의 맹렬한 기세로 분투하는 헌신으로 성립되었다는 말씀을 드린다. 편집위원의 한 사람으로서 마음으로부터 감사드린다.

2020년 3월

제5권 편자 야마우치 시로

| 편자 · 집필자 · 옮긴이 소개 |

■ 편자

이토 구니타케伊藤邦武

1949년생. 류코쿠대학 문학부 교수, 교토대학 명예교수. 교토대학 대학원 문학연구과 박사과정 학점 취득 졸업. 스탠퍼드대학 대학원 철학과 석사과정 수료. 전공은 분석 철학·미국 철학. 저서 『프래그머티즘 입문』(ちくま新書), 『우주는 왜 철학의 문제가 되는가』(ちくまプリマー新書), 『퍼스의 프래그머티즘』(勁草書房), 『제임스의 다원적 우주론』(岩波書店), 『철학의 역사 이야기』(中公新書) 등 다수.

야마우치 시로山内志朗 _ 머리말 · 제1장 · 제3장 · 후기

1957년생. 게이오기주쿠대학 문학부 교수. 도쿄대학 대학원 인문과학연구과 박사과정 학점 취득 졸업. 전공은 서양 중세 철학·윤리학. 저서 『보편 논쟁』(平凡社ライブラリー), 『천사의 기호학』(岩波書店), 『'오독'의 철학』(青土社), 『작은 윤리학 입문』, 『느끼는 스콜라 철학』(이상, 慶應義塾大学出版会), 『유도노산의 철학』(ぷねうま舎) 등.

나카지마 다카히로中島隆博 _ 제9장

1964년생. 도쿄대학 동양문화연구소 교수. 도쿄대학 대학원 인문과학연구과 박사과정 중도 퇴학. 전공은 중국 철학·비교사상사. 저서 『악의 철학 — 중국 철학의 상상력』(筑摩選書), 『장자 — 닭이 되어 때를 알려라』(岩波書店), 『사상으로서의 언어』(岩波現代全書), 『잔향의 중국 철학 — 언어와 정치』, 『공생의 프락시스 — 국가와 종교』(이상, 東京大学出版会) 등.

노토미 노부루納富信留

1965년생. 도쿄대학 대학원 인문사회계 연구과 교수. 도쿄대학 대학원 인문과학연구과 석사과정 수료. 케임브리지대학 대학원 고전학부 박사학위 취득. 전공은 서양 고대 철학. 저서 『소피스트란 누구인가?』, 『철학의 탄생 — 소크라테스는 누구인가?』(이상, ちくま学芸文庫), 『플라톤과의 철학 — 대화편을 읽다』(岩波新書) 등.

■ 집필자

와타나베 유渡辺 優 __ 제2장

1981년생. 도쿄대학 대학원 인문사회계 연구과 준교수. 도쿄대학 대학원 인문사회계 연구과 박사과정 학점 취득 졸업. 박사(문학). 전공은 종교학·서양 근세 신비 사상사. 저서 『장-조제프 쉬렝—17세기 프랑스 신비주의의 빛줄기』(慶應義塾大学出版会) 등.

애덤 다카하시高橋厚 __ 제4장

1979년생. 도요대학 문학부 철학과 조교. 게이오기주쿠대학 대학원 석사과정 수료, 네덜란드 라드바우드대학 철학박사. 전공은 서양 중세·르네상스 자연 철학사. 논문 "Albert the Great as a Reader of Averroes: A Study of His Notion of the Celestial Soul in *De caelo et mundo and Metaphysica*", *Documenti e studi sulla tradizione filosofica medievale*, 30 (2019) 등.

니이 요코新居洋子 __ 제5장

1979년생. 일본학술진흥회 특별연구원. 도쿄대학 인문사회계연구과 박사학위 취득. 전공은 동양사·동서 사상 교류. 저서 『예수회 수사와 보편의 제국—중국 주재 선교사에 의한 문명의 번역』(名古屋大学出版会), 논문 「학지와 선교—중국 주재 예수회 수사에 의한 적응의 변용」(사이토 아키라 편, 『선교와 적응—글로벌 미션의 근세』, 名古屋大学出版会) 등.

오니시 요시토모大西克智 __ 제6장

1970년생. 규슈대학 인문과학연구원 준교수. 도쿄대학 대학원 인문사회계연구과 석사과정 수료. 파리 제1대학 철학과 박사학위 취득. 전공은 서양 근세 철학. 저서 『의지와 자유—하나의 계보학』(知泉書館), 『서양 철학사 III—'포스트모던' 앞에서』(공저, 講談社選書メチエ), 공역서 『데카르트 전집 서간집 4권(1640~1641)』(감역, 知泉書館) 등.

이케다 신지池田眞治 __ 제7장

1976년생. 도야마대학 학술연구부 인문과학계 준교수. 교토대학 대학원 문학연구과 박사후기과정 수료, 문학박사. 전공은 서양 근세 철학·수리 철학사. 논문 「허구를 통해 실재로 — 무한소의 본성을 둘러싼 라이프니츠의 수리 철학」(『라이프니츠 연구』 제5호), 공역서 『데카르트 수학·자연학 논집』(法政大学出版局), 『라이프니츠 저작집 제II기』(工作舍) 등.

오구라 기조小倉紀藏 _ 제8장

1959년생. 교토대학 대학원 인간·환경학연구과 교수. 한국 서울대학교 철학과 대학원 동양철학 전공 박사과정 학위 취득 졸업. 전공은 동아시아 철학. 저서 『조선사상전사』, 『입문 주자학과 양명학』(이상, ちくま新書), 『주자학화하는 일본 근대』(藤原書店), 『창조하는 동아시아』(春秋社) 등.

란 고가쿠藍弘岳 _ 제10장

1974년생. 대만·중앙연구원 역사언어연구소 교수. 도쿄대학 대학원 종합문화연구과 박사과정 수료. 전공은 일본 사상사·동아시아 사상 문화 교류사. 저서 『한문권에서의 오규 소라이 — 의학·병학·유학』(東京大学出版会) 등.

마쓰우라 쥰松浦 純 _ 칼럼 1

1949년생. 도쿄대학 명예교수. 도쿄대학 대학원 인문과학연구과 석사과정 수료. 전공은 독일어·독일 문학. 저서 『십자가와 장미 — 알려지지 않은 루터』(岩波書店), 역·해설서 『파우스트 박사. 부록 인형극 파우스트』(国書刊行会), 루터 최초 시기 자필 자료 교정판(Böhlau Verlag) 등.

가네코 하루오金子晴勇 _ 칼럼 2

1932년생. 오카야마대학 명예교수, 세이가쿠인대학 종합연구소 명예교수. 교토대학 대학원 문학연구과 종교학 전공 박사과정 학점 취득 졸업. 교토대학 문학박사 학위 취득. 전공은 유럽 사상사. 저서 『루터의 인간학』(創文社), 공역서 『아우구스티누스 신학 저작집』(教文館) 등.

아가타 마리安形麻理 _ 칼럼 3

1976년생. 게이오기주쿠대학 문학부 교수. 게이오기주쿠대학 대학원 문학연구과 박사과정 수료. 박사(도서관·정보학). 전공은 서양 서지학. 저서 『디지털 서물학 시초 — 구텐베르크 성서와 그 주변』(勉誠出版), 역서 『서양 활자의 역사』(慶應義塾大

学出版会) 등.

이토 히로아키伊藤博明 _ 칼럼 4

1955년생. 센슈대학 문학부 교수. 홋카이도대학 대학원 문학연구과 박사후기과정 중퇴. 전공은 사상사·예술론. 저서 『르네상스의 신비 사상』(講談社学術文庫), 『철학의 역사 4. 르네상스』(편저, 中央公論新社), 『광상의 표상학』(ありな書房) 등.

■ 옮긴이

이신철李信哲

가톨릭관동대학교 VERUM교양대학 교수. 연세대학교 철학과를 졸업, 건국대학교 대학원에서 철학 박사학위 취득. 전공은 서양 근대 철학. 저서로 『진리를 찾아서』, 『논리학』, 『철학의 시대』(이상 공저) 등이 있으며, 역서로는 피히테의 『학문론 또는 이른바 철학의 개념에 관하여』, 회슬레의 『객관적 관념론과 근거짓기』, 『현대의 위기와 철학의 책임』, 『독일철학사』, 셸링의 『신화철학』(공역), 로이 케니스 해크의 『그리스 철학과 신』, 프레더릭 바이저의 『헤겔』, 『헤겔 이후』, 『이성의 운명』, 헤겔의 『헤겔의 서문들』, 하세가와 히로시의 『헤겔 정신현상학 입문』, 곤자 다케시의 『헤겔과 그의 시대』, 『헤겔의 이성, 국가, 역사』, 한스 라데마커의 『헤겔 『논리의 학』 입문』, 테오도르 헤르츨의 『유대 국가』, 가라타니 고진의 『트랜스크리티크』, 울리히 브란트 외 『제국적 생활양식을 넘어서』, 프랑코 '비포' 베라르디의 『미래 가능성』, 사토 요시유키 외 『탈원전의 철학』 등을 비롯해, 방대한 분량의 '현대철학사전 시리즈'(전 5권)인 『칸트사전』, 『헤겔사전』, 『맑스사전』(공역), 『니체사전』, 『현상학사전』이 있다.

* 고딕은 철학 관련 사항

	유럽	북아프리카 · 아시아 (동아시아 이외)	중국 · 조선	일본
1260	1260년경 에크하르트, 태어남[~1328년경] 1261 콘스탄티노폴리스를 탈환하고, 비잔틴제국 재흥. 팔라이오로고스 왕조가 시작된다[~1453] 1265 단테 태어남 [~1321] 1265년경 둔스 스코투스 태어남[~1308], 토마스 아퀴나스 『신학대전』 집필 개시	1263 이슬람 원리주의자 이븐 타이미야 태어남[~1328]		1262년경 유이엔 『탄이초』 성립 1263 신란 사망 1266년경 『아즈마 카가미』 성립
1270	1270 나흐마니데스 사망. 마르코 폴로 동양을 향해 출발한다. 1270년경 이 무렵부터 파리대학에서 라틴 아베로에스주의자의 활동이 활발화 1272 아브빌의 게라르두스 사망 1274 제2차 리용 공의회 1275/80 파도바의 마르실리우스 태어남 [~1342/43]	1273 페르시아어 시인 잘랄 알딘 루미 사망 1274 철학자·천문학자 나시르 알딘 투시 사망	1271 쿠빌라이 칸 국호를 대원(원)으로 삼는다[~1368] 1275 마르코 폴로 대도에 도착 1279 남송, 원나라 군대에 의해 멸망	1274 분에이의 역 1278 고칸 시렌 태어남 [~1347]

	1277 탕피에의 금지령			
1280	1285년경 윌리엄 오컴 태어남[~1347년경]	1283 역사가 알라 알딘 주바이니 사망 1284 조명철학자, 이븐 캄무나 사망 1288 아제르바이잔의 이슬람 신비주의자 마흐무드 샤베스타리 태어남[~1320년경]	1280 곽수경과 허형 등에 의해 수시력이 완성된다	1280년경 『신도오부서』 성립 1281 고안의 역 1283 무쥬 『사석집』 성립
1290	1296 그레고리오스 팔라마스 태어남[~1357/9] 1298 페트루스 요한네스 올리비 사망	1292 페르시아어 시인 사디 시라지 사망 1295 이르한 왕조가 이슬람으로 개종 1299 오스만 왕조가 일어남[~1922]	1294 몬테코르비노 대주교에 의한 중국 포교[~1328]	1297 다아가쿠 태어남[~1364]
1300	1300년경 장 뷔리당 태어남[~1362년경]. 리미니의 그레고리우스 태어남[~1358] 1304 페트라르카 태어남[~1374] 1309 '교황의 바빌론 유수'[~1377]	1301 이슬람 신비주의자 아지즈딘 나사피 사망 1308 룸 셀주크 왕조 멸망		
1310		1314 라시드웃딘 『집사』 성립. 무자파르 왕조 성립 1318 이란의 역사가 라시드웃딘 처형 1319 이란의 신비주의 철학자 하이다르 아몰리 태어남[~1385]	1313 송의 멸망 이후 중단되었던 과거가 재개	
1320	1320년경 작센의 알베르투스 태어남[~1390]. 니콜 오렘 태어남[~1382]	1320 투글루크 왕조 성립 1325 인도의 이슬람 성자 니자무딘 아울리야 사망. 인도의 페르시아		1320 와타라이 이에유키 『유취신기본원』 성립

		어 시인 쿠스로 사망 1325/6 페르시아어 시인 하페즈 시라지 태어남[~1389/90] 1326 시아파 신학자 알라마 힐리 사망		
1330	1331년경 존 위클리프 태어남[~1384] 1337 백년전쟁 개시[~1453] 1337년경 헤쉬카슴 논쟁[~1351]	1332 역사가 이븐 할둔 태어남[~1406] 1336 이슬람 신비주의자 알라 알다울라 심나니 사망 1339/40 이란의 문자 신비주의자 파들 알라 아스타라바디 태어남[~1394]		1330 요시다 겐코『도연초』 성립 1333 가마쿠라 막부가 사멸한다. 겐무 신정 1336 남북조 분열
1340	1340년경 하스다이 크레스카스 태어남[~1410] 1347 페스트 대유행[~1350]	1347 데칸고원에 바흐마니 왕조 성립	1346 이븐 바투타가 대도에 도착	1344 무소 소세키『몽중문답집』 성립
1350		1351 태국에 아유타야 왕조 성립[~1767] 1353 이란에서 이르한 왕조가 멸망 1355 수니파 신학자 이지 사망	1351 홍건적의 난[~1366] 1357 방효유 태어남[~1402]	
1360	1360년경 플레톤 태어남[~1452] 1363 장 제르송 태어남[~1429]		1368 원의 대도가 함락, 명이 성립하여 주원장이 황제가 된다	1360년경『신도집』 성립 1363 제아미 태어남[~1443]
1370	1378 교회 대분열[~1417]	1370 우즈베키스탄 중앙부에 티무르 왕조가 성립[~1507]	1370 과거제도가 확정된다	1375년경『태평기』 성립
1390	1396 니코폴리스 전투에서 오스만 제국이 헝가리를 깨트린	1390 수니파 신학자 타프타자니 사망	1392 조선(이씨)이 성립[~1897] 1397 홍무제『육론』	1392 남북조 합일 1397 아시카가 요시미쓰, 킨카쿠지를 조

	다		을 발포	영
1400	1409 피사 공의회 개최	1402 앙카라 전투	1405 정화의 남해 원정[~1433]	1404 감합 무역 개시
1410	1414 콘스탄츠 공의회 개최[~1418] 1415 얀 후스 화형	1414 인도, 사이드 왕조 성립[~1451]. 페르시아어 수피 시인 자미 태어남[~1492]	1415『오경대전』,『사서대전』,『성리대전』의 완성	
1420		1426 이란의 철학자·신학자·법학자 잘랄 알딘 알 다와니 태어남[~1502]		
1430	1431 바젤 공의회 개최[~1449]. 잔다르크 처형된다	1432 남이라크의 잘라이르 왕조 멸망		
1440	1442년경 포르투갈, 노예무역을 개시	1440 인도의 종교 개혁자 카비르 태어남[~1518] 1445 러시아에 카잔 한국 성립	1446 조선왕조, 세종이 훈민정음(한글)을 제정	
1450	1452 사보나롤라 태어남[~1498]. 레오나르도 다빈치 태어남[~1519] 1453 콘스탄티노폴리스 함락, 비잔틴 제국 멸망 1455 장미전쟁[~1485] 1455년경 구텐베르크, 활판인쇄술을 발명	1451 인도, 로디 왕조 성립[~1526]		
1460	1462 피에트로 폼포나치 태어남[~1525] 1463 조반니 피코 델라 미란돌라 태어남[~1494]. 플라톤 아카데미 성립 1466 에라스뮈스 태어	1461 이란의 철학자 기야숫딘 다슈타키 태어남[~1542] 1469 시크교 교조 나나크 태어남[~1538]		1467 오닌의 난[~1477]

	남[~1536] 1469 마키아벨리 태어남[~1527]			
1470	1473 코페르니쿠스 태어남[~1543] 1477/8 토머스 모어 태어남[~1535]	1477 인도의 논리학자 라그나타 태어남 [~1550년경] 1478 콘스탄티노폴리스에 톱카프 궁전 완성	1472 왕수인(왕양명) 태어남[~1528/9]	
1480	1482 베르나르디노 데 라레도 태어남[~1540] 1483 마르틴 루터 태어남[~1546] 1484 율리우스 카이사르 스칼리게르 태어남 [~1558] 1485 영국에 튜더 왕조 성립[~1603] 1486 아그리파 폰 네테스하임 태어남[~1535]		1483 왕간 태어남 [~1540]	
1490	1492 스페인 왕국이 나스르 왕조의 그라나다를 함락하고, 레콩키스타 완성. 콜럼버스 서인도 제도에 도달 1494 이탈리아 전쟁, 일어나다[~1559] 1497 필립 멜란히톤 태어남[~1560] 1497년경 프란시스코 데 오수나 태어남[~1542]	1497 시아파 철학자 사들 알딘 다슈타키 시라지 사망 1498 바스쿠 다가마 캘리컷 도달	1491 오정한 태어남 [~1559] 1496 전덕홍 태어남 [~1574] 1498 왕기 태어남 [~1583]	
1500	1506 산 피에트로 대성당 건설 개시	16C 초 나나크, 시크교를 창시 1501 이란 북서부에 사파비왕조 성립	1502 이황(이퇴계) 태어남[~1571]	

		[~1736]. 이스마일 1세가 사파비왕조의 국교를 시아파로 제정한다		
1510	1515 페트루스 라무스 태어남[~1572]. 아빌라의 테레사 태어남[~1582] 1519 라이프치히 논쟁(루터와 에크의 논쟁)	1510 포르투갈, 고어 점령 1511 포르투갈, 말라카 점령 1517 오스만 제국, 이집트를 점령, 마무르크 왕조 멸망		
1520	1521 보름스의 국회, 루터를 추방 1522 이그나티우스 데 로욜라가 스페인 북동부 만레사의 동굴에서 신비적 체험을 한다 1524 독일 농민 전쟁[~1525] 1528 폰세카 태어남[~1599] 1529 오스만 제국군에 의한 제1차 빈 포위	1526 인도, 무굴 제국 성립[~1858]	1527 기고봉 태어남[~1572]. 이지 태어남[~1602]	
1530	1533 야콥스 자바렐라 태어남[~1589]. 몽테뉴 태어남[~1592] 1534 이그나티우스 데 로욜라에 의해 예수회 결성 1535 루이스 데 몰리나 태어남[~1600]. 페드로 고메스 태어남[~1600] 1538 잠바티스타 델라 포르타 태어남[~1615]. 프레베자 해전에서 오	1535 이란의 세밀화가 베흐자드 사망 1538 인도에서 셰르 칸이 수르 왕조 건국	1535 운서주굉 태어남[~1615] 1536 이율곡 태어남[~1584]	

	스만 해군이 스페인·교황·베네치아 해군을 깨뜨리고 지중해를 제패			
1540	1541 칼뱅, 제네바에서 종교 개혁 개시 1542 십자가의 요한네스 태어남[~1591] 1548 조르다노 브루노 태어남[~1600]. 안토니우스 루비우스 태어남[~1615]. 프란시스코 수아레스 태어남[~1617]	1540 무굴 왕조의 제2대 황제 후마윤이 수르 왕조에 내몰려 이란으로 망명 1542 사비에르, 인도에 도착		1543 포르투갈 배 다네가시마에 표류하여 도착 1549 사비에르가 가고시마에 내항하고, 그리스도교가 전래
1550	1559 영국국교회 성립	1550 콘스탄티노폴리스에서 건축가 시난이 술래이마니예 모스크 착공	1550 고헌성 태어남[~1612] 1559년경 왕계원 태어남[~?]	1555 가와나카지마 전투
1560	1561 프랜시스 베이컨 태어남[~1626] 1562 프랑스에서 종교전쟁 발발[~1598] 1564 갈릴레오 갈릴레이 태어남[~1642] 셰익스피어 태어남[~1616]	1561 이란의 신비 철학자 미르 다마드 태어남[~1631] 1564 무굴제국 제3대 황제 아크바르가 비이슬람에 대한 지즈야를 폐지	1562 무창기 태어남[~1626]. 서광계 태어남[~1633] 1564 이수광 태어남[~1628] 1566 포르투갈인, 마카오를 건설 1568 위충현 태어남[~1627]	1560 오케하자마 전투 1561 후지와라 세이카 태어남[~1619]
1570	1571 레판토 해전에서 스페인·베네치아 연합함대가 오스만제국 해군을 깨뜨린다 1575 야콥 뵈메 태어남[~1624]	1571/2 이란의 신비 철학자 몰라 사드라 태어남[~1640]	1578 알레산드로 발리냐노, 마카오에 도착	1573 무로마치 막부 멸망 1575 나가시노 전투
1580	1588 토머스 홉스 태어남[~1679]. 마랭 메르센 태어남[~1648]	1582 아크바르가 디네 이라히교를 창시	1578 마테오 리치, 마카오에 도착	1582 오토모·오무라·아리마, 교황에게 소년 사절을 파견

	1589 프랑스, 부르봉 왕조로 교대[~1792]			[~1590] 1583 하야시 라잔 태어남[~1657] 1585 도요토미 히데요시 관백이 된다
1590	1596 데카르트 태어남[~1650]	1598 이란의 사파비 왕조가 에스파한으로 천도	1592 임진왜란(분로쿠의 역)[~1593] 1593 비은통용, 태어남[~1661] 1597 정유왜란(게이쵸의 역)[~1598]	1590 도요토미 히데요시 전국을 통일한다 1591 일본 최초의 활판 인쇄가 행해진다 1592 마쓰나가 세키고 태어남[~1657]
1600	1600 장 조제프 쉬렝 태어남[~1665]. 조르다노 브루노 화형	1600 영국 동인도 회사가 설립된다 1602 네덜란드 동인도 회사가 성립된다 1604 프랑스 동인도 회사가 설립된다	1603『천주실의』간행	1600 세키가하라 전투 1603 도쿠가와 이에야스 에도 막부를 연다 1609 네덜란드, 히라도에 상관을 개설
1610	1613 하세쿠라 쓰네나가 등, 유럽으로 건너간다[~1620] 1618 30년 전쟁[~1648]	1619 네덜란드, 자바에 동인도 총독을 두고, 바타비아 건설	1610 황종희 태어남[~1695] 1613 고염무 태어남[~1682]	1614 오사카 겨울의 진 1615 오사카 여름의 진 1619 야마자키 안사이 태어남[~1682]. 구마자와 반잔 태어남[~1691]
1620	1620 메이플라워호 아메리카에 상륙 1623 파스칼 태어남[~1662] 1627 로버트 보일 태어남[~1691]		1622 유형원, 태어남[~1673]	1621 기노시타 준안, 태어남[~1699] 1627 이토 진사이, 태어남[~1705]
1630	1632 스피노자 태어남[~1677]. 로크 태어남[~1704] 1638 니콜라 드 말브랑	1633 콤학파의 철학자 사이드 쿰미 태어남[~1691]	1636 청, 성립[~1912]	1635 나카에 도주, 도주 서원을 열다 1637 시마바라의 난[~1638]

	슈 태어남[~1715]			
1640	1640 영국혁명[~1660] 1642 뉴턴 태어남 [~1727] 1646 라이프니츠 태어남[~1716] 1648 베스트팔렌 조약을 체결하고, 30년 전쟁 종결	1641 이란·인도의 과학자 미르 펜데레스키 사망. 시리아의 수피 신학자 아브드 알 가니 알 나불시 태어남[~1731]	1641 권상하 태어남 [~1721] 1644 청의 중국 지배 시작된다. 장헌충, 군을 이끌고 성도를 공략하고 '대서국'을 칭한다	1641 네덜란드 상관을 데지마로 옮기고 쇄국 완성
1650			1654 『신학대전』 제1부의 한역이 로도비코 불리오에 의해 이루어진다[~1677]	1657 아라이 하쿠세키 태어남[~1725] 1658 무로큐 소 태어남 [~1734]
1660	1660 영국에서 왕정복고. 런던 왕립 협회(현재까지 존속 중) 설립 1666 파리 왕립 과학 아카데미(나중의 프랑스 학사원) 설립		1661 정성공, 대만 점령 1662 명, 완전히 멸망	1666 오규 소라이 태어남[~1728]
1670		1670 시아파 철학자 라자브 알리 타부리지 사망	1677 『신학대전』 제3부 보충이 가브리엘 마갈량이스에 의해 한역된다. 이간 태어남 [~1727]	
1680	1683 오스만 제국군에 의한 제2차 빈 포위 1685 버클리 태어남 [~1753] 1688 명예혁명[~1689] 1689 몽테스키외 태어남[~1755]. 영국에서 권리 장전 제정		1681 이익(이성호) 태어남[~1763] 1682 한원진 태어남 [~1751] 1683 정씨가 항복, 대만이 청의 영토가 된다	1680 다자이 슌다이 태어남[~1747] 1683 핫토리 난가쿠 태어남[~1759] 1687 야마가타 슈난 태어남[~1752]
1690	1694 볼테르 태어남 [~1778]	1691 시아파 신학자 카디 사이드 쿰미 사망		1690 야마노이 곤론 태어남[~1728]. 쇼헤이자

		1699 카를로비츠 조약		카 학문소가 설립된다 1697 가모노 마부치 태어남[~1769] 1699 네모토 손시 태어남[~1764]
1700	1700 베를린 학문 협회(나중의 베를린 과학 아카데미) 설립			1703 안도 쇼에키 태어남[~1762]

| 찾아보기 |

ㅂ

ㅅ

ㅇ

ㅈ

ㅊ

ㅋ

ㅌ

ㅍ

ㅎ

| 전권 목차 |

책임편집 이토 구니타케+야마우치 시로+나카지마 다카히로+노토미 노부루
옮 긴 이 이신철

세계철학사 1 — 고대 I

세계철학사 2 — 고대 II

세계철학사 3 — 중세 I

세계철학사 4 — 중세 II

세계철학사 5 — 중세 III

세계철학사 6 — 근대 I

세계철학사 7 — 근대 II

세계철학사 8 — 현대

세계철학사 별권 — 미래를 열다

세계철학사 5

초판 1쇄 발행일 2023년 05월 15일

엮은이 이토 구니타케+야마우치 시로+나카지마 다카히로+노토미 노부루
옮긴이 이신철
기　획 문형준, 복도훈, 신상환, 심철민, 이성민, 이신철, 이충훈, 최진석
편　집 신동완
관　리 김장미
펴낸이 조기조
발행처 도서출판 b
인쇄소 주)상지사P&B
등　록 2003년 2월 24일 제2006–000054호
주　소 08772 서울특별시 관악구 난곡로 288 남진빌딩 302호
전　화 02–6293–7070(대)
팩　스 02–6293–8080
이메일 bbooks@naver.com
누리집 b–book.co.kr

책　값 30,000원
ISBN 979–11–89898–90–8　(세트)
ISBN 979–11–89898–95–3　94140